DE VERGELDING

Jan Brokken

De vergelding

een dorp in tijden van oorlog

Uitgeverij Atlas Contact
Amsterdam/Antwerpen

Eerste druk januari 2013
Tweede druk januari 2013
Derde druk februari 2013
Vierde druk februari 2013
Vijfde druk februari 2013
Zesde druk februari 2013

De auteur ontving voor dit boek een werkbeurs van het
Nederlands Letterenfonds

© 2013 Jan Brokken
Omslagontwerp Roald Triebels, Amsterdam
Omslagillustratie Hollandse Hoogte/Arcangel Images/Jill Battaglia
Foto auteur Merlijn Doomernik
Kaart/beeld Margot Stoete
Zetwerk Elgraphic bv, Schiedam
Drukkerij Wilco, Amersfoort

ISBN 978 90 450 2271 0
D/2013/0108/514
NUR 301

www.janbrokken.nl
www.atlascontact.nl

De vergelding is op ware gebeurtenissen gebaseerd.
Bij het onderzoek werkte ik nauw samen met
Bert G. Euser. Hij verzamelde de juridische en
historische documenten en sprak met
honderdvijfentachtig ooggetuigen, direct
betrokkenen of nazaten van direct betrokkenen.
Zonder zijn jarenlange research zou dit boek
slechts een blauwdruk van het huidige zijn.

Niettemin:
iedere waarheid is slechts een interpretatie
van wat zich in werkelijkheid heeft voorgedaan.

Waarom blijft het verleden zo pijnlijk?

Vasili Grossman, *Leven en lot*

EEN

Ze had een breed gezicht, open als een boek. Haar ogen verrieden een zin in het leven die niet strookte met de grauwe ernst van haar omgeving. Als ze 's morgens opstond en door het zolderraam naar buiten keek, zag ze land dat blank stond, en drie meter boven het water uit stekende palen die de landing van geallieerde parachutisten en amfibievliegtuigen moesten verhinderen. Alles had de kleur van blubber – ook de boomgaarden waren onder water gezet.

In de keuken werkte ze bij gebrek aan beschuit een melige appel naar binnen; in de vlierthee mocht geen suiker. Het bleef schemerig in het huisje dat als een puist aan de dijk kleefde; pas laat in de middag drong aan de achterkant een streepje licht naar binnen. Toch tintelden haar ogen alsof ze het reuzenrad op de kermis zag draaien.

Haar jongste broer noemde haar een lachebek en een allemansvriend. Dat laatste waag ik te betwijfelen. Ze zocht naar een blik die langer dan een seconde op haar bleef rusten, naar een reactie, een teken van aandacht, een blijk van afkeuring desnoods. Als je het tiende van elf kinderen bent, sta je achter in de rij: ze wilde opgemerkt worden.

Sandrien de Regt was in het najaar van 1944 een opvallend meisje van veertien. Ernst Friedrich Lange, die al zijn vrije uren met haar doorbracht en zelfs geen tijd nam om een brief naar huis te schrijven, bekende haar iedere avond hoe betoverend knap hij haar vond. Hij gebruikte een vloed aan woorden, woorden die ze lang niet allemaal begreep. Voor een militair praatte hij veel, uitbundig, bloemrijk; het was alsof hij haar zijn uniform wilde doen vergeten door haar aldoor aan te kijken en toe te spreken.

9

Aantrekkelijk vond hij haar. Verleidelijk. Als een Italiaanse, beweerde hij op een warme namiddag, toen hij zomaar een stukje met haar was gaan lopen. Sandrien had inderdaad kort, stevig, zwart haar en nogal grote, donkere ogen. Maar bijna alle meisjes uit het dorp hadden dat, wat Ernst waarschijnlijk nog niet was opgevallen. Sinds hij eind augustus een paar huizen bij haar vandaan was ingekwartierd, had hij alleen oog voor haar gehad. Dat het dorp uit dijken bestond, uit afgedamde rivieren, sloten en sluizen, moest hij ongetwijfeld ook nog ontdekken.

Ernst Lange was zelf allerminst blond, alleen kon niemand me vertellen of zijn haartint sterk afweek van de niet eens zo opvallend donkere dos van Sandrien. Ik neem aan dat hij kastanjebruine ogen had. Voor de rest deed Ernst Lange zijn naam eer aan: was hij lang en serieus.

Soms stel ik me hem als nerveus en achterdochtig voor, omdat hij er nog aan wennen moest vijand te zijn in een land waarvan de taal hem als een merkwaardig dialect in de oren klonk. Op andere momenten krijgt hij in mijn verbeelding het victorieuze van een jongen die met de neus in de boter valt. Kort na aankomst het mooiste meisje van het dorp in de armen te mogen sluiten, dat is niet iedere soldaat gegeven.

Ik weet het niet. Ik beken dat liever maar direct, om aan te geven dat dit verhaal heen en weer slingert tussen feit en veronderstelling. Niet dat ik de beelden wil verfraaien en de gevoelens wil verhevigen, dat zou indruisen tegen het wrange karakter van deze geschiedenis. Ik heb duizenden pagina's aan aantekeningen, uittreksels, documenten, dossiers, getuigenverhoren en ooggetuigenverslagen doorgenomen om me een juist beeld van de personen en situaties te vormen. Maar sommige feiten zijn niet meer te achterhalen.

Van alle personen in dit boek bleef Ernst Friedrich Lange jaren de onbekendste voor me, de vaagste, de jongen die de bijrol vervult. Waar ik pertinent zeker van ben is dat Lange een boom van een kerel was, beduidend langer dan zijn kameraden, die hooguit één meter tachtig maten. Die lengte zou hem noodlottig worden.

Over zijn leeftijd heb ik lang in onzekerheid verkeerd. In verschillende politierapporten staat zwart-op-wit dat Ernst zeventien jaar was toen hij naar het Zuid-Hollandse dorp Rhoon werd gedirigeerd, maar ik wist aanvankelijk niet of hij zeventien en twee maanden oud was of zeventien en elf maanden. Dat maakt nogal uit: of hij een jongen was aan het einde van de puberteit of een al bijna volwassen vent. Nergens in de Nederlandse documenten wordt zijn exacte geboortedatum genoemd, alleen: geboren in 1927. Dat bleek later niet te kloppen. Van de Volksbund Deutsche Kriegsgräberfürsorge kreeg ik een ander geboortejaar op: 1926. Met vermelding van de geboortedatum: 24 juli. In die oktobermaand van 1944 was Ernst Lange achttien jaar en twee maanden oud.

In de officiële papieren staat zijn geloof vermeld: *evangelisch*. Als protestant zal hij eerder in het westen of het noorden van Duitsland zijn opgegroeid dan in Beieren. In Noordrijn-Westfalen, dachten enkele dorpelingen, die zich Ernst Lange nog vagelijk meenden te herinneren. In Essen. De Nederlandse documenten laten zijn geboorteplaats in het midden.

Navraag bij het militaire archief in Freiburg levert Jörnsdorf in Kreis Weimar als geboorteplaats op. Kreis Weimar heet tegenwoordig Kreis Weimarer Land, maar geen dorp of gehucht heeft daar een naam die ook maar in de buurt van Jörnsdorf komt. Bij Ernst uit Essen stel ik me een andere jongeman voor dan bij Ernst uit Weimar. De Ernst uit Weimar schat ik strenger in.

Mis allemaal. Ernst Friedrich Lange blijkt uit Jörnstorf te komen, met een t in plaats van een d. Eén letter verschil, en ik zie een ander gezicht voor me. Jörnstorf ligt in het noordoosten van Duitsland, in Mecklenburg-Vorpommern, niet ver van de Oostzee. Dat maakt Ernst stukken sympathieker voor mij dan die Duitser uit Thüringen. Als jongen van twaalf moet hij dikwijls

naar het strand zijn gefietst, of naar de dichtstbijzijnde havenstad – Rostock – om alleen of samen met zijn vader naar schepen te kijken.

Maar het is evengoed mogelijk dat hij al zeeziek werd bij de
gedachte aan deining en dat hij de marine als een straf ervoer. Er
zijn geen brieven van hem bewaard gebleven, en zelfs als dat wel
zo was geweest, had hij in die brieven naar huis de stoere schijn
kunnen ophouden.

Een militair heeft een nummer, behoort tot een legeronder-
deel en een eenheid. Zulke gegevens lijken waardevoller dan ze
zijn. Wat zegt het over Lange dat hij deel uitmaakte van de 6e
Compagnie van de 20ste Schiffstammabteilung (SStA) van de
Land-Kriegsmarine en dat op het plaatje aan de ketting om zijn
hals het nummer 38190/44D was gegraveerd? Alleen dit: het
cijfer na de streep staat voor het jaar van in dienst treden: 1944.
Maar dat wist ik al uit een andere bron.

Het plaatje diende ter identificatie. Ernst is ermee begraven,
eerst in Rotterdam-Crooswijk, vier dagen later op de Duitse militaire begraafplaats Ysselsteyn in de provincie Limburg. Hij ligt
daar tussen 32 000 Duitsers die in de Tweede Wereldoorlog in
Nederland zijn gesneuveld. In blok BW, rij 5, graf 103. Vreemd
dat ik wel van aanvang af zijn graf kon terugvinden, alsof ik alleen over zijn dood een paar bijzonderheden mocht vernemen en
niet over zijn jeugd en zijn schooljaren onder het nazi-regime.

Als iedere Duitse militair had Ernst Lange een Feldpostnum-
mer, M (voor Marine) 64802 (Nachrichten-Kompanie Führungs-
stab Nordküste). Op dat nummer is nooit post voor hem binnengekomen.

Ernst Lange was matroos in opleiding. Niet verwonderlijk, al
het jonge kanonnenvoer dat Hitler in 1944 nodig had voor zijn
totale oorlog was 'in opleiding'. 'Matroos' is eerder een dwaal-
spoor dan een hint: zeker de helft van de manschappen van de
Kriegsmarine heeft nooit een stap op een schip gezet. Ernst behoorde tot wat in de wandel 'de landmarine' werd genoemd. Het

voetvolk van de landmarine moest havens, waterwegen, bruggen en mogelijke landingsplaatsen van de geallieerden bewaken.

De meeste jongens van bijna achttien jaar meldden zich vrijwillig voor de Kriegsmarine aan, om aan een gedwongen plaatsing bij de Waffen-ss of bij de Wehrmacht te ontsnappen en aan een enkele reis richting oostfront. De landmarine bewaakte de kust van Bremen tot Biarritz. Na d-day was dat ook geen lolletje, maar op papier had een matroos van de landmarine een grotere kans op overleven dan de soldaten die in sneeuw en modder op eenheden van het Rode Leger stuitten.

Ernst Lange groeide dicht genoeg bij Polen op om de winters aan het oostfront te vrezen, maar of hij zich inderdaad vrijwillig bij de marine in Rostock heeft aangemeld, kan geen enkele archiefdienst me met een document aantonen.

Bij Sandrien heb ik minder vraagtekens. Geboren op 11 augustus 1930. Ze was veertien jaar en twee maanden op het moment dat ik haar hier ten tonele voer. Ze zag er minstens twee jaar ouder uit, heb ik uit verschillende monden vernomen. In lengte deed ze niet onder voor haar zus Dien, met wie ze negen jaar scheelde. Beiden waren overigens niet uitzonderlijk lang: 1,71. Sandrien moest tegen Ernst opkijken, die zestien of zeventien centimeter boven haar uit stak.

Zowel toen als nu is Sandrien geen voor de hand liggende naam voor een protestants meisje. Haar doopnaam luidt Sandrina. Haar vader noemde haar Sandrien, met een scherpe s. Juffrouw Corthals noemde haar Sien, net zoals de bovenmeester van de lagere school. Ze had een hekel aan juffrouw Corthals. Van bovenmeester Brons hoopte ze altijd dat hij van zijn fiets zou vallen en zijn nek zou breken. Juffrouw Corthals en meester Brons haalden hun neus op voor kinderen uit grote gezinnen. Haar zuster Berdien – roepnaam Dien – was nog uitgesprokener, die noemde meester Brons een etter en juffrouw Corthals een teringwijf.

13

Ik vond juffrouw Corthals een van de aardigste juffrouwen die ik op de lagere school heb gehad, maar ik kwam niet uit een groot gezin, en ik was van ná de oorlog. Toen ze mijn juf werd in de eerste klas van de School met den Bijbel, was juffrouw Corthals de dertig ruimschoots gepasseerd en had ze haar vooroordelen ongetwijfeld getemperd. Hoewel ze de brutaliteit van mijn klasgenoot Piet de Lijzer nauwelijks kon verdragen. Piet de Lijzer kwam ook uit een groot gezin, toevallig het gezin dat naast de familie De Regt woonde in een even klein dijkhuisje aan de Rijsdijk – ik geloof dat ze bij De Lijzer met z'n dertienen waren.

Wat meester Brons betreft ben ik het met Sandrien en Dien eens: een bovenmeester die op ongehoorzaamheid reageerde als een stier op een rode lap. Ik moest een keer mijn handen plat op de lessenaar leggen zodat hij me met een houten liniaal op de vingers kon slaan. Na zijn pensionering zou ik hem nog jaren bij ons door de straat zien fietsen, met een rug recht als een aanwijsstok. Hij groette me altijd beleefd. Voor oud-leerlingen scheen hij door het vuur te gaan. Ik heb nooit wrok tegen hem gevoeld; hij was er een van de oude stempel en die stempel was nu eenmaal autoritair.

Voor de meeste dorpelingen bleef Sandrien Sien heten. Na de eerste zoen van een jongen vond ze Sandrien volgroeider klinken. Ze was er vroeg bij, vroeger althans dan haar broers en zussen. Door de oorlog werd ze sneller volwassen.

Ernst Lange noemde haar Sandrien, met een scherpe s. Maar zoals hij de r uitsprak, dat leek bijna op brouwen. Zijn n was weer zacht als vilt; als hij Ssandrrriennn zei, leek er een lieveheersbeestje op haar rug te trippelen. Ze rilde van zijn stem en waande zich de dochter van Koolhoven, de vliegtuigfabrikant die op Rhoon woonde.

Een van de dingen die ze Ernst probeerde uit te leggen was dat je niet 'in Rhoon' maar 'op Rhoon' woonde omdat Rhoon eeuwenlang een eilandje in de monding van de Maas was geweest.

Je woont 'op' een eiland, niet? Ernst begreep er niets van. In sommige opzichten vond ze hem alert en snugger, in andere een stuntelaar. Goedgelovig ook, alsof alles aan de liefde onbaatzuchtig was.

Matroos Lange zou inderdaad beter geweten moeten hebben. Niet alleen verleidde hij Sandrien met een stukje zeep (een gemakkelijke manier om een meisje voor je in te palmen; zeep was in die tijd schaars en kostte een schat aan bonnen), de plaats waar hij haar voor het eerst ontmoette, sloot sentimentele speculaties uit. Tenzij Ernst niet direct in de gaten had dat velen voor hem de krakende trap naar de zolderkamer waren op gegaan.

Om de een of andere reden denk ik dat Ernst Lange, nog voor hij eindexamen kon doen, van een provinciaal gymnasium was geplukt, zoals tienduizenden jongens van zestien, zeventien en achttien jaar in de maanden april en mei van het jaar 1944. En dat hij van het ene op het andere moment de bestudering van wiskunde, scheikunde, Grieks, Latijn, Hölderlin, Von Kleist en *Wilhelm Meisters Lehrjahre* had moeten inruilen voor een militaire spoedopleiding van zes weken en een schietcursus van op de kop af zeven uur, waarna hij, zoals in totaal tachtigduizend andere knapen, naar een gebied was gestuurd dat tot op de laatste man verdedigd moest worden.

Toegegeven, dat is speculatie. Misschien zat hij op een technische school toen Hitler de dienstplichtige leeftijd verlaagde tot zestien jaar. Of werkte hij in een fabriek. Landarbeider is een andere mogelijkheid, ofschoon hij niet het uiterlijk van een boerenknecht had. Hij droeg soms een bril. Dat ronde brilletje zette hij volgens één informant nogal onhandig op, hij krulde de dunne stalen poten achter zijn oren. Bij dat beeld past een ietwat wereldvreemde gymnasiast.

Toch is het oppassen geblazen met dit soort aannames. Ernst Lange had evengoed een bruut of een sadist kunnen worden als hij langer was blijven leven. De volgende dag, de elfde oktober

1944, bewezen zijn kameraden tot het ergste in staat te zijn. Dus waarom hij niet?

Ernst mocht van geluk spreken dat hij niet naar het oostfront was gestuurd, noch naar het westelijke front in Normandië. Het gebied ten zuiden van Rotterdam was in 1944 nog niet in een slagveld veranderd. Zijn superieuren hielden daar wel sterk rekening mee: na de aanval op Antwerpen dachten ze dat Rotterdam aan de beurt was. De geallieerden zouden de havens proberen in te nemen. Met een vijftiental inderhaast opgeroepen lotgenoten moest Ernst het gebied rond de Waalhaven bewaken. Een troosteloos gebied: half ingestorte kades, verwoeste kranen, gebombardeerde loodsen. Maar in de haven zelf lagen u-boten. Meer naar het zuiden weilanden, stukken opgespoten terrein en met hei begroeide zandplaten die deel uitmaakten van het grotendeels verwoeste Vliegveld Waalhaven. Bij een geallieerde aanval zou dat vliegveld ongetwijfeld weer een sleutelrol gaan spelen, zoals het dat ook aan het begin van de oorlog had gedaan. Tijdens zijn eerste weken in Zuid-Holland had Ernst mijnen moeten leggen.

Over de dreiging van een landing wilde Sandrien niet horen. Alles wat met de oorlog te maken had, met de bezetting, het leger, de discipline, de tucht, bedierf haar humeur. Het enige wat haar aan de oorlog beviel was dat niets meer regelmatig en gewoontegetrouw was. Alleen al een woord als 'uitzonderingstoestand' gaf haar een lichamelijk soort welbehagen. In het najaar van 1943 had ze niet meer naar school gehoeven en in de zomer van 1944 had ze haar baantje als hulp in de huishouding mogen opgeven. In het dorp kon geen notabele of herenboer meer een dienstbode betalen, en de Luftwaffe, die in het Kasteel van Rhoon zetelde, was met zeven vrouwen uit het dorp die de overhemden van de officieren wasten en streken, ook voorzien. Sinds juli was ze vrij. De oorlog zag ze als een vakantie die, naar ze hoopte, nooit eindigen zou.

Thuis moest ze de handen uit de mouwen steken; met tien

broers en zussen was daar geen ontkomen aan. Goed, de oudsten waren het huis uit, Jacob, Aleida en Neeltje waren getrouwd, Martinus zat voor de Arbeitseinsatz in Duitsland, maar Neeltje had met haar man de voorkamer betrokken (ze sliepen in de bedstee beneden) en er bleven vijf jongens en meiden over. Tobias, de jongste, plaste nog in bed – hoewel dat eigenaardig was voor een knul van twaalf.

Samen met Dien maakte ze de bedden op en waste ze de lakens en de kleren in de tobbe achter de schuur. Beter kon ze het eigenlijk niet hebben. Dien was nooit bazig, vroeg alleen of ze een handje kon helpen. Dat wilde ze maar al te graag, Dien zat vol verhalen die er pas uit kwamen als ze met iets bezig was.

Haar oudere zus was het kompas waarop ze voer. Wat Dien deed, wilde ze zelf ook doen, zonder er verder bij na te denken. Dien was met haar drieëntwintig jaar volwassen. Ze vertikte het echter moederlijk of bedillerig te zijn. Haar brede schouders en grote handen gaven haar iets mannelijks, maar als ze haar rug rechtte, duwde ze haar borsten vooruit en draaide met haar schouders, alsof ze haar vrouwelijkheid wilde benadrukken. Dien was haar brutaalste zus, een durfal wie het niets kon schelen wat er over haar in het dorp verteld of gefluisterd werd.

Haar moeder kende ze minder goed dan Dien. Haar moeder had haar handen vol aan Geerten, die niet helemaal goed bij zijn hoofd was, en aan Tobias, die doodsbang was, niemand wist goed waarvoor.

Wassen, strijken, schrobben. Pas laat in de middag kon ze zich op haar tweede leven gaan richten, als ze zich op de rand van haar bed optutte, met behulp van een gebarsten spiegeltje en een pincet. Haar wenkbrauwen dreigden steeds te zwaar en te breed te worden, dat was een probleem als je zoveel donker haar had. Met het pincet trok ze de langste haartjes eruit, de haartjes die al bijna krulden. Ze zei er steeds 'hebbes' bij. Over één haartje kon ze een kwartier doen; het was voor haar ook een manier om tot rust te komen. Op aanraden van Dien dunde ze de wenkbrauwen niet te sterk uit; matrozen hielden niet van een potloodstreep. Bij de haartjes boven denken ze aan de haartjes onder, leerde ze van Dien. Haar grote zus had trouwens ook stug, donker haar.

Eten deden ze in nog geen tien minuten. Na de maaltijd las haar vader zeker twintig minuten uit de Statenbijbel voor. Hij was een zachtmoedige man die haar of haar broers en zussen eigenlijk nooit iets verbood, maar in het Bijbellezen was hij streng. Geen dag of avond sloeg hij over.

Als je naar hem luisterde, raakte je er werkelijk van overtuigd dat geloof kracht geeft. Hij werd dan een veel kordatere man. In zijn jeugd was hij bont en blauw geslagen, zijn vader had jenever gezopen alsof het water was. 'Een boef van een kerel' beweerde hij over zijn eigen pa; vandaar dat hij zich voorgenomen had nooit een druppel te drinken en zijn eigen kinderen geen strobreed in de weg te leggen. Hij zei weinig meer dan 'mm', 'het zal wel', 'doe maar'; pas als hij uit de Bijbel las, kreeg hij een volle, zware stem. Als hij 'Satan' zei, was het echt Sátan, dan kromp je ineen. Zijn trots ontleende hij aan de Bijbel en zijn geloof. De enige keren dat hij 'wij' gebruikte, was dat in combinatie met gereformeerden.

Ik vermeld het geloof hier zo nadrukkelijk omdat gereformeerden, net als communisten, boven elke verdenking staan als het om hun houding tegenover de bezetter gaat. Zacheus de Regt moest niks van de nazi's hebben, het hele voorjaar van 1940 las hij passages over de Satan uit de Statenbijbel voor en zijn kinderen begrepen donders goed wie hij met Satan bedoelde. Toch verbood hij zijn dochter Dien niet met onderofficier Walter Loos om te gaan en zijn dochter Sandrien met soldaat Lange. Het geloof uitgezonderd wilde hij geen dwingende invloed uitoefenen op zijn kinderen. Hij zal evenmin heimelijk vóór de Duitsers zijn geweest: zijn oudste zoon Jacob verleende hand-en-spandiensten aan het verzet en verspreidde illegale bladen (op voorwaarde dat ze van christelijke signatuur waren), zijn zoon Martinus vervloekte de dwangarbeid in Duitsland en spuwde twee jaar lang in brieven zijn gal, en zijn zoon Chiel sloot zich in 1944 bij de bs aan, de Binnenlandse Strijdkrachten. Niet dat De Regt zijn zonen aanmoedigde de zijde van de illegaliteit te kiezen; zo'n beslissing, die Jacob of Chiel het leven kon kosten, moesten de jongens zelf nemen. Zach de Regt zal inderdaad een milde man zijn geweest.

Of wist hij niet dat twee van zijn dochters met de moffen vreeën? Dat zou kunnen: zijn jongste zoon Tobias wist het zestig jaar na de oorlog nog steeds niet. Tobi had wel een vermoeden, een angstig vermoeden, de reden misschien waarom hij tot zijn vijftiende jaar in bed plaste. In 1944 keek hij goed om zich heen, luisterde met de gretigheid van zijn twaalf jaren, hoopte er wijzer van te worden. Toch ving hij naar eigen zeggen niets over het gedrag van Dien en Sandrien op, thuis noch in het dorp. Met vader Zacheus was het misschien ook zo. De lichamelijke arbeid – hij was tuinman – putte hem uit, als hij thuiskwam moest hij ook nog eens in zijn eigen moestuin schoffelen en in het hok achter de schuur zijn varken vetmesten. Als hij dat niet deed, leden zijn kinderen honger. Zach de Regt had geen tijd voor praatjes op de dijk.

Het kan ook zijn dat hij het type was dat het hoofd naar links draaide als iedereen naar rechts keek. Zijn dochters gingen zowat iedere avond uit en kwamen ver na spertijd thuis. Dat konden ze alleen doen als ze in het gezelschap van Duitse militairen verkeerden. Als hij het niet wist, kwam dat omdat hij het niet wílde weten. Sommige mensen houden de realiteit liever voor ongezien als het om hun kinderen gaat.

Dien tilde de teil water van de houtkachel – aan de Rijsdijk waren ze nog niet op het gasnet aangesloten. Ze deed een scheutje azijn in het warme water en begon aan de afwas. Sandrien trok een droogdoek van het rek. Dien was nog veel verliefder op Walter Loos dan Sandrien op Ernst: ze maakten haast en wasten en droogden de borden af alsof ze in de verte ronkende vliegtuigen hoorden en ze de bommen nog net vóór wilden zijn.

Als Walter hun huis passeerde, floot hij kort, hoog en doordringend. Een gewoonte die Ernst algauw van hem had overgenomen. Dien en Sandrien deden dan hun schort af en grepen naar de tas waarin hun schoenen met hoge hakken zaten. Sandrien mocht zulke schoenen nog niet dragen, maar Dien had haar een oud paar van zichzelf gegeven. Dien nam haar jongste zusje overal mee naartoe, misschien omdat dan niemand durfde te geloven dat ze iets kwaads in haar schild voerde.

Een kort, schel fluiten... en voetstappen die zich verwijderden: ook op de avond van 10 oktober ging het zo. Dien en Sandrien haastten zich naar buiten en liepen de Rijsdijk op. Het was niet Walter maar Ernst, zagen ze. Even verderop, net voorbij het volgende huis aan de dijk, haalden ze hem in. Hij groette met een kort knikje. De anderen, zei hij op zachte toon, kwamen eraan. '*Sie kommen...*'

'Zse kommen, zse kommen,' mopperde Dien. Ze had een hekel aan Duits. Sandrien niet, die was het in de vijfde en zesde klas van de lagere school ijverig gaan leren. Op last van de bezetter waren de lessen Frans in 1941 ingeruild voor lessen Duits. Sandrien had trouwens ook graag Engels geleerd, het had niks met de bezetting te maken; ze hield van taal.

Nog geen vijf minuten later doemden Walter en soldaat Heinz Willems op in de laatzomerse schemering. Zonder Ernst en Heinz en vooral zonder Walter, de onderofficier en de hoogste in rang aan de Rijsdijk, konden Dien en Sandrien niet ver komen: om acht uur ging de spertijd in, niemand mocht dan nog naar buiten. Wie het er toch op waagde, kon zeker zijn van arrestatie of een Ausweiscontrole met vragen over je vader, je broers... Samen met de militairen konden ze echter de hele avond feestvieren en zelfs om middernacht nog naar huis teruglopen.

Walter verbood in het donker te roken. In de avond een sigaret aansteken was volgens hem het gevaarlijkste wat een militair kon doen. Walter was alle avonden bang voor een vijandelijke actie. Van achter iedere muur zag hij 'partizanen' opspringen. Dien nam dat niet serieus. 'Hier in het dorp gebeurt nooit niks,' beweerde ze, wat niet strookte met de feiten; vanaf mei 1940 gebeurde er voor een dorp juist veel te veel.

Over Walter Loos kan ik aanzienlijk meer vertellen dan over Ernst Lange, ondanks de onzekerheid die er over zijn naam bestaat. In de gerechtelijke dossiers heet hij Walter, Walther, Loos, Loys of Loot. Diezelfde documenten vermelden zijn exacte lengte: 1,75. Tenger postuur, donkerblond haar, blauwe ogen, bleke gelaatskleur tot op het ziekelijke af. Drieëntwintig jaar oud, geboren in 1921 in het Tsjechische Südetenland in een Duitstalige familie die fel pro-nazi was. Walter nam aan het begin van de oorlog vrijwillig dienst in het leger, net zoals zijn beide broers en zijn zuster. In 1944 was hij tot bootsman bij de Kriegsmarine bevorderd – bootsman stond gelijk aan sergeant. Vanaf de zomer gaf hij leiding aan alle aan de Rijsdijk ingekwartierde Duitse militairen, vijftien in getal.

Onder de dorpelingen maakte hij zich gehaat. Loos was een druktemaker en een schreeuwlelijk die iedere passerende fietser controleerde en minstens een keer in de week zoektochten organiseerde naar jonge mannen die in Duitsland te werk konden worden gesteld. De dorpelingen noemden hem 'het rode sergeantje' of 'het sergeantje met de rode fiets'. Als hij in het schemerdonker over de dijk liep, bekogelden de jongens De Kooning en hun vriendjes Robbemond hem. De dijken waren niet geasfalteerd maar met sintels bestrooid, om de zoveel kilometer stond een kist met die uitgebrande steenkolen om na zware regenval de kuilen te vullen en de plassen te dempen. De jongens De Kooning en Robbemond gingen achter een heg liggen en wierpen sintelsteentjes naar Loos en zijn ondergeschikten. Loos gaf een keer opdracht tot schieten. Het bleef bij een paar waarschuwingsschoten, maar het was toch kenmerkend dat hij zelfs tamelijk onnozel getreiter afstrafte met wapengeweld.

'Loos is een echte mof,' zeiden ze op de dijk. Waarom Dien de Regt zo snel en zo heftig verliefd op hem werd, is een raadsel. Loos werd op 6 september 1944 ingekwartierd bij Jan Krijn Jabaaij aan de Rijsdijk. Nog geen maand later had Dien al verschillende malen 'vleselijke gemeenschap' met hem gehad, zoals ze op 15 januari 1946 tegenover drie rechercheurs van de Politieke Opsporingsdienst verklaarde. Was ze bang een ouwe vrijster te worden? Op haar drieëntwintigste had Dien nog nooit vaste verkering gehad, wel kortstondige scharrels, maar onder die categorie wilde ze Loos niet scharen.

Een bevlieging kan het niet geweest zijn. Dien zette de omgang met Loos voort toen hij eind 1944 naar het acht kilometer verderop gelegen Hoogvliet werd overgeplaatst, en ze verhuisde naar Hellevoetsluis toen Loos daar vier maanden voor het einde van de oorlog werd gedetacheerd. Liefde, echte, blinde liefde moet het geweest zijn; het kan haast niet anders. Na de oorlog kreeg Dien een huwelijksaanzoek van de directeur van een ambachtsschool. Dat wees ze resoluut af. Ze had nog even kennis aan een politieman, maar ze moest naar eigen zeggen niets van uniformen hebben en maakte een eind aan de toenadering. Bij Walter Loos had ze zich moeiteloos over die hekel aan uniformen heen kunnen zetten.

Materieel voordeel verschafte de verhouding haar nauwelijks. Ze kreeg chocola van sergeant Loos, en af en toe een sigaret, die ze niet durfde weigeren. Ze rookte niet. Na twee, drie trekjes gooide ze de sigaret weg, een reden voor de jongens De Kooning om achter haar aan te lopen: de jongens rookten de sigaret om beurten verder op, tot het laatste draadje tabak.

Dien de Regt is haar hele leven ongetrouwd gebleven. Met Walter Loos was ze – daar zijn alle ooggetuigen het over eens – een paar maanden lang gelukkig, 'straalde' ze, was ze 'een en al lach', behoorde ze tot 'de leukste, grappigste vrouwen van het dorp'.

Walter Loos was met Heinz Willems en twee andere soldaten bij Jan Krijn Jabaaij ingekwartierd. Voor Jabaaij was dat beslist geen straf, hij was sinds 1942 groepsleider van de NSB in Rhoon en genoot van de macht en invloed die de oorlog hem gaf. Vaak ging hij samen met Loos op patrouille.

Jan Krijn Jabaaij kwam uit Zeeland, uit de vissershaven Bruinisse. Met vissen viel in de jaren dertig geen droog brood te verdienen en Jabaaij was, als veel Zeeuwen, naar het noorden getrokken, naar een dorp onder de rook van Rotterdam. Hij werkte als arbeider in de bouw en huurde in 1937 een huis aan de Rijsdijk dat hij eigenhandig opknapte. Politiek hield hij zich afzijdig, ook toen de oorlog uitbrak. Pas in januari 1941, toen nazi-Duitsland onoverwinnelijk leek en de Duitsers zich al lang en breed in Nederland hadden geïnstalleerd, werd hij lid van de NSB. Dat ging toen niet zonder slag of stoot; de aanhang van de nationaal-socialistische beweging verdrievoudigde in dat ene jaar 1941 tot 90000 leden, en de leiding kon kieskeurig zijn. Alleen mannen die als sympathiserend lid belangeloos hadden meegewerkt aan de partijorganisatie, of die toetraden tot een nevenorganisatie – de WA (de Weerbaarheids Afdeling, de knokploeg van de NSB), de Nederlandse SS of de Jeugdstorm – kwamen in aanmerking voor lidmaatschap. Voor mannen tussen de achttien en de veertig jaar gold de WA-dienstplicht. Jan Krijn Jabaaij was negenendertig jaar toen hij lid werd en vervulde zijn WA-dienstplicht in het najaar van 1941. Dat viel hem kennelijk niet zwaar, anders had hij een paar maanden met zijn lidmaatschapsaanvrage gewacht. Of zocht hij vooral naar goed betaald werk? Het lidmaatschap van de NSB kon hem daarbij helpen. In januari 1942 trad hij in dienst van de Westdeutscher Wach- und Schutzdienst. Tot april 1945 verrichtte hij voor die Duitse firma bewakingsdiensten bij stellingen van de Wehrmacht in Rotterdam en omgeving. Hij ging gekleed in het uniform van de Wachdienst, dat sterk op het zwarte uniform van de WA leek, en was bewapend met een Frans geweer. Tijdens de verhoren na de oorlog zei hij dat laatste zo vaak en met zoveel weerzin dat het hem in hoge mate geïrriteerd moet hebben dat hij geen Duits wapen had gekregen.

Net als tienduizenden andere collaborateurs kreeg Jan Krijn Jabaaij het in de eerste week van september 1944 benauwd: op zondag 3 september bevrijdden de geallieerden Brussel en op maandag 4 september veroverden ze Antwerpen op de Duitsers. Op dinsdag 5 september zouden ze in Rotterdam zijn, was de vrees van de NSB'ers. Met duizenden tegelijk vluchtten ze naar het oosten.

Jan Krijn zond op die Dolle Dinsdag zijn vrouw Nicolina naar Duitsland, waar ze de rest van de oorlog zou blijven. Hij treurde niet lang om haar vertrek, de volgende dag, op 6 september, kreeg hij inkwartiering van vier Duitse militairen, onder wie Loos, en nog in diezelfde maand september trok Linda de Bondt bij hem in huis. Linda werkte op het kantoor van de Bauleitung. Ze was vierentwintig jaar, jong getrouwd, jong gescheiden, lid van de NSB, peroxideblond, gek op zwarte uniformen en glanzend gepoetste laarzen.

Ook op de avond van de tiende oktober was Linda bij Jabaaij in huis, samen met haar vriendin en collega Kitty – zij werkte eveneens op het kantoor van de Bauleitung. Verder was een NSB-wachtman uit een naburig dorp op bezoek. Ze dronken wat met de ingekwartierde Duitsers, speelden een potje kaart, maar Loos werd duidelijk ongedurig. Hij wilde weg.

'Waarom?' vroeg Jabaaij.

'Ik heb iets te drinken.'

De weergave van de dialoog is van Jabaaij. Hij zal even gegrinnikt hebben toen hij tegenover zijn ondervragers de stem van bootsman Loos imiteerde. Loos sprak aardig Nederlands, kon zich in ieder geval verstaanbaar maken, ondanks de fouten en de vaak te letterlijk vertaalde Duitse uitdrukkingen die hij gebruikte. Zijn taal was stram.

Iets te drinken! Daar geloofde Jabaaij niets van. Drinken deden ze bij hem thuis. Was hij een slechte gastheer? Bij hem zaten ze toch nooit lang op een droogje?

Loos kreeg het er warm van. Hij wilde zo snel mogelijk naar Dien en voerde toen maar als excuus aan dat hij met een paar man een ronde moest maken. Dat klonk gewichtig: een ronde. Hij gaf een wenk naar soldaat Willems en verliet het pand. Toen ze de Groene Kruisweg naderden, zagen ze Ernst Lange samen met Dien en Sandrien aan de overkant van de snelweg staan wachten. Ernst Lange was met tien andere soldaten bij een boer aan de Rijsdijk 303 ingekwartierd.

Ze staken de Groene Kruisweg over. Aangelegd tussen 1930 en 1934 met geld van het Groene Kruis, om zieken en gewonden van de eilanden sneller per ambulance naar Rotterdam te kunnen vervoeren. De eerste geasfalteerde provinciale weg in de regio, die vooral in 1940 zijn nut bewees: het Duitse gemotoriseerde materieel kon er vliegensvlug op voortrukken. Na de weg staken Willems en Loos het fietspad over en het enkelspoor van het stoomtrammetje dat Rotterdam met de kustplaatsen Hellevoetsluis en Oostvoorne verbond. Na asfalt, tegels en rails liepen ze toen weer op sintels. De sintels van de Rijsdijk.

Het was mooi weer. Ik vermeld dat met nadruk: het was mooi, rustig, droog najaarsweer. Bijna geen wind, half bewolkt, behaaglijke temperatuur. Klaas Pikaar, die aan de Rijsdijk ondergedoken zat en om zes uur zijn fiets uit de schuur haalde om zijn twintigste verjaardag bij zijn ouders in Hoogvliet te gaan vieren, overwoog nog even een overjas aan te trekken. Hij monsterde de hemel en dacht: welnee. Hij fietste in zijn colbertje weg. Die avond bleef hij zich verduveld goed herinneren: als hij niet jarig was geweest en naar zijn ouders was gefietst, had hij niet meer geleefd.

Op de Rijsdijk, een van de langste en hoogste dijken van het dorp, merkte je snel wat voor weer het was. Je voelde ieder zuchtje wind, je zag donkere wolken van kilometers ver aankomen. Van een beetje regen werd je op de Rijsdijk drijfnat. Als het echt koud werd, kon je op de Rijsdijk maar beter een krant in je broek stoppen, om het niet te besterven rond je kruis.

Toen Rhoon nog een eiland in de Maasdelta was, beschermde de Rijsdijk de gehele oostkant. In de vijftiende eeuw werden nieuwe stukken land op het water veroverd; Rhoon werd vastgeklonken aan het grotere eiland IJsselmonde en de Rijsdijk verloor zijn vitale functie. Toch kon je eeuwen later nog zien dat de dijk vaak opgehoogd was om de aanvallen van de stormvloeden te weerstaan. De dorpelingen ervoeren het dan ook als een ernstige misdaad dat ten oosten en zuiden van de Rijsdijk grote stukken land door de nazi's onder water waren gezet.

De Rijsdijk begon in de bebouwde kom en liep in een halve cirkel terug naar het oudste deel van het dorp. Ik ben slecht in het schatten van afstanden, zeker als het om de afstanden gaat in de streek waar ik opgroeide. Als het woei, moest ik op de Rijsdijk op de trappers gaan staan om tegen de wind op te tornen. Door dat fietsen is de dijk in mijn herinnering wel tien kilometer lang geworden: er kwam geen eind aan. Maar het kadaster geeft als werkelijke lengte iets minder dan zes kilometer op.

Aan het eerste gedeelte stonden herenhuizen en villa's uit het einde van de negentiende eeuw en twee scholen: de openbare en de christelijke. Verderop wisselden boerderijen en dijkwoningen elkaar af. Op sommige stukken bedroeg de afstand tussen de huizen vijftig tot honderd meter, dan kropen de dijkwoningen weer dicht tegen elkaar alsof ze de warmte van de buren nodig hadden. Naarmate je verder van de dorpskern af kwam, werd het verschil tussen rijk en arm groter. De boerderijen, die een meter of honderd van de dijk af lagen, waren kapitale hoeven uit de zeventiende en achttiende eeuw; de tegen de dijk aan geplakte landarbeidershuisjes hadden geen slaapkamers, alleen

een zolder. Alles was nietig aan die huisjes, alsof ze in steen uitdrukten dat de bewoners op de knieën moesten liggen voor de boeren die hun werk verschaften. Dien en Sandrien groeiden in zo'n huisje op, beneden waren twee bedsteden, één voor hun ouders en één voor de getrouwde dochter Neeltje met haar man. De andere kinderen sliepen op zolder, de meisjes aan de ene kant, de jongens aan de andere. Een gordijn vormde de enige afscheiding.

Vanaf het middenstuk, waar de Rijsdijk het hoogst was, kon je kilometers ver kijken over akkers waarop vlas of rogge groeide, over aardappelvelden die net voor de oogst in groene tapijten veranderden, en over appel- en perenboomgaarden. In het najaar van 1944 behoorde dat allemaal tot herinneringen uit de vredestijd: het gebied werd niet meer bemalen en het drabbige water was tot een halve meter boven het land gestegen. Het water stond tot aan het Vliegveld Waalhaven. Droog bleef het op en in de berm van de dijken en op de Groene Kruisweg, die een meter boven het maaiveld uit stak. Ook een aantal verbindingswegen tussen de Rijsdijk en de Essendijk bleven begaanbaar.

Bij cafébiljart De Tol boog de Rijsdijk scherp naar links. Aan de voet lag een haventje, waar tot ver in de negentiende eeuw tol werd geheven. Het huis aan het water, waar vier tot vijf gezinnen woonden, was het vroegere veerhuis. De reizigers kwamen uit Rotterdam, staken met een platte veerboot, waarop zowel de paarden als het rijtuig pasten, een riviertje over dat er als een sloot uitzag maar verraderlijk diep was: de Koedood. Aan de overkant, in het café van Wieger Mantz, moest het tolgeld betaald worden, één cent per rijtuig. Een stukje verder op de dijk dreef broer Hugo Mantz een kruidenierswinkel in de voorkamer van zijn boerderij. Mantz had elf kinderen. Bij grote gezinnen kon je er zeker van zijn dat ze rooms of gereformeerd waren. Hugo Mantz was katholiek.

In de volgende boerderij woonde Aai de Boeij. Hij slachtte illegaal, zat in de zwarte handel, dat wist iedereen op de Rijsdijk, behalve de Duitsers. Wat Walter Loos en Ernst Lange weer wel wisten was dat hij in de schuur een draaiorgel had staan. Op mooie zomeravonden zette Aai de Boeij de schuurdeuren open en liet het pierement spelen. Hij had dat in 1944 nog in september gedaan; misschien was het toen de eerste keer geweest dat Ernst met Sandrien had gedanst, op de dijk, voor de schuur. Of was het toch bij Nel thuis geweest, even voorbij Het Sluisje?

Ze liepen verder. Bij Het Sluisje werden ze gadegeslagen door de gebroeders De Kooning en door een van de jongens Robbemond. Merkten ze dat? De Duitsers hadden de zomertijd ingevoerd, zelfs in oktober viel de avond na zevenen in. De jongens De Kooning stonden van de laatste minuten vóór spertijd te genieten. Vaak probeerden ze er nog een paar minuten bij te smokkelen. Hooguit om tien over acht gingen ze naar binnen om met de andere opgeschoten jongens uit de buurt te klaverjassen. Verder was er niets te doen. De radio hadden ze moeten inleveren op het gemeentehuis. Aanvankelijk had bijna niemand dat gedaan op De Tol en Het Sluisje; toen verraadde een van de moffenmeiden dat ze bij Wagenmeester naar Radio Oranje en de BBC luisterden en hielden de Duitsers een razzia: alle radio's weg. Vanaf dat moment bleef alleen klaverjassen over en verveelde iedereen in het dorp zich na achten een ongeluk. Met uitzondering van de meiden die met de moffen omgingen.

Zagen ze andere knapen staan, schuin achter de jongens De Kooning? Of viel het hun niet op? Keek Dien alleen naar Walter, en Ernst alleen naar Sandrien? En liep Heinz er een beetje sullig naast, turend naar de stompe neuzen van zijn soldatenkistjes?

Er scharrelden zo veel mensen op de Rijsdijk rond; een van de twee gezichten was vreemd. Ook op de eilanden Voorne en Putten waren grote stukken land onder water gezet om een luchtlanding vlak achter de kust te voorkomen. Tweehonderd evacués uit Zuidland en Zwartewaal waren bij families in Rhoon ondergebracht. Boeren, landarbeiders en vlasbewerkers met hun vrouwen en kinderen. Verder waren er een hoop onderduikers, mannen en jongemannen die aan de Arbeitseinsatz probeerden te ontsnappen. Hele en halve gezinnen waren met die mannen meegekomen, vrouwen en meisjes die je allemaal door elkaar haalde omdat ze niemand durfden aan te kijken en als schimmen over de dijk schoven. Andere gezinnen hadden Rotterdam verlaten omdat ze daar steeds moeilijker aan eten en brandstof konden komen.

Dien noch Sandrien kende het precieze aantal vluchtelingen. Dat zou pas na de oorlog bekend worden: in het najaar van 1944 en de eerste maanden van 1945 zaten tussen de 170 en 190 mensen ondergedoken in huizen en boerderijen aan de Rijsdijk, de Reedijk, de Groenedijk, en verspreid over het hele dorp waren tweehonderd evacués uit Zuidland op zolders en in achterkamers ondergebracht.

Het hele leven stond op zijn kop. Tussen al die onderduikers en evacués zaten ook nog eens vijftien moffen ingekwartierd aan de dijk. Tegen inkwartiering kon niemand zich verzetten. De moffen kwamen en zeiden: 'Inkwartiering.' Je mocht blij zijn als het bij één of twee militairen bleef. Het was een raar allegaartje daar aan de Rijsdijk, en het dreigde elk moment een chaos te worden. Al die vreemden moesten immers eten, en eten kreeg je alleen op de bon.

De zon ging net onder toen ze Het Sluisje passeerden. De hemel gloeide na. Ik hoop dat Dien en Sandrien een blik op de huizen geworpen hebben. Op de stulpjes onder de rieten daken, op de vroegere herberg die zo van een schilderij van Pieter Breughel de Oude leek te zijn geplukt. En op het stoomgemaal, 'het Watermachien' zeiden ze op Het Sluisje, een gebouw met hoge ramen, zodat je vanaf de dijk naar binnen kon kijken, naar de glimmende stoomketels en de drijfstangen van de malende machines. Of op het huis met de trapgevel, dat aan een van de oudste grachten van Amsterdam had kunnen staan. Ik hoop dat ze nog een laatste blik op al dat schoons hebben geworpen. De volgende dag was er weinig meer van over.

Heinz Willems keek op van zijn schoenen. Leidde iets zijn aandacht af? Of dacht hij werktuiglijk: even opletten nu, we moeten naar beneden. Ter hoogte van Het Sluisje was in de Rijsdijk een tankval gegraven. Ik heb dat woord vele malen in documenten gelezen voor ik me realiseerde dat het om een tankval met een v ging en niet om een tankwal met een w. In de dijk was een v-vormig gat gegraven als val voor geallieerde voertuigen. Voetgangers moesten onder aan de dijk langs het gat lopen. Als ze dan weer over een pad de dijk op liepen, kwamen ze bij de vlasfabriek uit.

Direct aan de dijk rees de blinde muur van een loods op, de fabriek zelf lag een paar meter lager. Alleen de bakstenen fabrieksspijp en het dak van de hangar staken boven de dijk uit. In de hangar en aan de vijf rootbakken werkten in de zomer en de herfst van zeven uur 's morgens tot zes uur 's avonds vijftig tot zestig arbeiders, ook in dat oorlogsjaar 1944. Of liever gezegd: juist in dat oorlogsjaar 1944.

Van vlas wordt linnen gemaakt. De Rhoonse vlasfabriek leverde dat linnen aan Duitse textielateliers, waar dag en nacht uniformen werden genaaid, veldgrauwe uniformen die beschutting moesten geven tegen de Russische kou en sneeuw. De vlasfabriek draaide als nooit tevoren. In 1923 was ze in vlammen opgegaan, in 1933 opnieuw, aangestoken, roddelden ze in het dorp, om het verzekeringsgeld op te strijken en het nakende faillissement af te wenden; in 1934 was ze weer met steun van de overheid gaan draaien. In 1939 moest veel vlas van buiten Rhoon komen om aan de vraag te kunnen voldoen; in 1944 bereikte de fabriek haar topcapaciteit.

Merkten Heinz en Walter bij de vlasfabriek iets verdachts

op? Zagen Dien en Sandrien in het grijs van de schemering een ladder tegen de muur van de loods staan? Of een paal? Een van die palen die in de weilanden tussen de Rijsdijk en de Achterdijk werden geslagen, weilanden die nog niet onder water waren gezet? Na D-day was het een obsessie van de Duitsers geworden: overal brachten ze obstakels aan om een landing onmogelijk te maken. De palen, die twee tot drie meter boven de grond uit staken, noemden ze 'Rommelasperges'.

Een ladder? Een Rommelasperge? Dien zei twee jaar later, toen zij onder ede stond: 'Wij zijn langs de vlasfabriek gelopen zonder iets bijzonders op te merken.'

Ernst Lange sloeg zijn arm om Sandrien. Hij fluisterde weer dat hij haar 'hübsch' en 'wunderschön' en 'stattlich' vond. Ze moest erom lachen, de jongens uit het dorp waren niet zo complimenteus. Verre van dat zelfs: ik vroeg aan een man, van wie zeker was dat hij in 1944 een oogje op Sandrien had, of ze inderdaad zo'n stuk was als ik me haar voorstelde. Hij ontweek mijn blik en zei met het gezicht van een doodgraver: 'Laat ik het zo zeggen: ze was nie lelijk nie.'

Dat was de hoogste lof die je in het dorp kon krijgen: nie lelijk nie. Geen wonder dat Sandrien opgewonden raakte van de complimenten die Ernst Lange haar maakte: zulke gloedvolle woorden hoorde ze voor het eerst.

De avond viel snel nu. Ze liepen over het leegste stuk van de Rijsdijk. Weinig huizen links en rechts. In het noorden en noordwesten een vlakte. Eindeloze weilanden en met hei begroeide zandplaten waarover tot in de oorlog twee schaapherders met hun kudde zwierven. In mei 1940 landden daar de Duitse vliegtuigen. Meer naar het noorden kon je nog vagelijk de restanten van het stationsgebouw van Vliegveld Waalhaven onderscheiden en de gebombardeerde vliegtuigfabriek Koolhoven. Ingenieur Koolhoven woonde in een villa op de hoek van de Molendijk en de Groene Kruisweg. Hij ontwierp betere vliegtuigen dan Fokker maar weigerde aan de Duitsers te leveren. In de late jaren dertig werd dat zijn ondergang – de fabriek was nagenoeg failliet toen ze gebombardeerd werd door de Luftwaffe. Veel dorpelingen hadden voor Koolhoven gewerkt, 'voor mijnheer Koolhoven', zoals ze zeiden. In de vlasfabriek verdienden ze 18 gulden in de week, in de fabriek van Koolhoven 58 gulden.

Tijdens spertijd was het op dit stuk van de dijk het donkerst. Het leek of de maan aan deze kant van het dorp nooit achter de wolken vandaan kwam. Bij regen en storm wilden Dien en Sandrien hier gaan rennen, bang dat ze van de dijk werden geblazen. Voor afgebroken takken, die je recht in het gezicht konden zwiepen, hoefden ze nu in ieder geval niet meer bang te zijn: verkleumde Rotterdammers hadden de voorgaande winter alle bomen omgezaagd om het hout thuis in de kachel op te stoken. Het aardige van de Rhoonaren was dat ze dat hadden toegestaan.

Dien begon stevig door te stappen. Sandrien kon haar nauwelijks bijhouden; Walter had er met zijn korte benen eveneens moeite mee. Ernst nam rustige grote gelijkmatige stappen. Hoe weids het landschap was en hoe onheilspellend het 's avonds kon worden, drong niet goed tot hem door. Het ene moment legde hij zijn hand op de schouder van Sandrien, het andere sloeg hij zijn arm om haar middel. Hij trok haar dichter naar zich toe. Flirten slurpt onder alle omstandigheden je aandacht op, maar voor een soldaat in een vreemd land is het nog iets meer, is het de beste manier om het mentaal vol te houden.

Om kwart over acht belden ze bij Nel aan op Rijsdijk nummer 89. Nel deed open. Of was het Magda, haar dochter van elf? Of Winnie, die nog zes moest worden? Magda beweerde een halve eeuw later dat ze die avond niet thuis was, dat zij en haar zusje toen al een tijdje bij haar opa en oma in Pernis waren ondergebracht. Ik heb echter het sterke vermoeden dat ze in opdracht van haar moeder haar hele leven lang bleef volhouden dat ze die avond niet thuis was, net zomin als haar kleine zus. Nel voorzag grote moeilijkheden, waarvoor ze haar kinderen wilde behoeden.

Nel heette eigenlijk Dirkje Veth. Ze wilde die familienaam liever niet meer dragen: mijnheer Veth had haar aan het begin van de oorlog lelijk in de steek gelaten. Dirkje de Ruyter dan, haar meisjesnaam. Ook liever niet, Dirkje vond ze een achterlijke naam. Een ellendige gewoonte in de regio om jongensnamen te vervrouwelijken: Aart werd Aartje, Evert Eefje, Piet Pietje, Dirk Dirkje. Het bleef haar raar in de oren klinken. Het ergste was dat haar echtgenoot die verfoeilijke traditie had willen voortzetten. Hun eerste dochter moest Maartje heten, hun tweede Willempje, vernoemd naar grootvader Willem. Maartje had ze nooit anders dan Magda genoemd en Willempje nooit anders dan Winnie.

De Duitsers konden *tje* alleen met de grootste moeite uitspreken. Er kwamen veel Duitse militairen bij haar thuis. Officieren van de Luftwaffe die in het Kasteel waren gelegerd. Onderofficieren van de Kriegsmarine uit Hoogvliet. Soldaten van de dijk. Soms stapte haar vader, die koster van de Hervormde Kerk in Pernis was (en begrafenisondernemer), het huis via de achterdeur binnen, terwijl zij via de voordeur snel een Duitser uitliet.

Door die Duitsers liet ze zich Nel noemen. De militairen kwamen in de eerste plaats voor haar. Dien en Sandrien hadden een vaste vrijer, zij nog niet. Nel was de gangmaker, het stralende middelpunt van de feestelijke avonden. Nel was een geboren gastvrouw die zowel de militairen als de jonge vrouwen op hun gemak wist te stellen.

Bij Nel thuis kwamen verder Emma van de Rijsdijk, Fie van de Rijsdijk, Linda van de Rijsdijk, Sijtje van de Rijsdijk, Corrie van Beveren-Verbiest van de Rijsdijk en Gertie Blekemolen-Wiessner van de Rijsdijk. De laatste twee waren getrouwde vrouwen die naast hun kinderen graag mannen in uniform bemoederden.

De namen ken ik door de illegaliteit. Leden van het verzet hielden het huis van Dirkje Veth-de Ruyter nauwlettend in de gaten en stelden nog voor het einde van de oorlog een rapport op over de gebeurtenissen van oktober 1944.

Bij Dirkje stelde ik me een grote stevige vrouw van tweeëndertig jaar voor, met een boezem waarop wel twee soldaten het hoofd konden neervlijen. Gitzwart haar, ze was immers van de eilanden. Grof van gestalte, boers, neigend naar vulgair.

Niets van dit beeld klopt.

Toen haar dochter me, vele jaren na ons eerste contact, een foto van Dirkje gaf, schrok ik van mijn vooringenomenheid. Dirkje had smalle schouders, een lange hals, kleine en wijd uit elkaar staande borsten, een hoog voorhoofd, licht golvend donkerblond achterovergekamd haar, dat zo kort was dat het haar nek vrijhield. Grote, sprekende ogen die – dat wel – een tikkeltje ondeugend in de lens blikten. In haar beide oorlelletjes een witte parel, wat haar een chic uiterlijk gaf.

Een voor die tijd opvallend moderne vrouw. Op grond van die foto lijkt ze me iemand die met snelle, geraffineerde gebaren moeiteloos contacten legt. Ook moet ze een natuurlijk overwicht hebben gehad.

Dirkje kon het iedereen naar de zin maken. Ze schiep sfeer, gezelligheid, warmte. Alle meisjes die bij haar over de vloer kwamen, bleven haar Dirkje noemen. Die naam paste veel beter bij haar dan dat kortaffe Nel.

Wat Sandrien altijd weer opviel als ze bij Dirkje de Ruyter naar binnen stapte, was de geur. Zeker in die zomer- en nazomermaanden van 1944 stonk het overal in het dorp naar zweet. In de gereformeerde kerk (toch al een bedompte schuur), in het verenigingsgebouw, in de kruidenierswinkel, in het café van Mantz, overal snoof je de geur van zweet op, van koud zweet dat zich in jassen en truien had vastgebeten. Er was nauwelijks zeep meer, de mensen konden zich niet meer behoorlijk wassen, noch hun kleren. De een was er gevoeliger voor dan de ander; Sandrien werd misselijk van die doordringende stank.

Bij Dirkje kon ze diep ademhalen. De Duitsers roken naar zeep, niet de beste zeep, groene zeep, maar het was een stuk beter dan zweet. De meisjes roken naar de lavendelzeep die ze van Ernst, Walter, Willi of Heinz hadden gekregen. En Dirkje rook zelfs een beetje zoet, naar parfum, of een soort eau de cologne. Sandrien vond het heerlijk.

Dat neem ik althans aan, om iets van een wens, een motief of een drijfveer naar voren te brengen. Anders kan ik er met mijn verstand niet bij dat je als jong meisje mooi weer speelt met moffen, terwijl de geallieerden in Normandië zijn geland, naar Parijs zijn doorgestoten, de grootste delen van Frankrijk en België hebben bevrijd, Brussel, Antwerpen en zelfs Maastricht hebben veroverd. Het is oliedom om op zo'n moment met Ernst, Walter, Heinz het glas te heffen, te dansen, te slijpen, 'Lili Marleen' te zingen, te zoenen en de jurk tegen een *feldgrau* uniform aan te vlijen. Met iedere slok sekt die je dan drinkt, gooi je je eigen glazen in.

Hun hele toekomst maakten ze onzeker, dat moesten ze toch begrijpen? Of kon het Dien, Sandrien, Dirkje, Emma en Gertie geen meter schelen? Dachten ze: na ons de zondvloed. Nog even feesten! Na de bevrijding zou het dorp weer even stroef en godvrezend worden als het voor de oorlog was geweest, daar konden ze donder op zeggen. Na de oorlog zouden ze weer aan de slag moeten als werkster, dienstbode of in het gunstigste geval als huisvrouw, met een boerenknuppel thuis die de lakens uitdeelde. Dus nog even sjansen, giechelen, dansen, zingen.

Ik had graag willen weten of er bij Dirkje thuis een piano stond. Haar dochters konden het me niet vertellen, alle huisraad was eraan gegaan en wat precies tot het meubilair van de Rijsdijk behoorde, waren ze vergeten. Een piano, waarop Ernst Lange 'Lili Marleen' pingelde of een ander liedje waarvoor je slechts drie akkoorden op de toetsen hoefde te kunnen aanslaan. Bij 'Lili Marleen' hoefde je niet eens te moduleren. Een lied in C-groot, de makkelijkste toonsoort.

Ernst zet zijn brilletje op en buigt zich over de toetsen. Heinz Willems begint zachtjes te zingen. Walter Loos valt hem bij en brult dan meteen: *Vor der Kaserne,/ Vor dem großen Tor,/ Stand eine Laterne,/ Und steht sie noch davor...*

Ging het zo?

Bij Dirkje de Ruyter werd feestgevierd, werd later onder ede verklaard, iedere avond feestgevierd. Af en toe ging een van de Duitsers met een meisje of een vrouw naar zolder. Naar zolder betekende: de kooi, het bed, in. Meer details zijn niet bekend.

Ik moet toegeven dat de beelden die ik voor me zie beïnvloed zijn door de films van Rainer Werner Fassbinder. De parafernalia van de Tweede Wereldoorlog zijn geloof ik meer door fictie dan door koele feiten bepaald. Het is maar goed dat Dirkje de Ruyter donker- in plaats van peroxideblond haar had, anders zou ze als twee druppels water op Hanna Schygulla hebben geleken. Bij Ernst Lange moet ik aan Hark Bohm denken, de pianist uit *Lili Marleen* – een lange slungel, broodmager, ronde brilglazen, goedkoop ijzeren montuur, hoge, ietwat kraaiende stem. Ik was verslingerd aan de films van Fassbinder, tot ik me afvroeg of het niet allemaal theater was wat hij ons lang na de oorlog liet zien: cabaret, decor, schmink...

Laten we die piano maar wegdoen bij Dirkje. Te frivool voor de dochter van een koster/begrafenisbedienaar. Af en toe klonk de radio bij haar thuis. In tegenstelling tot de anderen op de Rijsdijk had Dirkje het apparaat niet hoeven inleveren. De Duitse militairen en de meisjes die bij haar thuis kwamen, dansten op de swing van The Ramblers. Dat kon, de twee Joodse leden waren in 1941 uit het dansorkest gezet, de naam was in 1942 vernederlandst tot De Remblers, en toen dat de bezetter nog veel te Engels had geklonken, was het Theo Uden Masman en zijn Dansorkest geworden. Een hele mond vol. Zouden ze dat ooit gezegd hebben: 'Lekker jiven op Theo Uden Masman en zijn Dansorkest.' Natuurlijk niet; het bleef De Remblers.

*Dag schatteboutje,/ dag aardig vrouwtje,/ dag lieve kleine
meid,/ mag ik het wagen,/ jou iets te vragen,/ heb je even tijd?*
Ernst trok grimassen terwijl hij 'schatteboutje' probeerde uit te
spreken, Dirkje deed de danspassen voor, Sandrien kreeg een
kleur van opwinding. The Ramblers was voor de oorlog het ra-
diohuisorkest van de VARA geweest. Als de omroeper zei: 'Goe-
denavond, dames en heren, dit is de VARA, de socialistische omroep...', stond Sandriens vader resoluut op en draaide de knop
van de radio om. Bij haar thuis mochten ze alleen naar de NCRV
luisteren; het rooie gespuis kwam de huiskamer niet binnen.
Toen ze nog een radio hadden althans, en vóór alle omroepen
waren gelijkgeschakeld tot de Nederlandsche Omroep. The
Ramblers bleef je trouwens horen, ze speelden vaak voor de Nederlandsche Omroep. Als ze nog een radio hadden gehad thuis,
zou haar vader dan als vanouds de knop hebben omgedraaid.
Die jazzmuziek was Zacheus de Regt veel te wild en leidde
slechts tot bandeloosheid.

Ze bleven tot halftien bij Dirkje. Alle getuigen zijn het erover
eens dat Dien de Regt, Walter Loos, Sandrien de Regt, Ernst
Friedrich Lange en Heinz Willems de woning van Dirkje de
Ruyter tussen halftien en kwart voor tien verlieten en over de
Rijsdijk terugliepen naar huis. Alleen Jan Krijn Jabaaij, de
NSB'er, beweerde dat hij om kwart over acht Walter Loos was
gaan zoeken en hem kort daarop was tegengekomen in het ge-
zelschap van een paar andere Duitse militairen. Vijf getuigen
spreken hem faliekant tegen. Vier van hen – onder wie Dirkje de
Ruyter – noemen halftien als het uur van vertrek. Alleen San-
drien dacht dat het kwart voor tien was. Laten we zeggen: iets
over halftien.
  Ze liepen over de volle breedte van de dijk. Van links naar
rechts Heinz Willems, Sandrien, Ernst Lange, Walter Loos, Dien.
  Walter en Dien liepen stevig gearmd, Ernst had zijn arm om
Sandriens middel geslagen en Sandrien had haar rechterhand

op zijn heup gelegd, net boven de riem van zijn uniformbroek. Heinz Willems bungelde erbij.

Het was aardedonker. In alle huizen waren de vensters afgeschermd met overgordijnen, zwarte verduisteringsgordijnen of met speciaal papier. Zelfs het kleinste wc-raampje moest verduisterd worden. Na Dolle Dinsdag hadden de Duitsers avond aan avond controles uitgevoerd. Wie onvoldoende verduisterde, werd beboet. Ieder lichtpuntje bood de geallieerde bommenwerpers de mogelijkheid tot oriëntatie.

De dijken waren nooit verlicht geweest, ook niet voor de oorlog. Straatverlichting was er alleen binnen de bebouwde kom. Met uitzondering van de kruispunten: die werden beschenen door een lamp die aan een telegraafpaal was bevestigd. Maar aan het begin van de oorlog waren alle peertjes op last van de bezetter verwijderd. Je zag geen hand voor ogen op de dijken.

Dien had het gevoel dat ze tot aan haar schouders in het water stond en de oever van de rivier niet kon vinden. Sandrien begon te begrijpen wat er in het Bijbelboek Exodus met de Egyptische duisternis werd bedoeld. Dat ze Ernst zo stevig vasthield was evengoed uit bangheid als uit liefde. Dien liep aan de kant waar de loods van de vlasfabriek opdoemde. De wind liet zich niet horen. Het enige wat de stilte doorbrak was het geluid van hun voetstappen. Steentjes knerpten onder hun schoenzolen.

Toen, ter hoogte van de vlasfabriek, slaakte Ernst een afschuwelijk hoge gil. Op hetzelfde moment hoorden ze een sissend geluid.

Niemand begreep direct wat er aan de hand was, ook Ernst Lange niet. Walter Loos dacht dat ze met z'n allen in een hinderlaag waren gelokt. Ernst sprong zeker een meter de lucht in en viel toen languit op de grond alsof hij geen controle meer had over zijn ledematen. Sandrien werd door hem meegesleurd en viel dwars over hem heen. Heinz ving haar half op.

Ernst had als eerste in de gaten waar de hitte vandaan kwam.

Hij riep naar Loos: 'Elektrische stroom, bootsman.' Ook Sandrien voelde stroom, aan haar hoofd, aan haar benen. Heinz rukte het geweer van zijn schouder. De loop was zo gloeiend heet dat hij zijn hand verbrandde.

Dien, die stokstijf was blijven staan, sperde haar ogen open, zoekend naar een draad of een kabel die schuin over de weg moest hangen, want alleen de lange Ernst was ertegenaan gelopen. Ze zag niets, deed een stap vooruit, draaide zich om. Toen meende ze vagelijk een draad te onderscheiden die aan de kant van de vlasfabriek van de muur was losgeraakt. Aan de andere kant van de dijk hing hij nog hoog in de lucht aan de elektriciteitspaal. Ernst kermde dat hij niet los kon komen van de draad.

Heinz Willems en Walter Loos liepen hard weg, in tegengestelde richting. Willems naar de Groene Kruisweg, Loos in de richting van het huis van Dirkje de Ruyter. Na een paar passen bedacht hij zich en belde bij het eerste het beste huis aan. Een moment later kwam hij met een jutezak terug, die hij naar Sandrien wierp. Ze greep de zak beet, voelde toen geen stroom meer en sprong overeind. Dien haalde diep adem: haar kleine zus was in ieder geval gered.

Ernst kon niet overeind komen. Hij zat nog steeds vast aan de draad die hij met beide handen had vastgegrepen, hij stond onder 500 volt, het gangbare voltage van een toenmalige hoogspanningskabel.

Walter Loos was buiten zichzelf, van schrik, van angst, van razernij. Hij was de hoogste in rang, hij zou voor de gevolgen opdraaien; dat begreep hij onmiddellijk. Eerst moesten die meiden weg, dan zouden Heinz en hij bekijken wat ze voor soldaat Lange konden doen. Eerst de sporen uitwissen; ze liepen officieel immers een wachtronde.

'Weg,' riep hij met overslaande stem in het Duits. 'Weg, weck...'

Hij hoefde niet aan te dringen, Sandrien trilde over haar hele lichaam, Dien vroeg zich af of de nattigheid die ze op haar bovenbenen voelde haar plas was. Toch aarzelde ze nog even. Weg betekende: weg bij Walter.

Die overweging maakte Sandrien in nog geen fractie van een seconde. Ernst mocht dan in doodsnood verkeren, ze maakte zich uit de voeten. Van het ene op het andere moment veranderde ze van een bijdehandje in een bang kind dat zich afvroeg of links en rechts mannen zouden opspringen en haar neer zouden schieten. Net als Walter Loos geloofde ze dat ze in een hinderlaag was gelokt: ze rende voor haar leven.

Dien haalde haar algauw in. Samen holden ze naar huis, hand in hand, voor het geval een van hen zou struikelen.

Om tien uur maakten ze voorzichtig de achterdeur open. Hun vader, hun moeder, hun broers en zussen sliepen al. Ze slopen de trap naar de zolder op, schoven op de rand van Dientjes bed, kwamen op adem.

Ze zeiden niets tegen elkaar. Niets in de geest van: 'Godallemachtig, hoe kon die draad nou loshangen?' Of: 'Welke klootzak heeft dit gedaan?' Ze dachten ongetwijfeld aan wat een man een paar dagen eerder tegen Dirkje de Ruyter had gezegd: dat 'die moffenhoeren wel eens tegen een draad zouden lopen'. Maar ze herhaalden die woorden niet. Ze kleedden zich uit en kropen onder de dekens.

Sandrien voelde de stroom nog in haar benen, Dien vroeg zich af of ze nou echt een draad had gezien. Slapen konden ze niet. Ze luisterden, hielden de adem in om ieder geluid dat van buiten kwam op te vangen.

Een halfuur later (volgens Dien), een uur later (volgens Sandrien), hoorden ze op de dijk mensen lopen en kreunen. Ze sprongen uit bed, keken voorzichtig uit het raam. Duitsers waren het, die naar het huis van Jan Krijn Jabaaij liepen en Ernst Lange met zich meedroegen.

Kwam dat kreunen van Ernst? Of leefde hij niet meer en was het een van de dragers die pufte en steunde omdat soldaat Lange met zijn 1,87 knap zwaar was om over een afstand van honderden en nog eens honderden meters te tillen?

Ze bleven het zich de hele nacht afvragen. Wie had er gekreund?

De volgende morgen om acht uur kwam Dirkje de Ruyter aan huis. Ze zei dat Walter Loos en nog een Duitse militair die morgen bij haar waren geweest en hadden gezegd dat zij – Dirkje, Dien, Sandrien – niets over het gebeurde mochten vertellen. Vooral Sandrien moest haar mond houden, die was nog zo jong, die was dik minderjarig. Over Ernst zei ze niets, ze gaf alleen de boodschap van bootsman Loos door en snelde toen weer terug naar huis. Daar bleef ze niet lang; ze vluchtte die morgen naar haar ouders in Pernis en keerde pas laat in de middag naar de Rijsdijk terug.

Walter Loos probeerde zich in te dekken. Hij wilde – en zou – tegen zijn compagniechef zeggen dat hij met een paar soldaten op patrouille was geweest.

Het eigenaardige is dat dát de officiële versie van het gebeurde werd. De versie die in de meeste rapporten kwam te staan. De versie die in het dorp de ronde deed, de versie die na de oorlog aangehouden zou worden, die juffrouw Corthals en meester Brons ons, schoolkinderen van Rhoon, ieder jaar op 4 mei vertelden, als de doden uit de oorlog werden herdacht. De versie van de Duitsers dus, van bootsman Walter Loos, een felle nazi die een douw van zijn superieuren vreesde.

Op een avond in oktober patrouilleerde een groep Duitse soldaten op de Rijsdijk in Rhoon. De voorste soldaat stapte op een elektrische draad die door de hevige rukwinden van een najaarsstorm los was komen te hangen. Hij stond direct onder 500 volt spanning... Zo werd het verteld.

Dat Walter Loos en zijn ondergeschikten helemaal niet patrouilleerden en in het gezelschap van een paar Rhoonse meiden verkeerden, kwam alleen in een rapport van de illegaliteit te staan dat een halve eeuw vertrouwelijk bleef, in het sterk van de

Duitse lezing afwijkende proces-verbaal dat de politie de volgende dag opmaakte maar dat niemand na de oorlog meer zou raadplegen, en in de uitgetypte tekst van de verhoren met Jan Krijn Jabaaij, Dirkje Veth-de Ruyter, Dien de Regt en Sandrien de Regt die drie rechercheurs van de politie in Rotterdam, afdeling Politieke Recherche, op 3 en 6 juni 1949 afnamen – toevallig de week voor mijn geboorte. Die verhoren bleven zo lang geheim dat ze het beeld van de gebeurtenissen niet meer konden beïnvloeden.

Iedereen leek het erover eens te zijn: voor het nageslacht moest het drama netjes beginnen.

TWEE

Meer sprookjes deden de ronde, sprookjes die als onomstreden historische feiten werden opgedist. Bijvoorbeeld dat de oorlog voor die tiende oktober 1944 niet veel voorstelde in het dorp en dat het normale leven na de eerste oorlogsdagen, toen er nog even was gevochten in de nabije omgeving, gewoon doorging. Dat was niet eens een leugen, veeleer een verdoezeling van wat zich in werkelijkheid heeft afgespeeld, of een moedwillige poging om de gebeurtenissen kleiner en onbeduidender te maken dan ze waren. Over onbenulligheden hoef je later geen verantwoording af te leggen.

Laat ik het gezin De Regt nog even als voorbeeld aanhouden. Voor Sandrien, Dien en Tobi de Regt, voor hun ouders, hun broers en zussen begon de oorlog buitengewoon heftig, met beelden die ze hun verdere leven niet vergeten zouden en die, in de woorden van Dien, aangaven 'wat voor een rottijd het was'.

De Duitse inval kwam voor vader De Regt niet als een verrassing. Het was een kwestie van aftellen, mompelde hij in het bijzijn van zijn kinderen. Tsjecho-Slowakije was een dik jaar eerder door Duitsland geannexeerd, Polen had zich in oktober 1939 moeten overgeven nadat de Luftwaffe 560 ton brisantbommen en 72 ton brandbommen op Warschau had geworpen. Dat Zach de Regt de precieze hoeveelheden wist, bewees dat hij het nieuws op de voet volgde in de krant en op de radio. Op 9 april 1940 waren de nazi's Noorwegen en Denemarken binnengevallen. Vanaf dat moment stond het voor De Regt vast dat Nederland, België en Frankrijk de volgende slachtoffers van Hitler zouden worden.

In het lange gebed dat hij iedere avond na de maaltijd en de

43

Schriftlezing uitsprak, vroeg hij de Here God 'ons land, ons koningshuis, ons dorp en ons gezin' voor Satan te behoeden. Dat de Here God veeleer een beproeving in petto had, schokte hem als rechtgeaarde calvinist niet werkelijk. Het enige wat hem ronduit verwonderde was dat Satans troepen op die mooie, zonnige, vroege morgen van de tiende mei 'als witte engelen' uit de hemel kwamen dwarrelen.

Dien werd wakker van zwaar brommende vliegtuigen die extreem laag overkwamen. Direct daarop volgden explosies. Ze sprong uit bed, opende het zolderraam en zag lichtflitsen boven Vliegveld Waalhaven. Dat was om een uur of vier in de morgen. Haar kleine zus Sandrien kwam naast haar staan en Dien zei: 'Gossie, 't is nou echt oorlog.'

Ik moet bekennen dat ik van deze nuchterheid houd. Wat de mentaliteit van de eilanden misschien nog wel beter illustreert is dat de beide zussen gewoon weer in bed kropen. De bommen vielen immers kilometers verderop! Zwaar beschadigd kon het vliegveld volgens Dien en Sandrien niet zijn: kort na de explosies hoorden ze het ene na het andere vliegtuig opstijgen. Dat klopte: met hun gehoor was niets mis.

Waalhaven was sinds een paar maanden een militair vliegveld, nadat het twintig jaar lang een burgerluchthaven was geweest. In september 1939 had het ministerie van Oorlog het vliegveld gevorderd om er de thuisbasis van de 3e Jachtvliegtuig Afdeling van te maken. De 3e JAVA kreeg als opdracht vijandige toestellen te onderscheppen en haveninstallaties te beschermen. Vliegveld Waalhaven lag dicht bij het reusachtige havencomplex waaraan het zijn naam ontleende. Hemelsbreed lag het ook dicht bij de drie grootste scheepswerven van Rotterdam (RDM, Gusto, Wilton-Fijenoord) en bij de BPM-olieraffinaderij ten oosten van Pernis, die heel Nederland van benzine en stookolie voorzag. De 3e JAVA telde elf jagers.

Dien en Sandrien hoorden het op die vroege vrijdagmorgen goed: na de eerste explosies stegen er nog vliegtuigen op. Maar ze zagen het verkeerd: de luchthaven raakte door de Duitse bombardementen wel degelijk zwaar beschadigd. De meeste hangars en gebouwen vlogen in brand en drie Fokker G-1 jachtvliegtuigen werden vernield.

Na de eerste verrassingsaanval spurtten de vliegeniers en boordschutters van de 3e JAVA naar de acht overgebleven toestellen. Ze wisten op te stijgen, terwijl ze de bomkraters op de baan moesten omzeilen en de Duitse Heinkels bleven aanvliegen om hun bommen af te werpen. De Fokker G-1's waren geweldige toestellen. Ook weer zoiets: ik dacht dat het Nederlandse leger in 1940 alleen over fietsen en verroeste geweren beschikte, en beslist niet over tweemotorige jagers die door hun dubbele staartbomen als wieken konden draaien of loodrecht uit de hemel konden vallen. Toestellen met acht mitrailleurs van 7,9 mm in de neus en een 7,9 mm Browning machinegeweer in de staart. De ultramoderne jager was in 1936 de sensatie van de luchtvaartsalon in Parijs geweest en had de bijnaam Le Faucheur gekregen. De ochtend van de tiende mei bewees dat het toestel inderdaad een 'maaier' was die als een zeis door het luchtruim kon zwaaien: de op Waalhaven gestationeerde G-1's schoten in enkele uren tijd dertien Duitse vliegtuigen uit de lucht, waaronder zeven Heinkel 111 bommenwerpers. Slechts één G-1 werd tijdens een treffen boven de Nieuwe Maas uitgeschakeld, de andere zeven moesten door gebrek aan brandstof en munitie de strijd opgeven.

Ten zuiden van Rotterdam begon de Tweede Wereldoorlog met een luchtgevecht dat overtuigend in het voordeel van Nederland werd beslist. Ik hoorde er tijdens mijn jeugd niets over, alsof dit stukje geschiedenis onder het chapiter valse heroïek viel. Waarom? Uit schaamte voor de nederlaag, die vijf dagen later al een feit was? Of om toch vooral niet te tornen aan het beeld van het lieve, aardige, onmachtige landje aan zee dat zich op 10 mei 1940 totaal liet overrompelen?

Toen de zestien vliegers en schutters opstegen, wisten ze dat ze niet meer konden terugkeren naar het grotendeels verwoeste Vliegveld Waalhaven. Hun missie zou eindigen met een nood- landing en de dood: dat stond vast toen ze vertrokken. Het kwam erop aan zo veel mogelijk Duitse toestellen neer te halen. Ze slaagden daarin door – ik moet die woorden gewoon maar gebruiken – durf en moed. Slechts één Fokker G-1 kon na het beëindigen van zijn missie op het militaire vliegveld De Kooy bij Den Helder landen; vijf andere jagers ploften in een weiland neer toen ze geen brandstof meer hadden en hun laatste kogels hadden afgevuurd. Eén jager kwam van grote hoogte loodrecht uit de hemel vallen en dook met zijn neus in het weiland achter Hoeve Portlandt in Rhoon. Dat gebeurde vroeg in de middag; de hele ochtend had de G-1 op Duitse bommenwerpers gejaagd. De piloot en de schutter waren op slag dood.

Eén ding konden Dien en Sandrien onmogelijk zien, tenzij ze op het dak waren geklommen. Wout Wachtman woonde een kilometer verderop. Hij zag het wél, en zoals hij zelf dacht, als enige. Wout kon er een halve eeuw later nog niet over uit dat niemand opgemerkt had dat om kwart over vier uur in de mor- gen een van de Duitse bommenwerpers Vliegveld Waalhaven rechts had laten liggen en naar Rhoon was afgezwenkt. Op drie velletjes typte Wout een verklaring ('opgesteld door Wout Wachtman, d.d. 24 januari 1988'), die zijn zoon twintig jaar la- ter in een koektrommel aantrof.

De Duitse bommenwerper vloog laag over de Rijsdijk en liet zijn lading vallen op het landhuis van vliegtuigbouwer Koolho- ven. 'Het eerste portie bommen was voor Waalhaven,' typte Wout in zijn verklaring, 'het tweede voor meneer Koolhoven.'

Wilden de Duitsers voorkomen dat Koolhoven naar Enge- land zou uitwijken en daar weer vliegtuigen zou gaan ontwer- pen? Het had er alle schijn van. De bommen kwamen overigens naast de villa terecht, waar ze zich in het drassige grasveld boor- den, zonder te ontploffen. In 1957 of 1958 werden ze door de Mijnopruimingsdienst onschadelijk gemaakt: ik stond er als jochie bij te kijken. Niemand wist toen meer wie meneer Koolhoven was geweest, niemand van mijn vriendjes althans, en ik evenmin.

Wout Wachtman typte: 'Er is veel meer gebeurd dan vermeld en beschreven is. Ik vind dat alles weergegeven moet worden. Helaas is men aan bepaalde dingen te licht voorbijgegaan.'

Je hoort het protest nog in deze zinnen. Voor Wout Wachtman was er enorm veel verdoezeld en verdonkeremaand. Maar zijn verklaring over hoe het werkelijk zat verdween in een koektrommel. Hij slaagde er namelijk niet in alles op papier te krijgen en stopte bij het jaar 1943. Wout had geen moeite met de feiten maar wel hoe ze te verwoorden in heldere taal.

In het geval Koolhoven vergiste hij zich trouwens. Het landhuis van de vliegtuigbouwer lag op de hoek van de Molendijk en de Groene Kruisweg. Een schitterend buiten, in de vorm van een hofstede. De kunstschilder, tekenaar, graficus en boekbandontwerper Dirk Hidde Nijland had het in 1901 laten bouwen. Na het vertrek van Nijland ging Koolhoven er wonen. Op de vroege morgen van de tiende mei 1940 liep een man langs de Mariahoeve. Aart Veldman had van voren een bochel en van achteren een hoge rug: hij kon nooit langer dan een paar uur slapen en zwierf zodra de ochtend gloorde door het dorp. Net als Wout Wachtman zag hij een bommenwerper op het huis van Koolhoven afkomen. Gevolgd door een tweede, een derde, en een klein vliegtuig. Het was weer een G-1 die jacht maakte op bommenwerpers. Inderdaad lieten twee vliegtuigen bommen vallen in de tuin van meneer Koolhoven, maar volgens Aart was dat niet gericht en wilden ze hun lading kwijt om snelheid te maken, zodat ze aan die vervloekte Maaier konden ontkomen.

Het tweede bombardement van de Luftwaffe begon om kwart voor vijf. Het was zwaarder dan het eerste, verwoestte de gebouwen van het vliegveld die nog overeind stonden en schakelde de verdediging rond Waalhaven uit. De hangars, de loodsen van vliegtuigfabriek Koolhoven, het stationsgebouw en de barakken van de luchtmacht brandden na de tweede lading bommen als fakkels. De zeshonderd Nederlandse militairen die in een cordon rond de luchthaven lagen moesten zich halsoverkop in de omgeving van Rhoon terugtrekken. Wout Wachtman kwam er verschillende tegen op de Rijsdijk, rennend, zonder wapens, 'half of ten dele gekleed'.

Om kwart over vijf hoorden Dien en Sandrien de Regt weer laag overkomende vliegtuigen. Het was ondertussen licht geworden, Sandrien sprong als eerste uit bed, opende het zolderraam, zag honderden zakdoeken naar beneden dwarrelen en riep: 'Mot je zien, Dientje. Mooi.' Dien kwam naast haar staan en zei dat het parachutes waren. Toen kwamen ook Tobi, Geerten, Martinus, die niets van de eerste bombardementen hadden gemerkt, uit bed. En holden vader en moeder De Regt de trap op. Het werd dringen voor het kleine zolderraam.

Uit zwarte, zwaar ronkende Junkers Ju-52 – de Duitsers noemden ze Tante Ju's – sprongen in totaal zo'n zevenhonderd Duitse parachutisten. Ze kwamen allemaal in de weilanden voor of achter de Rijsdijk terecht. Op foto's die vanaf de dijken, vanuit de huizen, of (door de Duitsers) vanuit de lucht zijn gemaakt, is te zien dat die parachutes er in het eerste ochtendlicht precies zo wit en onschuldig uitzagen als Sandrien ze met haar slaperige oogjes had waargenomen. Als zakdoeken inderdaad.

Of, zoals Wout Wachtman ze in zijn getypte verklaring noemt: 'Als geheimzinnige witte reuzenvlinders.'

Het aanvalsplan van de Duitsers zat slim in elkaar. Hitler had er met zijn generaals zeven maanden op gestudeerd. Aanvankelijk had de Führer het westelijk offensief al in november 1939 willen inzetten. Omdat het weer tegenzat en de organisatie meer tijd vergde dan verwacht, verschoof hij de aanvalsdatum achttien maal, wat zijn generaals de mogelijkheid gaf het plan te verfijnen.

De Duitsers vielen de Vesting Holland van drie kanten aan.

In een rechte lijn dwars door de Hollandse verdedigingslinies naar het regeringscentrum Den Haag, waar de koningin, de regering en de legerstaf zo snel mogelijk gevangengenomen moesten worden. Via de noordelijke provincies en de Afsluitdijk naar de hoofdstad Amsterdam en via Brabant en de Moerdijkbruggen naar het economische zwaartepunt Rotterdam. Mocht de aanval op Den Haag mislukken, dan zou Nederland toch via de noord- en zuidflank in de tang genomen kunnen worden. Toen dat inderdaad gebeurde – de Grebbelinie hield stand, de Duitsers konden niet onmiddellijk naar Den Haag doorstoten, de koningin en de regering wisten te ontsnappen – werden de noord- en de zuidflank van beslissend belang.

Bij Amsterdam kreeg Schiphol de volle laag van Duitse bommenwerpers, bij Rotterdam moest Vliegveld Waalhaven als eerste ingenomen worden. Het lag zo dicht bij Engeland dat vliegtuigen van de Royal Air Force er in vijftig minuten konden zijn. Vanaf het moment dat Duitse troepen de grens passeerden en de Nederlandse soevereiniteit schonden, zou Engeland een snelle actie kunnen overwegen om het Nederlandse leger te hulp te schieten. Zolang de luchthaven nog niet in handen van de Duitsers was, hadden de Engelsen de gelegenheid materiaal en manschappen aan te voeren en met volgestouwde transportvliegtuigen te landen. De strijd om Waalhaven werd een felle.

Het ene moment golfden de Duitse troepen over de Rijsdijk, het andere moment de Nederlandse. Het ging heen en weer, de hele vrijdag lang. Aan beide zijden vielen tientallen doden.

Halverwege de middag werd een Hollandse sergeant door vier Duitse soldaten het huis van de familie De Regt binnengedragen. De Duitsers zetten hem op een stoel in de keuken, veegden het zweet van hun voorhoofd en vroegen om water. Moeder De Regt vulde een kan onder de kraan, pakte vier glazen, schonk het eerste vol en gaf dat aan een soldaat. Hij schudde beslist het hoofd en zei met ratelende r's: 'Errrst sollen Sie trrrinken.'

'Wat heeft ie?' vroeg Alie de Regt aan haar kinderen. Dien, Martinus, Sandrien en Tobi stonden toe te kijken.

Martinus had een paar maanden eerder in de krant gelezen dat Slowaken en Tsjechen gif in het water deden als Duitse soldaten om drinken vroegen.

'Je mot eerst zelf van het water drinken.'

Tobi, acht jaar toen, keek met grote ogen toe.

'Dat ze mijn moeder niet vertrouwden,' zei hij me zeventig jaar later met nog altijd iets van verbijstering in zijn stem, 'dat kon ik niet geloven!'

Moeder De Regt zette demonstratief het glas aan haar lippen. Toen ze niet bewusteloos neerviel, nam de Duitser een eerste, voorzichtige slok. Het ging helemaal volgens de dienstvoorschriften: toen ook hij er gezond onder bleef, lesten de andere soldaten hun dorst.

'Ze zijn goed opgeleid,' constateerde Martinus hardop.

De Duitse parachutisten behoorden inderdaad tot de elitetroepen die minimaal drie jaar training achter de rug hadden.

De Hollandse sergeant was een in augustus 1939 gemobiliseerde schoolmeester. Hij tolde op zijn stoel. Zijn uniformjasje was gescheurd, uit zijn borst liep bloed. Hij snakte naar adem, kreeg geen lucht. Een kogel was zijn rechterlong binnengedrongen.

'Ik moet overgeven, mevrouw,' stamelde hij terwijl hij moeder De Regt wanhopig aankeek. 'Wat is in mijn situatie het beste denkt u? Spuwen of niet.'

Dochter Dien grinnikte om de schoolmeestertaal van de sergeant. Het was alsof hij de eerste zinnen van een dictee opzei. 'Wat is in mijn situatie het beste...'

Alie de Regt-de Tonge keek de sergeant met intens lieve ogen aan, legde haar hand op zijn schouder en zei: 'Doe maar. Ik weet het niet, ik ben geen verpleegster, maar mijn gevoel zegt dat het beter is het bloed uit te spuwen.'

Ze pakte een afwasteiltje en hield het hem voor. De sergeant hoefde het hoofd nauwelijks te buigen. Het bloed golfde over zijn lippen.

Martinus holde naar het dichtstbijzijnde huis met telefoon. Een uur later slaagde een ambulance erin dwars door de vijandelijke linies de Rijsdijk te bereiken. De schoolmeester werd afgevoerd naar het Zuiderziekenhuis in Rotterdam, waar de kogel operatief verwijderd kon worden.

Na de oorlog schreef hij mevrouw De Regt een briefkaart. 'Ik denk dat het vooral uw rust is geweest die mij het leven heeft gered.' Alie schreef terug: 'Waarde heer, ik denk dat het eerder door de ambulance komt.'

Of woorden van gelijke strekking. Tobias zei me alleen: 'Mijn moeder antwoordde met een nuchter kaartje.'

Die sergeant bevestigt weer het beeld van Hollandse sulligheid. Toch was het Nederlandse verdedigingsplan zo slecht nog niet. In plaats van een sliert troepen en materieel te stationeren langs de 225 kilometer grens tussen Nederland en Duitsland, hield het Militair Gezag het te verdedigen gebied zo klein mogelijk. Generaal Henri Winkelman, opperbevelhebber van land- en zeemacht, concentreerde zich op de vierhoek Rotterdam-Den Haag-Amsterdam-Amersfoort. Alle vitale functies van Nederland bevonden zich binnen die Vesting Holland. Aan de zuidflank lagen 7100 Nederlandse militairen. Niet gering. Hoewel: zonder adequate uitrusting en met een nijpend gebrek aan volautomatische wapens.

Vader De Regt was op die morgen van de tiende mei gewoon naar zijn werk gegaan. Dat betekende dat hij zo ongeveer langs het brandende Vliegveld Waalhaven moest fietsen om het dorp Heijplaat te bereiken. Hij werkte voor de plantsoenendienst van de gemeente. Ik vind het moeilijk voorstelbaar dat hij die morgen heggen heeft geknipt, een grasveld heeft gemaaid en een paar rozenstruiken heeft opgebonden. Maar het zou best kunnen.

Aan de andere kant van het vliegveld stonden een veertigtal

mannen en vrouwen, samengepakt op de Sluisjesdijk in Rotterdam-Charlois, naar de brandende barakken, explosies en roetzwarte rookpluimen te kijken. Dat blijkt uit een foto, opgenomen in het standaardwerk van J.L. van der Pauw, *Rotterdam in de Tweede Wereldoorlog*. Ik heb die foto wel honderd keer bekeken. Ofschoon je de toeschouwers op de rug ziet, voel je de angst en de dreiging. De mannen met een grijze of zwarte hoed op zouden de vaders van mijn jeugdvrienden Peter en Henk kunnen zijn. De vrouwen in hun lange regenjassen houden de fiets aan de hand en lijken zich af te vragen of ze wel of niet zullen wegvluchten.

In Rhoon hadden ze nog niet de indruk op de drempel van een catastrofe te staan. Alles is een kwestie van wind op de Zuid-Hollandse eilanden: de wind kwam die dag (en alle volgende dagen) uit het westen en dreef de rook en de brandlucht de andere kant op.

Pas op de terugweg kreeg vader De Regt het benauwd. Van drie, vier kanten werd geschoten. Soms hoorde hij de kogels boven zijn hoofd fluiten, net boven zijn alpinopet.

Toen hij thuiskwam, vertelde Martinus hem over de Duitse soldaten die dachten 'dat moe rattengif in 't water had gedaan' en over de Hollandse schoolmeester die op sterven na dood was geweest. Vader schudde het hoofd en zei: 'We kijken het nog één dag aan. Anders vertrekken we.'

De volgende morgen vroeg besloot hij in ieder geval niet te gaan werken. Zijn werkweek eindigde op zaterdag om één uur in de middag – zoals van iedereen in loondienst toen. Zijn baas had hem gezegd dat hij voor die paar uurtjes geen risico hoefde te nemen en dat hij beter bij zijn kinderen kon blijven. Die hadden vrij van school vanwege de pinkstervakantie.

Thuis knaagde het toch aan De Regt dat hij niet was gegaan. Hij liep van beneden naar boven en van boven weer naar beneden. Mannen van zijn generatie hadden meer moeite met nietsdoen dan met werken.

Aan het einde van de middag stond hij voor het zolderraam toen hij een brandend vliegtuig recht op de Rijsdijk zag afkomen.

'Bukken.'

'Dat heb geen enkele zin,' riep Dien van beneden. Ze had natuurlijk gelijk: als het vliegtuig het huis raakte, zou geen van de bewoners het kunnen navertellen, of ze nou bukten of niet.

Het toestel scheerde rakelings over het huis, hoestte als een doodziek varken en explodeerde verderop in de wei.

Zach de Regt liep de trap af en moest zich goed aan de leuning vasthouden. Zijn knieën knikten.

'Alleen het hoogstnodige mee,' riep hij met onvaste stem. 'Geld, papieren en een schone onderbroek.'

Dat 'schone onderbroek' ging verloren in het geratel van mitrailleurs. Van voor en van achter de dijk hoorden ze schoten. De ramen trilden in de sponningen, een dakpan werd geraakt en spatte uiteen.

Twintig, dertig jaar later, toen hij een paar geschiedenisboeken las, begreep Tobi de omvang van de strijd. Op de zuidflank werden 1750 Duitse soldaten uitgeschakeld. Gedood, dusdanig verwond dat ze niet meer aan de strijd konden deelnemen of krijgsgevangen gemaakt. Je moet een flink robbertje vechten om 1750 goed bewapende soldaten uit te schakelen, ook al was dat maar tien procent van de Duitse manschappen die naar Rotterdam oprukten.

In het laatste licht zagen Tobi en Martinus de Regt weer grote, zwarte toestellen bommen afwerpen boven Vliegveld Waalhaven. Maar het waren geen Duitse Heinkels. Ze kwamen in een rechte lijn uit het westen aanvliegen. Konden het toestellen van de RAF zijn? Dat zou betekenen dat het vliegveld in handen van de vijand was gevallen.

De laatste vier bombardementen werden inderdaad uitgevoerd door bommenwerpers van de Nederlandse Militaire Luchtmacht en de Engelse RAF om Waalhaven dusdanig te vernielen dat de Duitse transportvliegtuigen daar niet meer konden landen.

Van Waalhaven vlogen vier bommenwerpers – twee Nederlandse en twee Engelse – door naar het centrum van Rotterdam en probeerden de Maasbruggen te vernielen. Die poging mislukte. Twee andere Engelse bommenwerpers werden even ten noorden van de Rijsdijk door Duits luchtafweergeschut geraakt: de ene stortte brandend neer, de tweede vloog nog een paar honderd meter door en kwam op een woning aan de Heysedijk terecht.

'We gaan morgenvroeg,' besliste moeder De Regt toen ze de zware ontploffingen hoorde. 'Dan is het trouwens zondag.'

Goed christelijke mensen dachten dat er dan niet gevochten werd.

Op die vroege zondagmorgen was de vraag waar ze heen moesten. Naar Jan de Regt, een broer van Zach, die aan de Molendijk woonde, dicht bij de dorpskern? Of naar Huib de Tonge, een broer van moeder De Regt, die aan het begin van het jaar met vrouw en kinderen een huisje aan de Dorpsdijk betrokken had? Het huis van Jan was iets groter dan dat van Huib, maar Jan had vijf kinderen; daar kon niet nog een heel gezin bij. Zach moest bovendien weinig van Jan hebben, hij noemde zijn broer Jan de Leugenaar.

In ieder geval moesten ze zo ver mogelijk weg van het vliegveld, waar de strijd telkens weer oplaaide. Ze liepen de Rijsdijk af. Naarmate ze dichter bij het dorp kwamen, zagen ze meer Duitse militairen. 'Luftlandekorps,' zei Martinus, die met zijn zeventien jaar alles over de organisatie van het Duitse leger wist. De meeste kennis had hij van zijn broer Chiel verkregen, die in augustus 1939 was gemobiliseerd en lange brieven naar huis schreef. Chiel zou pas in juni naar Rhoon terugkeren.

Motoren met zijspan scheerden voorbij. De berijders schreeuwden elkaar toe dat ze zo snel mogelijk naar de 'Brücke' moesten. De gevechten om de Maasbruggen waren begonnen, maar misschien doelden ze op andere bruggen. Het barstte in de delta van de bruggen en de Duitsers moesten ze allemaal veroveren om de pantserdivisies de mogelijkheid te geven naar het hart van de Vesting Holland door te stoten.

Sandrien huiverde van de motorrijders in hun lange leren jassen. Door hun stofbrillen heen kon je van hun ogen alleen de zwarte pupillen zien. De gezichten hadden onder de helmen niets menselijks meer. Ze zag graag verschillen tussen jongens – bij deze militairen moest je er zelfs naar raden of ze blond of donker waren.

Martinus had alleen oog voor de machinegeweren die met drie poten op het zijspan waren gemonteerd. De geweerlopen blonken in de ochtendzon: dat betekende dat ze goed gepoetst waren.

Dien zocht naar bekenden. Die moffen konden haar geen mallemoer schelen, ze hoopte dat ze iemand tegenkwam die hun onderdak zou geven. Ze zag het somber in, hun huis aan de Rijsdijk zou vast in puin worden geschoten, en waar moesten ze dan slapen?

Veel dorpelingen kwamen ze niet tegen, het was nog zo vroeg. Ze hoorden dat de Duitsers Rotterdam-Zuid en een deel van het centrum stevig in handen hadden, maar dat de Hollandse mariniers standhielden bij de Maasbruggen, waardoor de Duitsers niet konden oprukken naar Den Haag. Dien geloofde het allemaal niet erg. Van wie hadden ze die informatie? Wat wisten ze ervan? Ze geloofde alleen Rieke Baars, die bij Jacques Pijnacker aan de Kleidijk diende. Op de Kleidijk floten de kogels je om de oren, zei ze. 'Je hoort ze ketsen op de kassen van de tuinders.' Dien knikte: dat was nauwkeurige informatie, dat kon ze zich voorstellen.

In het centrum van het dorp waren op de vroege vrijdagmorgen al doden gevallen. Drie Duitse parachutisten, die even ten westen van Rhoon waren terechtgekomen, hadden een vrachtwagen gevorderd en waren gaan rijden, met een stafkaart in de

55

hand, richting Vliegveld Waalhaven. Of ze keken niet goed, of die kaart deugde niet: ze namen de Laning langs het Kasteel. Iedere dorpeling wist dat de Laning als een trechter eindigde in een smal bruggetje, waar je alleen met een fiets overheen kon. Tot die conclusie kwam de Duitser die de vrachtwagen bestuurde ook. Behoedzaam begon hij tussen de dubbele rij bomen van de Laning achteruit te rijden.

In het Kasteel van Rhoon waren sinds de mobilisatie van augustus 1939 dertig mariniers gelegerd. Een van die mariniers wachtte geduldig tot hij een Duits hoofd in het vizier kreeg. Toen opende hij vanuit het grote zijraam op de eerste verdieping het vuur. De soldaat die rechts in de cabine zat was op slag dood. De scherpschutter legde aan en schakelde ook de parachutist die naast de chauffeur zat met één schot uit. De chauffeur liet zich uit de vrachtwagen vallen en dook de sloot langs de Laning in. Door het blubberige water kroop hij naar het boerderijtje van Coebergh aan de Dorpsdijk. Drijfnat belde hij aan en gebood het hele gezin Coebergh naar buiten te komen. De gemeentebode Teeuwisse, die op weg was naar het gemeentehuis en nietsvermoedend kwam kijken wat er aan de hand was, kon meteen naast de gijzelaars gaan staan. 'Vorwärts, marsch!' Met dat schild van vijf mensen liep de chauffeur het weiland op, maar hij was zo dom weer op het bruggetje van de Laning af te stevenen, zodat hij opnieuw binnen het schootsveld van de marinier kwam. Ondanks de gijzelaars velde die de Duitser met één schot in het hoofd.

Hoorden de De Regts dit met evenzoveel details? Dan moeten ze Hein van de Griend zijn tegengekomen, de koster en de organist van de hervormde kerk en de begrafenisondernemer van het dorp. Of zijn zoon Hein jr, die alles vanuit een poortje naast de kosterswoning aan de Dorpsdijk had gezien. Van de Griend sr. had later die morgen de lichamen van de dode parachutisten met een handkar opgehaald en naar het baarhuisje op de algemene begraafplaats gebracht.

De scherpschutter was mogelijk Jan Münsterman, die getrouwd was met een dochter van huisschilder Pelle aan de Dorpsdijk. Na zijn huzarenstuk verdween sergeant Münsterman uit het dorp en wist de Maasbruggen te bereiken, waar hij op 13 mei met een dertigtal mariniers een heroïsche strijd leverde.

Vader, moeder en de kinderen De Regt moeten geschrokken zijn van de enorme militaire activiteit in het dorp. Na de soloactie van de marinier veroverden Duitse landingstroepen het Kasteel en maakten het onmiddellijk tot hoofdkwartier van de Luftwaffe op de zuidelijke flank. Ze namen ook Villa Johanna aan de Dorpsdijk in bezit – de bewoners, de oude heer Van Opzeeland en zijn vrouw, waren op vakantie. In de villa vestigden de Duitsers hun Ortskommandantur en om zich niet nog een keer te laten verrassen door een scherpschutter, zaagden ze een stuk uit het dak en zetten er op een hoge houten stellage een mitrailleur neer. Na de bombardementen van de RAF kreeg de plaatselijke commandant de opdracht van het Generalkommando XXXIX overal rond het dorp luchtafweergeschut op te stellen. Het zag op de dijken grijs van de uniformen.

Vader De Regt besloot met zijn gezin verder naar het westen door te lopen, naar het volgende dorp.

'Naar de kerk van Poortugaal,' zei hij. 'Daar is vast opvang.'

De afstand van Rhoon naar Poortugaal bedraagt nog geen drie kilometer. De toren van de hervormde kerk kwam snel dichterbij, de klok sloeg één keer kort, het moest halftien zijn, de kerkdienst zou om tien uur beginnen. Maar de deur was dicht. Hij zat op slot, constateerden vader Zacheus en zoon Martinus toen ze 'm probeerden open te duwen.

Het Militair Gezag had alle kerkdiensten op de eerste en de tweede pinksterdag verboden om de mensen van de straat te houden en acties van de vijfde colonne te voorkomen. Over die vijfde colonne deden de zotste geruchten de ronde. Overal zouden zich spionnen, infiltranten, verraders, handlangers van de vijand ophouden of Duitse parachutisten die verkleed als dominee of priester uit de hemel waren komen vallen. De Nederlandse politie was op zaterdag en zondag vooral bezig met het natrekken van meldingen over activiteiten van de vijfde colonne. Burgers mochten die zondag over straat lopen, maar niet met hun handen in de zakken en evenmin met hun handen op de rug.

Kerken hadden op de Zuid-Hollandse en Zeeuwse eilanden een dubbele functie. Ze deden dienst als godshuis en tijdens stormen of overstromingen als opvangcentrum. Bij dijkdoorbraken of grote branden werd de noodklok geluid en bleef de kerk dag en nacht open om beschutting en onderdak te bieden. Het was een automatisme van de familie De Regt om de veiligheid in een kerkgebouw te zoeken. Dat ze de deur gesloten vonden was voor hen de eerste aanwijzing dat de wereld zoals ze die kenden plaats aan het maken was voor een andere.

Ze staken de Groene Kruisweg over en liepen het dorp in. Her en der belden ze bij huizen aan, bij huizen die een groot gezin konden opnemen. Veel herenhuizen telde het dorp niet; Rhoon was rijk, Poortugaal arm; zo was het eeuwen geweest. Niemand deed open. Soms zagen ze een verschrikt gezicht achter een raam, soms hoorden ze achter de voordeur op gedempte toon een 'niet doen'. Bij smalle woningen met een puntdak – daar woonden meestal tuinders – en bij kleine boerderijen durfden ze niet aan te bellen. Poortugaal stond bekend als een NSB-dorp.

Ze liepen tot aan het haventje bij de Oude Maas. De huisjes waren hier nog kleiner dan hun eigen huisje aan de Rijsdijk. Even voorbij het laatste stulpje wenkte een man met een bos zwart glinsterend haar. Ze durfden het niet te geloven. Hij wenkte nog een keer en wees naar zijn voordeur: de deur van een woonwagen.

Schoorvoetend gingen ze de woonwagen binnen. Een vrouw gaf hun te drinken. Tobi kreeg bijna geen slok door zijn keel. Gebiologeerd keek hij naar de vuistgrote krullen in het haar van de vrouw en naar haar wenkbrauwen die nog veel dikker en zwarter waren dan de wenkbrauwen van zijn zussen. In het midden van de woonwagen, voor het aanrecht en iets dat op een keuken leek, kropen drie, vier kinderen op de grond. De man wees naar de kapstok, ze konden hun jas uitdoen, ze konden blijven.

'Blijven?' vroeg vader De Regt ongelovig.

'Het zijn zigeuners,' zei Martinus.

Tobi de Regt vertelde me deze episode van de vlucht met zijn ouders en zijn broers en zussen bijna als een parabel. Hulp krijg je vaak van mensen die je niet kent. Mensen die je wel kennen, durven allerlei redenen aan te voeren waardoor ze je, helaas, niet van dienst kunnen zijn.

Ik wist niet dat er in de dorpen langs de Oude Maas voor kortere of langere tijd zigeuners neerstreken, ik heb er in mijn jeugd nooit één gezien. Wel woonwagenbewoners, bij de vuilverbranding aan de Essendijk. Maar zigeuners?

'Die waren allemaal uitgemoord toen jij jong was,' sprak de oude Tobias me belerend toe. 'Geloof me, bij de havens en haventjes aan de Maas hebben altijd vreemdelingen gewoond. Een haven is een vrijplaats, daar kon je als Vlaming, Elzasser of zigeuner terecht. Heb je nooit naar de vorm van een haven gekeken? Die is open.'

Na het gesprek met Tobi probeerde ik te achterhalen waar de zigeuners uit Poortugaal gebleven zijn. Een eufemisme voor: in welk concentratiekamp ze zijn omgebracht. Het percentage zigeuners dat de Tweede Wereldoorlog heeft overleefd is nog kleiner dan het percentage Joden. De meeste in Nederland levende zigeuners werden via kamp Westerbork naar Auschwitz afgevoerd. Op de lijsten van slachtoffers ben ik geen zigeuners uit Poortugaal tegengekomen. Ze hadden zich waarschijnlijk niet laten inschrijven in de gemeente en verbleven illegaal in de woonwagen aan de haven.

Vader en moeder De Regt, Dien, Sandrien, Tobi, Martinus en Geerten dachten weken van huis te moeten blijven. De gevechten zouden immers nog weken aanhouden.

Het werd maandag 13 mei. Tweede pinksterdag – ook weer prachtig zonnig weer. In de boomgaarden langs de Albrandswaardsedijk liep de bloesem uit.

Tobi kon zich niet herinneren of ze die dag op de radio hoorden dat de regering en de koningin naar Engeland hadden weten te ontkomen. Hij dacht van niet, want zijn vader zou de vlucht van de koningin als een laf weglopen hebben opgevat en uit zijn vel zijn gesprongen. Koningin Wilhelmina stond bij vader en moeder De Regt in hoog aanzien. Vader De Regt sloot zijn dankgebed na de avondmaaltijd nooit af zonder de Here God om steun en wijsheid te vragen 'voor onze vorstin'. Die diep geëerbiedigde vorstin was rond het middaguur in Hoek van Holland aan boord gegaan van een Britse torpedobootjager die aanvankelijk naar Breskens zou varen, maar vanwege de zware aanvallen van de Luftwaffe op Zeeland naar Harwich uitweek. Prinses Juliana, prins Bernhard en de prinsessen Beatrix en Irene waren de vorige avond al door een Britse torpedobootjager in IJmuiden opgehaald. In de avond van 13 mei week ook het kabinet naar Engeland uit. Het regeringscommuniqué dat het vertrek 'naar elders' wereldkundig maakte, werd op de morgen van 14 mei op de radio voorgelezen. 'Elders' was 'Engeland', dat meldden buitenlandse radiostations al op maandagavond 13 mei.

Of ze iets van het gerucht vernamen dat Engelse troepen aan de kust waren geland, kon Tobias zich evenmin herinneren. Het bericht maakte Hitler nerveus en Hermann Göring, opperbevelhebber van de Luftwaffe, witheet. De aanval op Nederland en België diende slechts het grote doel van dat jaar 1940: de overrompeling van aartsvijand Frankrijk. Op diezelfde 13 mei braken Duitse troepen door het Franse front bij Sedan, het Duitse leger kon zich geen tweede front op de rechterflank in Nederland veroorloven, een front dat door de hulp en steun van

Engelse troepen met het uur bedreigender zou worden. Duitsland mocht dan in de woorden van Hitler onoverwinnelijk zijn, op dezelfde dag de strijd aangaan met Frankrijk en Engeland was ook voor een goed geoliede oorlogsmachine te hoog gegrepen. De commandant van de luchtlandingstroepen, generaal Kurt Student, geloofde werkelijk dat de Engelsen al in Den Haag zaten. Hermann Göring spoorde daarom tot een *Radikallösung* aan, een radicale oplossing.

Ook van al die geruchten over Engelse deelname aan de strijd stond Tobias niets meer bij. Hij hield het er maar op dat de zigeunerfamilie geen radio in de woonwagen had.

Het bombardement van Rotterdam, de radicale oplossing van Hermann Göring, zagen de leden van het gezin De Regt als een luchtspiegeling. Dat wil zeggen, op dinsdagmiddag holden een hoop mensen naar de hoogste dijk van Poortugaal – zij ook – en zagen een reusachtige witte bol aan de horizon. Je zou verwachten dat ze de grond voelden trillen van de explosies en de doffe inslagen van de bommen hoorden, maar niets van dat al. Ze zagen alleen de witte ballon, die uit kalk en stof bestond, niet uit rook. Dat vind ik nog steeds onbegrijpelijk.

De afstand tussen Poortugaal en het centrum van Rotterdam bedraagt hemelsbreed negen kilometer. Dan hoor je kennelijk nog geen plofje als 90 zware Heinkelbommenwerpers 1300 brisantbommen afwerpen die in dertien minuten tijd (van 13.27 tot 13.40) bijna 25 000 woningen verwoesten, 2400 winkels, 1500 kantoren, 1200 fabrieken en werkplaatsen, 526 cafés en eethuizen, 256 pensions, 184 garages, 69 scholen, 26 hotels, 21 kerken, 12 bioscopen, 4 ziekenhuizen, 4 stationsgebouwen, 2 theaters en 2 musea – de opsomming dank ik aan Aad Wagenaar, *Rotterdam, mei '40*. Achthonderdvijftig mensen vonden de dood, zoveel duizenden mensen liepen zware verwondingen op dat de chirurgen vijf dagen later nog aan de lopende band stonden te opereren, 79 600 mensen raakten dakloos. Daar valt je niet meer van op dan... een witte ballon.

Het was weer de wind die de zintuigen parten speelde: door de westenwind schrokken ze in Gouda van het doffe geroffel van instortende gebouwen, hoorden ze in Capelle het gebulder van de vlammen, zagen ze in Utrecht de hemel pikzwart worden, roken ze in Arnhem een zware brandlucht. De helse branden zogen ook nog eens honderdduizenden liters zuurstof aan; de wind begon te loeien als tijdens een orkaan. Maar in Rhoon, dat nog iets dichter bij Rotterdam ligt, hoorden ze door die westenwind helemaal niets, en in Poortugaal letten ze meer op de dikke rookwolken in het noordwesten dan op de witte ballon in het noordoosten. De raffinaderij bij Pernis stond in brand.

Op 10 mei was in de namiddag een sabotageploeg van het Britse leger in Hoek van Holland aangekomen. De ploeg moest zich gereed houden voor het vernietigen van de raffinaderij en de olievoorraden. De gloednieuwe installaties – met de bouw van de raffinaderij was in 1936 begonnen – en de voorraden stookolie, benzine en kerosine mochten niet in handen van de vijand vallen. Op de vroege morgen van 13 mei, toen de Duitse troepen vanuit Brabant in de richting van Rotterdam oprukten, gaf generaal Winkelman opdracht de raffinaderij te verwoesten. Om vier uur in de middag stonden de distilleertorens en de opslagtanks in brand. De rook was zo zwart dat hij de zon verduisterde.

Zacheus en Martinus de Regt hoorden pas in de avond dat de hele binnenstad van Rotterdam brandde of in puin lag en dat alleen de toren van de Laurenskerk nog overeind stond. Ze hoorden het van enkele mannen die vanaf de zuidoever van de Maas de verwoestingen hadden waargenomen.

Vaak kwamen de De Regts niet in het centrum van Rotterdam. Het was een reis van dik twee uur, of ze nou de fiets namen (en bij het Charloisse Hoofd het veer) of het trammetje van de RTM (dan moesten ze op de Rosestraat overstappen en via de Willemsbrug naar het centrum). Soms ging wel twee jaar voorbij voor ze de Coolsingel terugzagen. Maar Rotterdam was de enige grote stad die ze kenden, was hún stad.

Toen ze naar de woonwagen van de zigeunerfamilie terugliepen, hoorden ze dat Nederland capituleerde. Het besluit van generaal Winkelman was om kwart over zeven die avond over de radio bekendgemaakt.

Göring had met een tweede bombardement op Rotterdam gedreigd, dat tussen 17.20 en 18.20 zou plaatsvinden en dat om 17.43, vlak voor de Duitse bommenwerpers de noordelijke woonwijken van de stad bereikten, kon worden voorkomen doordat de piloten radiografisch het bevel kregen naar de basis terug te keren. Ook had de opperbevelhebber van de Luftwaffe met een bombardement van Utrecht gedreigd – hij had boven de stad al vlugschriften met die boodschap laten afwerpen – en van Haarlem, Den Haag, Amsterdam.

Göring en Hitler hadden haast: de tegenstand in Nederland had lang genoeg geduurd. Generaal Winkelman kon weinig anders doen dan de overgave tekenen.

Dat deed hij de volgende morgen, op woensdag 15 mei om 10.05, in het christelijke lagere schooltje van Rijsoord. Tegenover hem zat generaal Georg von Küchler namens Duitsland. Om 10.15 uur was Nederland officieel een bezet land.

Vader De Regt besloot om elf uur met zijn gezin naar huis terug te lopen. Hij wilde de zigeunerfamilie niet langer tot last zijn, ze hadden al drie keer meegegeten en de halve woonwagen in beslag genomen. Vader De Regt was ook van slag. Hij kon er nog niet goed bij: Vliegveld Waalhaven, de landing van de parachutisten boven de polders van Rhoon, de gevechten op de zuidflank, de raffinaderij bij Pernis in brand, het bombardement van Rotterdam, de capitulatie in Rijsoord... Het leek erop dat die hele door de moffen ontketende oorlog zich rond zijn bed afspeelde. Anders sprak hij nooit meer dan tien woorden, maar nu moest hij het toch even kwijt, aan Dien, Sandrien, aan Martinus en de kleine Tobi.

'Als jongen ging ik graag naar Rijsoord. Ik reed mee. Ze verbouwden veel vlas in Rijsoord. Na de oogst werd het met paard en wagen naar Rhoon gebracht, naar de vlasfabriek bij Het Sluisje. Ik reed met een lege wagen mee heen en met een volle mee terug. De terugweg was het fijnst, dan lag ik lekker zacht op het vlas, hoog in de kar. Mooi dorpje, Rijsoord. Je hebt daar net als in Rhoon een Waaltje. Aan dat kommetje water ligt een hotel. Ze hadden de capitulatie beter in dat Hotel Warendorp kunnen tekenen dan in de christelijke school. Nederland heb het gehad, maar moet dat in een christelijke school worden bekrachtigd? In ieder geval is de oorlog voorbij. We hoeven nou niet meer bang te zijn voor bommen, we kunnen weer normaal aan het werk.'

Tobias herinnerde zich dat zijn vader plotseling even vlammend was gaan praten als de zigeuner die hun onderdak had verleend in de woonwagen.

In Rotterdam begon het opruimen. Vijf miljoen kubieke meter puin moest worden afgevoerd. Weinig mannen uit Rhoon of Poortugaal namen eraan deel. In Rhoon behoorden ze tot de boerenstand of tot de middenstand. De akkerbouwers, melkboeren, fruittelers, groentekwekers keerden naar het land terug. Soms stuitten ze op een granaat of een niet-ontplofte bom. Dan waarschuwden ze de kerels van de Luftwaffe, die hun tijdelijke onderkomen in het Kasteel in een definitief hadden omgezet.

Veel daklozen kwamen evenmin naar het dorp. Rotterdammers noemden de stadswijken ten zuiden van de rivier smalend 'de boerenzijde'. De dorpen ten zuiden van Rotterdam-Zuid vonden ze nog achterlijker. De overlevenden uit de zwaarst getroffen stadswijken Kralingen en Centrum trokken naar Delft, Den Haag of Leiden.

'Stadsmensen blijven stadsmensen,' schamperden ze in Rhoon. Op Vliegveld Waalhaven sloopten Duitse genietroepen de resten van de uitgebrande barakken en hangars. Op de landingsbaan – toen nog een grasbaan – plaatsten ze metershoge houten kruizen. Ook rolden ze op en langs de baan kilometers prikkeldraad uit. Rond het vliegveld legden ze mijnenvelden. Geen kip kon er meer komen. Een jaar later was het gebied zoals het voorgaande eeuwen moest zijn geweest: een zandplaat vol bloeiende hei. Tot op de Rijsdijk roken ze de brem.

Het huisje van de familie De Regt bleek geen noemenswaardige schade te hebben opgelopen. Sandrien ergerde zich voor het eerst niet aan de donkerte van de keuken en aan het lage dak van de zolder. Twee nachten later droomde ze alweer over een groot huis, met hoge kamers, grote ramen en een panoramisch uitzicht.

Veel buren van de Rijsdijk bleken te zijn gevlucht. De Pekelaars bijvoorbeeld, de armste familie die op Het Sluisje woonde. Vader Pekelaar stemde op de communistische partij en maakte daar geen geheim van. In 1937 had hij een verkiezingsaffiche van de CPN op het raam geplakt, wat in het zwaar christelijke Rhoon commotie had veroorzaakt. Zijn derde zoon, Vladimir Iljitsj, deelde bij de poort van de RDM-werf pamfletten van de CPN uit en ventte het communistische dagblad *De Tribune*. De Pekelaars waren op de eerste oorlogsdag naar familie in de Hoekse Waard gevlucht. Ze vreesden op een zwarte lijst van de Gestapo te staan. Niet ten onrechte, de Gestapo en de Sicherheitsdienst waren een jaar voor de oorlog al in de CPN geïnfiltreerd. Terwijl honderden parachutisten naar beneden dwarrelden, fietsten de Pekelaars naar het veerhuis aan de Oude Maas, waar ze de veerman smeekten hen over te zetten. Pas twee maanden later zouden ze naar Het Sluisje terugkeren. Ofschoon fel anti-nazi, zouden ze zich de hele oorlog gedeisd houden.

Wout Wachtman zwierf door de polders, zoekend naar de wapens van Duitse parachutisten die hun nek hadden gebroken tijdens de val of die in de lucht waren doodgeschoten. Een halve eeuw later typte hij: 'De Duitsers hebben op alles gerekend. Pamfletten zijn gedrukt meegebracht. Ze worden op de houten telefoonpalen gespijkerd. Iedere Nederlander moet zijn wapen inleveren. De doodstraf staat op bezit. Ik verberg de wapens goed. Maar het gewone leven gaat toch verder.'

Wout verborg de wapens in holletjes die hij in de oevers van sloten groef. Ook ontdeed hij gedode Duitse militairen van hun uniform. Hij legde een kleine collectie aan – Wehrmacht, Luftwaffe, ss – in de vaste overtuiging dat die uniformen hem van pas zouden komen. Direct na de capitulatie was Wout zich al aan het voorbereiden op de belangrijke rol die hij in het gewapende verzet wilde spelen. Dat hij er zo snel bij was kwam mede uit een persoonlijke frustratie voort: hij was op zijn achttiende jaar afgekeurd voor militaire dienst omdat hij met zijn één meter vierenvijftig te klein van stuk was. Een jaar voor het uitbreken van de oorlog was hij dan ook niet gemobiliseerd, en dat had hij nauwelijks kunnen verkroppen.

Martinus de Regt wilde eigenlijk ook meteen in het verzet. Hij ergerde zich aan de in het Duits gestelde verordeningen op de telefoonpalen en had de indruk van de ene op de andere dag een vreemde in eigen land te zijn. Het zou echter nog tweeënhalf jaar duren voor het verzet in Rhoon vorm kreeg, en Martinus was toen al opgepakt voor de Arbeitseinsatz. Hij zou tot het einde van 1944 in Duitsland blijven werken.

Chiel de Regt trad wel daadwerkelijk toe tot het verzet. Hij moet knap werk hebben verricht voor de Binnenlandse Strijdkrachten, want prins Bernhard nam hem in juni 1945 in zijn persoonlijke staf op. Chiel ontdekte pas laat dat twee van zijn zussen een verhouding hadden met een Duitse militair. Terwijl hij toch het grootste deel van de oorlog dicht in de buurt was: hij werkte op de vlasfabriek.

De hele zomer van 1940 bleef het weer even mooi als tijdens de meidagen. Na een extra lange zomervakantie keerden Sandrien en Tobi de Regt in de derde week van augustus naar school terug. Tobi merkte toen voor het eerst grote veranderingen op. Hij was nog een snotaap – acht jaar – maar hij was ook verschrikkelijk bang. Sinds de Duitse soldaten de zwaar bloedende Hollandse sergeant de keuken hadden binnengedragen, had hij nauwelijks meer een oog dichtgedaan. Door zijn angst keek hij beter om zich heen dan zijn broers en zussen en dan de meesten van zijn leeftijdsgenoten.

'Pa had ons gewaarschuwd voor Satan uit het oosten,' vertelde hij me met trillende stem in de Annie Romein-Verschoorstraat in Amsterdam-Slotermeer. We zaten vlak tegenover elkaar. Dronken een flesje chocomel – net zoals zijn vader was Tobi zijn hele leven geheelonthouder gebleven. Hij keek me met een felle blik aan. 'Toen trok Satan de grens over en kregen we vitaminetabletten.'

Door de oorlog liep Tobi op school flinke vertraging op. In het eerste oorlogsjaar bleef hij zitten in de derde klas, misschien ook omdat hij weinig les had gekregen: van november 1940 tot eind maart 1941 hadden de Duitsers het gebouw van de School met den Bijbel aan de Rijsdijk opgeëist. In het derde oorlogsjaar vorderden ze het schoolgebouw opnieuw. Tobi's klas kreeg les in de hervormde kerk op de gaanderij naast het orgel; de klas van Sandrien zat beneden. Dwars door de kerk propjes schieten: het was alle dagen gein. Van leren kwam niet veel. In de Hongerwinter en in het voorjaar van 1945 was er helemaal geen school. Na de bevrijding doorliep Tobi de zesde klas, het jaar daarop de zevende. Jongens en meisjes uit arme gezinnen deden de zevende klas op de lagere school, sommigen zelfs de achtste; daarna konden ze meteen aan het werk bij een boer of in de huishouding. Tobi ging in 1947 naar de Ambachtsschool aan de Hillevliet in Rotterdam. Hij was toen vijftien jaar. In 1949 kon hij met het einddiploma op zak als timmerman aan de slag bij aannemer Cissee in Rhoon. Algauw bleek hij een kei in zijn vak. Hij werd gevraagd praktijklessen timmeren te geven op de ambachtsschool aan de Parallelweg in Rotterdam. Hij bleef op Rhoon wonen.

'Maar op een dag ben ik gaan zwerven. Ik ben min of meer gevlucht.' Gevlucht voor het dorp, gevlucht voor de gemeenschap der gelovigen. Tobi moest niks hebben van het gereformeerdendom. Hij zei het tegen zijn vader ('ofschoon het een beste man was'): 'Als er een gereformeerde hemel is wil ik er beslist niet komen.' Van de elf kinderen De Regt was hij de enige die het geloof de rug toekeerde.

In 1944, op het ergst van de oorlog, dreef professor Klaas Schilder nog een theologisch geschil op de spits, zette mensen tegen elkaar op en veroorzaakte een kerkscheuring. Schilder legde de protestantse leer van de doop anders uit dan de gereformeerde synode. De vraag luidde of er bij de beloften Gods in de doop sprake is van innerlijke heiliging. Voer voor theologen, reuze interessant om over te redetwisten, maar moest dat in 1944, toen op de slagvelden van Europa miljoenen soldaten sneuvelden en Nederland zich opmaakte voor de eindstrijd tegen de Duitse bezetter? De bezwaarden beriepen zich op artikel 31 van de kerkorde waarin bezwaar mag worden gemaakt tegen een beslissing van de synode die indruist tegen het Woord Gods. Professor Schilder weigerde de strijdbijl voor althans de duur van de oorlog te begraven en riep op tot vrijmaking van de Gereformeerde Kerk.

'Wat een boef,' roept Tobi. Het zit hem nog altijd dwars. Van de familie De Regt ging oudste zoon Jacob met afgescheiden gereformeerden artikel 31 mee en hij weigerde nog enig contact met zijn ouders en zijn broers en zussen te onderhouden. De scheiding in de familie voltrok zich in de laatste septemberweek van 1944 en was zo radicaal dat Jacob zelfs twintig jaar later aan zijn ouders voorbijliep of voorbijfietste zonder hen te groeten.

De directe aanleiding voor Tobi's 'vlucht' was een andere: hij woonde samen met een vrouw zonder getrouwd te zijn. Voor gereformeerden was dat de poort van de hel openduwen. Tobi verhuisde naar Amsterdam, waar hij decorbouwer werd bij een filmproductiemaatschappij. Na vijftien jaar veranderde hij van baan en bouwde stands op meubel-, auto- of vliegtuigbeurzen in binnen- en buitenland.

Zijn geliefde was een 'Joods meissie', Sarah. Ze heeft haar hele leven naar haar vader gezocht. Verdwenen in de oorlog. 'Het arme kind.' Als Tobi over haar praat, krijgt hij automatisch tranen in de ogen. 'Haar hele familie uitgemoord, afgevoerd naar Auschwitz-Birkenau, Sobibór, Treblinka of hoe die godverdommese tyfusoorden ook heetten... Ze heb het nooit kunnen verwerken.' Hij leefde dertig jaar met haar samen, tot aan haar dood. Op de foto van haar die hij me laat zien, heeft ze indringende, intrieste ogen en dik, krullend, zwart haar. 'Ik ben bang geweest in de oorlog, ik plaste op mijn vijftiende jaar nog in bed, maar het is natuurlijk niets vergeleken bij wat zij heb meegemaakt.'

Deze Tobi zegt: 'Toen kwam Satan binnen uit het oosten en kregen we op de School met den Bijbel vitaminetabletten, schoolmelk, gymnastiekles en schoolzwemmen in Bad Maasoord. En kreeg mijn moeder vanaf 1943 kinderbijslag.'

Bij De Regt leden alle kinderen aan de Engelse ziekte. Aan rachitis, een botaandoening die ontstaat door gebrek aan vitamine D en calcium. De ziekte viel aan je lichaamsbouw af te lezen. De aandoening veroorzaakt o-benen, een groot rechthoekig hoofd, verkrommingen van de andere ledematen, verweking van het bot in de ruggengraat waardoor je scheef gaat lopen. Iedere dag groenten eten en flink zonnebaden helpt tegen de Engelse ziekte, die haar naam dankt aan de sloppenwijken van Londen waar in de negentiende eeuw nauwelijks zonlicht doordrong. In het huisje aan de Rijsdijk was dat evenmin het geval. Een nog groter gebrek hadden ze daar aan voedsel. 'We barstten gewoon van de honger, man,' brult Tobi de Regt me toe.

Want dat was wat volgens hem altijd werd verdonkeremaand als het om de aanloop naar de oorlog ging: de gore armoede. Op de Rijsdijk 249 gingen ze vaak met honger naar bed. Vader had onder aan de dijk een moestuintje, dat niet veel groter was dan een deken. Hij hield een varken in de schuur. Het was niet voldoende. Met wat groenten uit de eigen tuin, twee forse hammen, gepekelde varkenslappen en het weekloon van een arbeider voedde je niet alle dagen dertien monden. Dien bracht voor de oorlog ook nog wat geld binnen: ze werkte zes dagen in de week van zeven uur 's morgens tot zeven uur 's avonds als hulp in de huishouding en verdiende twee gulden in de week. De armeluisziekte hielden ze er niet mee buiten; allemaal hadden ze o-benen bij De Regt, allemaal hadden ze een blokvormig hoofd, met uitzondering van één uitzonderlijk sterk meisje: dochter Aleida.

Door de vitaminetabletten en de schoolmelk waren de jongste kinderen, Tobi en Sandrien, binnen twee jaar van de Engelse ziekte af. Door de corrigerende gymnastiekoefeningen kregen Tobi en Sandrien een mooie rechte rug. Het gezicht van Sandrien werd breed maar niet zo rechthoekig als dat van Dien.

Iedere zaterdagmorgen liepen de kinderen uit de hoogste klassen van de lagere school tussen de eerste mei en de eerste oktober naar Bad Maasoord. Het was een uur heen lopen en een uur terug, een lekker stukje stiefelen in de zon. Om geen onderscheid te maken tussen kinderen uit arme en welgestelde gezinnen kregen alle jongens bij de badhokjes van Maasoord eenzelfde zwembroek en alle meisjes eenzelfde badpak. In 1942 en 1943 zagen de dorpskinderen er al een stuk beter uit dan in 1939.

Tobi zegt het bitter: 'Satan bracht niet alleen de zwarte pest. Hij kon ook goeie dingen brengen.'

De schuld voor de armoe legt Tobi 'enkel en allenig', zoals ze op de eilanden zeggen, bij Colijn, de 'grote' staatsman uit de jaren dertig en, in de woorden van Tobi, 'de grote gereformeerde cen-

tenknijper'. Geen land ter wereld had een omvangrijker goud-
voorraad dan Nederland. 'Maar wij,' zegt Tobi, 'kregen thuis
niks te vreten.'

Van Tobi's klasgenoten op de lagere school heb ik er één kunnen traceren. Van de vitaminetabletten en de schoolmelk staat
Klaas Zuiderent slechts vagelijk iets bij. Gymnastiek, zwemmen
in Bad Maasoord... ja, maar begon dat niet pas in 1943?

Klaas Zuiderent komt uit een middenstandsgezin met aanzienlijk minder kinderen dan het gezin De Regt. Hij groeide op
in een vrijstaande woning aan de Rijsdijk met uitzicht op de villa van een rentenierende herenboer. Zijn vader werkte bij de
BPM, de voorloper van de Shell.

Ik vermoed dat vooral sociale omstandigheden de herinnering kleuren. O-benen en met honger naar bed vergeet je minder
snel dan de Duitse militairen met wie je zusters aan de scharrel
waren. Met de 'gore armoede' verdreef Tobi zijn donkerste vermoedens over Diens en Sandriens gedrag in de oorlogsjaren.
Vooral aan het beeld van zijn jongste zus wilde hij niet tornen:
hij vond haar het leukste meisje van de dijk, zeker toen ze rechte
benen had gekregen.

DRIE

Arend-Jan Veth was een vechtjas. Zelfs na de nederlaag van het Nederlandse leger gaf hij zich niet gewonnen en week hij naar Engeland uit met een van de laatste schepen die de haven van Hoek van Holland konden verlaten. In Engeland trok hij zijn uniform weer aan.

Zijn dienstplicht had Arend-Jan bij het 3e Regiment Infanterie vervuld, in 1930. Het was zijn kennismaking met de grote wereld geweest: voor het eerst weg uit het dorp. Hij had genoten van zijn jaar onder de wapenen. Om maar iets te noemen: hij had voor hij aan het kazerneleven begon nog nooit bossen gezien.

Het 3e Regiment Infanterie behoorde tot de parate troepen; dan was je bij oorlogsdreiging meteen de klos. Arend-Jan Veth werd in april 1939 gemobiliseerd, vier maanden vóór de algemene mobilisatie. Zijn dertigste verjaardag vierde hij met zijn regimentsmaten in Brabant; twee weken later brak de oorlog uit.

De compagnie van Arend-Jan verdedigde de Peel-Raamstelling bij het plaatsje Mill. Het werd een van de felste gevechten op de zuidflank. Toen de Duitsers de Peel-Raamstelling doorbraken, konden ze doorstoten naar de Moerdijkbruggen en Rotterdam. Dat had ze wel twee dagen vechten gekost en zware verliezen – tegen de vijfhonderd man.

Met een paar maten van zijn compagnie slaagde Arend-Jan erin aan Duitse krijgsgevangenschap te ontsnappen en Hoek van Holland te bereiken. Op de morgen van 15 mei gingen ze aan boord van een trawler. Ze behoorden tot de twaalfhonderd Nederlandse militairen die zich, zoals het officieel heette, 'in Engeland terugtrokken'. De mannen waren uit alle legeronderdelen afkomstig, van infanterie, cavalerie, korps wielrijders, artillerie, genie tot politietroepen en marechaussee. Een wonderlijk allegaartje dat het Nederlands Legioen zou vormen, later de Koninklijke Nederlandse Brigade en vanaf 27 augustus 1941 de Koninklijke Nederlandse Brigade Prinses Irene.

Onder de gevluchte militairen bevonden zich nogal wat officieren die bij het eerste geweerschot de strijd hadden opgegeven en de benen hadden genomen. Prins Bernhard moest niets van hun blohartigheid hebben en nog op 23 maart 1941 weigerden hij en prinses Juliana de naam van hun dochter Irene aan de brigade te geven, 'zolang', schreven ze in een brief, 'de officieren die in oorlogsdagen door hun defaitisme de achting van de troepen verloren hebben, gehandhaafd blijven.' Koningin Wilhelmina twijfelde even hard aan de krijgshaftigheid van de brigade. Een halfjaar later reikte ze niettemin het vaandel uit aan de Prinses Irene Brigade en haar commandant kolonel A.C. de Ruyter van Steveninck. De grondige reorganisatie liet tot 1943 op zich wachten.

Op de lijst van officieren kwamen opvallend veel dubbele namen voor. Met hun onderlinge strijd – de oude aristocratische garde tegenover de jonge, naar efficiëntie strevende militairen – had Arend-Jan Veth weinig van doen. Hij was een eenvoudige boerenzoon die het al heel wat vond dat hij bij de Prinses Irene Brigade tot korporaal werd bevorderd.

In Congleton en Wolverhampton kreeg hij vier jaar lang militaire training voor de geallieerde invasie. Over deze periode uit zijn leven is weinig bekend; hij hield geen dagboek bij en als hij al brieven naar huis schreef, dan is het onbekend of ze aangekomen zijn en bewaard zijn gebleven.

De meeste Engelse dames van het even onder Birmingham gelegen Wolverhampton hadden hun vriend, verloofde of man zien vertrekken door de algemene mobilisatie. De verleiding was groot voor de Nederlandse militairen. Een van hen schreef later in zijn autobiografie: 'Er was in de avond nooit gebrek aan

73

vrouwen, al leek het om te beginnen soms moeilijk. De Nederlandse jongens hadden evenwel algauw door dat dezelfde meisjes die zich aanvankelijk heel koel en victoriaans opstelden, aardig bijtrokken naarmate het later werd en de alcohol vloeide. "At night they're alright", was de leuze.'

Ook de Engelandvaarder Rudi Hemmes, die zich in 1942 bij de Prinses Irene Brigade aanmeldde, verwonderde zich erover hoe 'de Engelse dames, compleet losgeslagen, zich met allerlei kerels inlieten'. In Wolverhampton moest hij de eerste de beste avond al van zijn twintig licht aangeschoten barakgenoten horen met welke 'wildvreemde juffrouw' ze het hadden aangelegd en wat ze met haar uitgespookt hadden.

In het kamp van de Prinses Irene Brigade in Wolverhampton werden de condooms in ronde doosjes verkocht. Op het dekseltje was een sticker geplakt met een steigerende Oranjeleeuw en de tekst 'Nederland zal herrijzen'.

In zo'n soort omgeving zat Arend-Jan. Ik neem aan dat hij niet vier jaar lang de kuisheid zelve is geweest. Dat de rest van de manschappen het deed, vormt natuurlijk geen bewijs: Arend-Jan kan die ene uitzondering zijn geweest. Hij zou dan wel in de maling zijn genomen, wat ongetwijfeld met enig leedvermaak vermeld zou zijn in een van de vele dagboeken die in het archief van de Irenebrigade bewaard zijn gebleven. Ik ben het niet tegengekomen.

In het voorjaar van 1944 hing de geallieerde landing in de lucht. Generaal Montgomery kwam op 11 maart op bezoek bij de Irenebrigade en riep de mannen toe: 'De Duitser is een zeer goed soldaat, maar de geallieerde soldaat is véél beter. Eerst Duitsland bombarderen en dan is het een *easy job*. Ik wens u allen *good luck*.' Na deze eenvoudige oorlogsretoriek moesten de mannen nog vijf maanden wachten voor ze in actie konden komen. Monty had namelijk ook in één oogopslag gezien dat de brigade onderbemand was en niet geschikt voor het zware werk in de voorste linies.

Pas op 7 augustus, ruim twee maanden na D-day, landde Arend-Jan Veth met de 2e Gevechtsgroep van de Prinses Irene Brigade onder commando van majoor F. Looringh van Beeck in Normandië bij het plaatsje Arromanches. De kust was weliswaar door de geallieerden ingenomen, maar overal in Normandië en het noorden van Frankrijk hielden zich nog Duitse legereenheden op van soms wel vijftigduizend man, die verbeten bleven strijden om de geallieerde opmars tot staan te brengen.

Op 12 augustus kwam Arend-Jan in actie bij Ouistreham en Saint-Côme. De omgeving van die dorpen moest op Duitsers uitgekamd worden. Na de verovering van Pont-Audemer rukte de Irenebrigade via Amiens, Doullens, Arras, Douai, Tournai naar Sint-Pieters-Leeuw op, net onder Brussel.

Via Leuven en Beringen bereikte de brigade Noord-Brabant. Ze leverde zware gevechten bij Grave, bevrijdde op 18 september Eindhoven en op 27 oktober Tilburg. 'Vijf mannen hadden een *battle exhaustion*,' noteerde een korporaal na de inname van Tilburg in zijn dagboek, 'een *shell shock*. De ogen stonden schichtig, ze praatten met horten en stoten en ze konden hun handen niet stilhouden. Ze werden voor rust naar Eindhoven gestuurd.' De andere leden van de brigade werden na de slag om Tilburg onmiddellijk naar Zeeland gedirigeerd om de laatste Duitsers te verdrijven, Arend-Jan als 'driver i/c (spare) no. 1142', en wat later als reservechauffeur op een drietonner.

Bij alle acties van de Prinses Irene Brigade was hij betrokken. Korporaal Veth vocht van augustus 1944 tot en met de bevrijding van Den Haag in mei 1945 vrijwel aan één stuk door. Weinig Nederlandse militairen konden hem dat nazeggen. Na de oorlog kreeg hij dan ook alle decoraties opgespeld die een onderofficier van de Prinses Irene Brigade kon verwerven.

Aan deze dappere man kleefde één vuiltje: in 1940 had hij zijn vrouw Dirkje en zijn drie kinderen aan hun lot overgelaten. Thuis, aan de Rijsdijk in Rhoon.

Nou ja, vuiltje, dat hangt ervan af hoe je over vechten voor het vaderland denkt. Toen Arend-Jan en de mannen van de Prinses Irene Brigade de brug bij Pont l'Evêque innamen, kregen ze camembert en calvados van de bevolking en werden ze toegezongen met het partizanenlied dat iedere dag op Radio Londres had geklonken, het Franse equivalent van Radio Oranje. Dat lied begon met: *J'ai changé cent fois de nom/ j'ai perdu femme et enfants/ mais j'ai tant d'amis/ et j'ai la France entière.* Vrouw en kinderen in de steek gelaten, maar je kreeg er zoveel vrienden voor terug, en heel het bevrijde Frankrijk.

Ik haal dat lied aan omdat de versie van Leonard Cohen (*The Partisan*) me altijd weer kippenvel bezorgt. De melodie werd trouwens geschreven door Anna Marly, die eigenlijk Anna Betoulinskaja heette en die zich door een Russisch patriottisch lied liet inspireren. In de Engelse versie van Leonard Cohen komen twee regels voor die denk ik op de instemming van Arend-Jan Veth hadden kunnen rekenen: *Freedom will soon come/ it will come from the shadow.* Vrijheid komt lang niet altijd uit het volle licht tevoorschijn, vaak komt ze uit de schaduwzone. De zone waar Arend-Jan jarenlang in verkeerde.

Ik speel nu even voor advocaat van de duivel. Arend-Jan Veth is al heel lang dood, hij overleed op 31 maart 1962 op tweeënvijftigjarige leeftijd, hij kan zich niet meer verdedigen. Het kost me niet zo vreselijk veel moeite om me in hem te verplaatsen. Ik denk dat hij dit gezegd zou hebben: 'Toen ik in Hoek van Holland op de laatste boot richting Engeland stapte, kon ik niet weten dat de oorlog vijf jaar zou duren. Ik zag het als mijn plicht om bij de mannen van mijn eenheid te blijven. Het alternatief was verdwijnen achter het prikkeldraad als krijgsgevangene van de nazi's. Ik vocht uit overtuiging. Vanaf het begin van de jaren dertig haatte ik Hitler. Na de Kristallnacht begreep ik waartoe zijn marionetten in staat waren. Ik was een man van principes, van protestants-christelijke principes. In Hitler zag ik de antichrist. Onder de mobilisatie zuchtte ik allerminst, alleen onder de ondeugdelijke wapens die we kregen. Toen ik in Engeland aankwam, dacht ik binnen drie maanden met twaalfhonderd Nederlandse militairen en tienduizenden Vrije Fransen, Vrije Denen, Vrije Noren, Polen, Tsjechen naar het vasteland te worden gestuurd voor de bevrijding. Ik heb tot augustus 1944 moeten wachten.'

Aan oorlogen wordt altijd luchthartig begonnen. Gerekend vanaf de mobilisatie zou Arend-Jan zes jaar en twee maanden van huis zijn.

Na de inname van Den Haag reed hij voldaan naar zijn Rhoonse woning terug, in een Amerikaanse slee, volgens zijn dochters Magda en Winnie; in een *witte* Amerikaanse slee, volgens de dorpelingen die hem op de Groene Kruisweg zagen rijden; in een Amerikaanse legerjeep, volgens Joop van der Vaart, die hem aanhield op de Rijsdijk en Arend-Jan aanraadde niet naar huis te gaan maar rechtsomkeert te maken. Alle getuigen waren het erover eens dat de achterbank vol lag met lekkernijen en cadeautjes. Arend-Jan dacht als een held ontvangen te zullen worden door zijn dorpsgenoten en als een weldoener door zijn vrouw en kinderen.

Dat pakte anders uit.

In de jonge jaren van Dirkje de Ruyter kwamen op zaterdag de jongens uit Barendrecht naar Pernis om daar te vrijen met de meisjes. Pernis was zwaar christelijk maar Barendrecht was nog een graadje strenger. In Pernis konden ze af en toe nog lachen, iets dat in Barendrecht door God verboden leek.

Arend-Jan Veth was een christelijk-gereformeerde jongen uit Barendrecht. Over de christelijk-gereformeerden zeiden ze op de eilanden: vurig in het geloof, vurig in bed. Dat klopte in ieder geval voor Arend-Jan: hij moest in grote haast met Dirkje de Ruyter trouwen. Vijf maanden later werd hun dochter Maartje (Magda) geboren.

Als Dirkje niet zwanger was geraakt, zou Arend-Jan ook met haar getrouwd zijn. Hij schijnt verzot te zijn geweest op haar lichaam, haar verschijning, haar lange hals, haar rechte rug, op de trots die ze uitstraalde. Het meest hield hij van de opgeruimde lach waarmee Dirkje alle problemen in muizenissen veranderde.

Die liefde was wederzijds. In 1946 zei Dirkje tegenover de rechter, die haar niet geloven wilde en haar scherp ondervroeg: 'Arend-Jan Veth is de enige man van wie ik gehouden heb.' En tegen haar oudste dochter zei ze, toen Magda zo goed als volwassen was: 'Magda, wat er ook over je vader en mij wordt verteld, vergeet nooit dat je uit liefde bent geboren.'

Na hun huwelijk gingen Arend-Jan en Dirkje Veth in Rhoon wonen, eerst in een huisje aan de Tijsjesdijk, later in een wat groter huis aan de Rijsdijk. Drieënhalf jaar na Magda werd zoon Harmanus geboren. Harm was lichamelijk en verstandelijk niet in orde, algauw bleek hij zwaar gehandicapt te zijn en moest hij in een inrichting in Noordwijk worden opgenomen. Dirkje durfde desondanks een derde kind aan. Het meisje ging Willempje heten en werd door haar moeder Winnie genoemd.

Winnie heeft zich van jongs af aan afgevraagd of Arend-Jan Veth haar werkelijke vader was. Haar moeder heeft altijd volgehouden dat ze pas vier jaar na Arend-Jans vertrek interesse voor andere mannen begon te tonen. Winnie, geboren op 30 september 1938, dacht daar als meisje van vijf, zes jaar kennelijk anders over, ofschoon ze nooit bevestigd kreeg dat Arend-Jan Veth niet haar werkelijke vader was. Haar zus Magda is stelliger: haar moeder heeft voor de oorlog geen buitenechtelijke verhoudingen gehad. Ze was een uitzonderlijk knappe en zich jeugdig gedragende vrouw die graag in een groot gezelschap verkeerde, maar van de avances van andere mannen was ze volgens Magda niet gediend.

In de jaren dertig kon Arend-Jan Veth het hoofd maar net boven water houden als groentehandelaar. Dirkje moest er aan het begin van haar huwelijk vaak op uit om wat bij te verdienen. Ze werkte regelmatig bij een tuinder aan de Rijsdijk. De kleine Magda werd dan in een veilingkist op het land gezet, zo-dat ze niet weg kon lopen.

Dat werk pakte Dirkje in de zomer van 1940 weer op, nadat het haar duidelijk was geworden dat haar man naar Engeland was uitgeweken en dat de echtgenote van een gedeserteerde militair – want zo werd de vlucht van Arend-Jan aangemerkt – geen soldij ontvangt. Dirkje had ook geen recht op een uitkering van rijk of gemeente: haar man was niet gesneuveld, was niet ziek en was evenmin arbeidsongeschikt verklaard. Bij het gezin Veth kwam vanaf mei 1940 geen cent meer binnen.

Dirkje deelde het lot van de vrouwen van de achttienduizend zeevarenden die na het uitbreken van de oorlog niet naar Nederland hadden kunnen terugkeren en in dienst van de geallieerden waren getreden. De gezinnen van de zeevarenden kregen echter algauw steun. In december 1940 richtte de gewezen marineman Iman Jacob van den Bosch een hulpfonds op, het Tromp Fonds. Bovendien bleven de meeste rederijen de salarissen uitbetalen aan de gezinnen van het koopvaardijpersoneel. Toen de bezetter dat in april 1941 verbood, riep Abraham Filippo, een gezagvoerder van de Holland-Amerika Lijn, een hulpfonds in het leven, de zogenaamde Zeemanspot. Bij de oprichting van plaatselijke comités kreeg hij veel steun van de bankier en oud-koopvaardijofficier Walraven van Hall. Samen met Van den Bosch wist Wally van Hall de verschillende fondsen, comités en groeperingen samen te voegen in het Nationaal Steun Fonds. Door de inspanningen en de financiële handigheid van beide mannen groeide het NSF uit tot de bank van het verzet en de bank voor onderduikers. In de loop van 1942 begon dat fonds financiële hulp aan ondergedoken Joden te verlenen en aan gezinnen van ondergedoken beroepsofficieren.

Maar Arend-Jan was geen beroepsofficier, en ook niet ondergedoken. Hij was een gemobiliseerde soldaat van een parate eenheid.

Of Dirkje weet heeft gehad van het Nationaal Steun Fonds

konden haar dochters niet bevestigen. Dat fonds keerde wel uit in Rhoon: aan tien tot twaalf spoorwegstakers bijvoorbeeld, die vanaf het najaar van 1944 aan de Oud-Rhoonsedijk zaten ondergedoken. Zeker is dat Dirkje nooit enige financiële steun heeft ontvangen tijdens de vijf oorlogsjaren.

Van haar ouders kon ze weinig hulp verwachten. Haar vader was een aimabele man, maar als koster van de Hervormde Kerk in Pernis moest hij er al twee baantjes bij nemen om rond te komen: bedienaar der begrafenissen en incasseerder van de kerkelijke belastingen. Haar schoonouders boerden beter: aan de Voordijk in Barendrecht hadden boer en vrouw Veth vijf kasten vol met linnengoed, verkregen in ruil voor voedsel dat uit de eigen voorraadschuur kwam. Ze boden Dirkje werk aan: kousen stoppen. De herstelde kousen verkochten ze voor de prijs van nieuwe. Dirkje stopte zakken vol.

Aan het begin van de oorlog kon ze het net redden. In 1942 en 1943 werd het moeilijker. Op een dag beloofde ze haar dochters met iets lekkers thuis te zullen komen. Ze stapte op haar fiets zonder banden en reed met twee zakken vol gestopte kousen naar de Voordijk in Barendrecht. Bij de deur nam haar schoonmoeder de zakken in ontvangst. Dirkje vroeg haar iets te eten voor de kinderen, haar kleindochters per slot van rekening. Ze kreeg te horen: 'Maar Dirkje, dat kun jij toch niet betalen.'

Met lege tassen fietste ze via de Essendijk en de Oudeweg naar de Rijsdijk terug. Ergens op dat traject moet er iets geknapt zijn in haar. Toen ze, nog nahijgend van het fietsen, de keuken van haar huis binnenstapte, zag Magda een laaiende woede in haar ogen.

Toch ging Dirkje nog bij acht boeren langs om te vragen om werk. Werk op het land, werk in de huishouding, het maakte haar niet uit. 'Als een van die boeren me desnoods voor een schijntje in dienst had genomen, zou er niet gebeurd zijn wat er gebeurd is,' riep ze in 1946 haar rechter toe. Waarop deze minzaam glimlachte.

In 1944 verslechterde de gezondheid van haar zoontje. Ze haalde Harm uit de inrichting in Noordwijk en nam hem in huis op. Algauw had hij weer dringend professionele verpleging nodig en moest terug naar de inrichting. Hij overleed in de zomer.

Toen slonk Dirkjes weerstand tot nul. Op aanraden van Aardje de Ruyter-Roetman diende ze zich in het Kasteel aan. Haar schoonzus werkte al voor de Luftwaffe. Of, zoals de rechter twee jaar later oordeelde: 'Door haar schoonzuster werd verdachte tot verkeerde dingen verleid.'

De rechter begreep er weinig van: ze werd door haar hongerige kinderen tot 'verkeerde dingen' gedwongen.

Of moet ik toch meer geloof hechten aan Jaap de Buizerd, de buurjongen van Dirkje op Het Sluisje? Hij zei: 'Dirkje kon niet zonder man. Ze moest een man over de vloer hebben. Eén ding begreep ze niet: dat niemand haar eten gaf. Zelf was ze een joviaal type: zodra ze eten of kolen voor de kachel had, liet ze de buren daarin delen.'

Zo gedroegen de buren zich niet tegenover haar.

In september schrobde Dirkje de bonte en de witte was van de Herren Offiziere en kwam iedere avond met een tas vol eten thuis. Met de restjes uit de officiersmess redde ze haar dochters van permanente ondervoeding. In oktober verscheen er op de wangen van Magda en Winnie voor het eerst in jaren weer een veegje kleur.

Ik bekijk de veertig foto's die een soldaat van de Wehrmacht tussen 1940 en 1943 in Rhoon en omgeving heeft gemaakt. Een surrealistische ervaring. De zwart-witfoto's van briefkaartformaat zijn om een onverklaarbare reden in het gemeentearchief van Rotterdam terechtgekomen. Ik mocht ze op een cd-rom overzetten. Sindsdien kan ik op ieder gewenst moment een stap terug in de tijd zetten.

Soldaat Rudolf Paul Koch fotografeerde alles wat hem de

moeite waard leek. Hij had evenveel belangstelling voor een neergehaalde Engelse bommenwerper als voor een Rhoons meisje dat in een wit zomerjurkje staat toe te kijken hoe acht Duitse soldaten een immens zoeklicht verplaatsen dat bij de luchtafweer wordt gebruikt.

Het surrealistische schuilt voor mij vooral in de huizen en de gebouwen. Ik ken Villa Johanna als een vriendelijk ogend landhuis, gebouwd voor een rentenier die op zijn oude dag in negentiende-eeuwse sferen wilde blijven vertoeven. Aan de staande mast in de voortuin hangt de hakenkruisvlag; op de veranda zitten stijf in het uniform officieren die qua houding en misprijzen gelijkenis vertonen met SD-coryfeeën als Heydrich, Rauter of de in Rotterdam opererende Wölk. Op een andere foto opnieuw de Ortskommandantur Villa Johanna, met op het erf zo'n open Mercedes-Benz waarin Goebbels of Himmler rondreden. Voor de villa staat permanent een schildwacht. Ik zie hem de Hitlergroet brengen als een hoge ome arriveert.

Tegen de witte buitenmuur van het Kasteel van Rhoon hangen vaandels die me aan *Triumph des Willens* doen denken, de documentaire die Leni Riefenstahl maakte over de nationaalsocialistische partijdag in Neurenberg. Naast de ingang twee hakenkruisvlaggen, bij de slotgracht een vlag met het embleem van Hitlers Luftwaffe. Mijn dorp heeft op die foto's zijn landerige onschuld verloren: het is een nazi-dorp.

Het is veel meer een nazi-dorp dan ik ooit heb vermoed. Wat me nog meer versteld doet staan – omdat ik er nooit over gehoord heb – is het aantal militairen in het dorp. Op de ene foto, bij een neergehaalde jager, staan tien Duitse soldaten, op een andere, bij de neergehaalde Engelse bommenwerper, twaalf, op de foto's bij het Kasteel zijn het er twintig: Rhoon is vergeven van de militairen.

Ik vraag Berry Hersbach om uitleg. Ik woonde mijn hele jeugd tegenover hem, een saaie burgerman, niet onaardig, niet aardig, gesloten, afstandelijk, een deugdelijke vakman – als je problemen had met je radio, je transistor of je pick-up, moest je bij hem wezen. Hij repareerde die apparaten in een handomdraai, maar zonder een woord te zeggen. Dertig jaar nadat ik het dorp had verlaten werd me pas duidelijk welke belangrijke rol Berry Hersbach in de illegaliteit had gespeeld. Ik zoek hem op, en hoor hem voor het eerst praten.

Vergeven van de moffen? Jawel. In het Kasteel hielden de officieren van de Luftwaffe kwartier. Onder de iepen voor het Kasteel stonden de tenten van de manschappen. Links van de oprijlaan de barakken en de slaaptenten, rechts de kantine en de veldkeuken. Rond de honderd officieren en soldaten van de Luftwaffe brachten daar het grootste deel van de oorlog door. Na de invasie in Normandië liep hun aantal terug tot tien; de eenheid werd naar het noordwesten van Frankrijk gedirigeerd. Maar in de zomer van 1944 was de eenheid weer op sterkte omdat het Duitse opperbevel een geallieerde landing op de Zeeuwse of de Zuid-Hollandse eilanden verwachtte. Geen van die honderd mannen had ooit één minuut in de lucht doorgebracht aan boord van een bommenwerper, jager of verkenningsvliegtuig. Allen behoorden tot de landtroepen die belast waren met het luchtafweergeschut.

Het Kasteel was een legerkampement. Veel meer militairen nog woonden bij particulieren. In 1942 begon de inkwartiering, in 1943 verdriedubbelde die. In 1944 werden vijf, zes keer zoveel officieren, onderofficieren en soldaten bij particulieren ondergebracht.

Bij Berry Hersbach zat een kapitein in de grootste kamer boven, hij gaf leiding aan het luchtafweergeschut. Voor de oorlog tuurde hij met een ander doel naar de hemel: als astronoom bij de Sterrenwacht in Berlijn. Soms luisterde Berry een paar dagen niet naar de BBC op de korte golf, bang dat hij gearresteerd zou worden voor illegaal radiobezit – hij had drie ontvangers staan. Dan zei de kapitein aan het einde van de week: 'Hersbach, luisteren, anders blijven we niet op de hoogte.' Aan de andere kant van de muur luisterde hij mee; op het Kasteel ontving hij alleen de berichten van de Duitse legerleiding, die bol stonden van de heroïek en de propaganda. Later kreeg Berry nog een tweede luitenant in huis, een heethoofd die in zijn burgerleven bij de posterijen had gewerkt. Hij schreeuwde om 't minste of geringste; met hem was het oppassen geblazen.

In een villa aan het begin van de Rijsdijk zat een generaal. Als erkend elektricien moest Berry elke maand de meterstand opnemen. Op een dag tegen het einde van de oorlog zag hij een man met rode strepen op de broek bij het raam staan en dacht: verdomd, een echte generaal. In zijn werkkamer lagen de tekeningen van Schouwen-Duiveland uitgespreid, 'neem gerust een kijkje,' zei de generaal, de pijltjes gaven aan waar de Engelsen oprukten.

In Rhoon, dat 2200 inwoners telde, waren tussen de drie- en vierhonderd Duitse militairen gelegerd. Twee van de drie waren niet ouder dan vijfentwintig jaar. De Rhoonse meiden die zin hadden in een verzetje hadden ruim de keuze.

Om heisa te voorkomen fotografeerde soldaat Rudolf Paul Koch de meisjes alleen van achteren in de gelagkamer of op het terras van Het Wapen van Rhoon. De herberg lag – en ligt nog steeds – schuin tegenover het Kasteel.

Berry meed Het Wapen. De meiden zoemden als bijen om de militairen en maakten onderling afspraken over de verdeling: de jongedames uit de betere kringen met de officieren, de meisjes uit de middenklasse met de onderofficieren en de boerenmeiden met de soldaten. Berry kon het niet aanzien en wist zeker dat hij domme dingen zou doen als hij vaker in Het Wapen kwam.

Dat had hij met een paar andere jongemannen gemeen, die op een manier van afstraffen zonnen.

Dirkje de Ruyter ging niet vaak meer naar de kerk. Als ze dat deed, ging ze naar de Hervormde Kerk in Pernis, waar haar vader koster was. Alleen met de feestdagen, met kerst, oud en nieuw, Pasen en de weken die eraan voorafgingen, de advent- en de passieweken, fietste ze naar de hervormde kerk van Rhoon, vanwege de koorzang. Pernis had geen koor, Rhoon wel. Niets vond Dirkje mooier klinken dan het uit dertig volle borsten gezongen 'Gloria in excelsis Deo'. Ze nam haar doch- ters mee, Magda achter op de fiets, Winnie in het kinderzitje aan het stuur. Winnie lag bijna de hele kerkdienst te slapen, met het hoofd op haar moeders schoot, maar als het koor zong, kwam ze overeind: ook zij vond het prachtig.

Het koor werd niet door het orgel begeleid maar door een pi- ano die bespeeld werd door de dirigent. Vaak dirigeerde hij met de linkerhand en speelde de begeleiding met de rechterhand op de piano. Dirkje had nooit een concert bijgewoond of een an- dersoortige muziekuitvoering; die twee-, drie- of vierstemmige koorzang met pianobegeleiding was de enige muziek die ze hoorde ontstaan. Bij 'Stille nacht' kon ze het bijna niet droog houden, noch bij 'Als ik maar weet' of bij 'Kommt ihr Töchter, helft mir klagen' uit het openingskoor van de *Matthäus Passi- on*. Ze vermande zich snel, ze was niet iemand die haar tranen liet zien.

Dacht ze aan Arend-Jan? Dat zal ongetwijfeld. Tenzij ze aan het begin van de oorlog al berstensvol nijd zat over zijn ondoor- dachte besluit naar Engeland uit te wijken. In dat geval zal ze zich misschien alleen hebben afgevraagd of hij uit vaderlands- liefde de Noordzee was overgestoken of om aan een nieuw en avontuurlijk leven te beginnen, zonder de kinderen en zonder haar.

Een van de dingen die ik niet heb kunnen achterhalen is wan- neer Dirkje precies te weten kwam dat haar man in dienst van de Prinses Irene Brigade was getreden. Haar dochter Magda kon het zich niet exact herinneren. Op een gegeven moment. Maar wanneer? En wie bracht Dirkje op de hoogte? Arend-Jan zelf? Door een via het Rode Kruis verzonden brief?

Dirkje moet lang in onzekerheid hebben verkeerd. Waar was haar man? Hoe ver bij haar vandaan? Alleen wanneer ze in de kerk zat, in het linkervak, op een van de middelste rijen, waar ze het beste zicht had op het koor, moet ze Arend-Jan dicht bij zich hebben gevoeld.

In de beginjaren van haar huwelijk, toen ze nog aan de Tijsjesdijk woonden, liepen ze samen naar de kerk. In hun zondagse kleren, Arend-Jan in de harige visgraatgrijze overjas die hem zo goed stond, zij in de mantel met het kraagje van konijnenbont dat, hoe goedkoop ook, voornaam oogde en dat mooi paste bij haar hoed van donkerbruin vilt. Het was een wandeling van een halfuur die dwars door het dorp voerde. Hij gaf haar de arm, zij haakte haar arm in de zijne en drukte zijn bovenarm tegen zich aan. Haast maken deed hij niet; ze had zelfs de indruk dat hij met opzet wat kleinere stappen nam om haar de gelegenheid te geven rustig en elegant te lopen. Op het plein voor de kerk bleef hij soms even staan om andere kerkgangers te groeten. Hij lette dan vooral op hoe ze naar haar keken: Dirkje voelde dat hij trots op haar was.

Terwijl ze zat te mijmeren op de zangen van Bach, Beethoven ('Die Ehre Gottes aus der Natur') of een andere grootheid van wie ze de naam niet kende, begluurden de mannen in het rechtervak van de kerk haar heimelijk. Dirkje trok de aandacht door haar lengte: ze stak een hoofd boven de andere kerkgangers uit. Maar wat vooral als een magneet werkte, was de toewijding die ze tentoonspreidde. Wanneer ze naar het koor luisterde, luisterde ze met haar hele wezen, en wanneer ze even later haar hand door de haren van Winnie liet glijden, gaf haar hele lichaam liefde.

Wanneer de dominee aan zijn preek begon, voelde Dirkje de sterke neiging op te staan en de kerk te verlaten. Maar ze kon natuurlijk niet alleen voor de koorzang komen. Tijdens de preek riep ze een lome middag aan de rivier in herinnering, met

Arend-Jan op een van de strandjes tussen de grienden, en hoorde niettemin de eigenaardigste ideeën, verkondigd met een stem die als een snel naderend onweer over de hoofden van de kerkgangers rolde. Als Dirkje het goed begreep zat er veel goeds in het fascisme.

Dominee De Vos van Marken was fout. Zowel voor als in de oorlog fout. Dat hij de Duitse taal de mooiste van alle talen vond, de Duitse filosofie en theologie de scherpzinnigste van alle redeneertradities en de Duitse planten- en kruidenkunde de heilzaamste van alle geneeswijzen, viel hem niet aan te rekenen – veel theologen hadden een Duitse tik. Maar dat hij al wat Duits was bleef roemen toen Hitlers troepen Nederland waren binnengevallen en dat hij vanaf de kansel het edele Germaanse ras ten voorbeeld stelde nadat de Luftwaffe de binnenstad van Rotterdam met de grond had gelijkgemaakt, deed zelfs de al half ingedutte kerkgangers opschrikken. De hervormde dominee vergiftigde het denken in het dorp met zijn in stichtelijke preken verpakte ideeën en niemand scheen er iets tegen te willen of te kunnen doen.

Met 1450 doopleden en belijdende lidmaten waren de hervormden veruit in de meerderheid. De gereformeerde kerk telde 170 belijdende lidmaten, de rooms-katholieke 180. De hervormden hadden het voor het zeggen, ook in de gemeenteraad en in de besturen van de meeste verenigingen. Zij bepaalden hoe de vlag erbij hing in Rhoon. Dat hun geestelijke leidsman het liefst een hakenkruis op die vlag zag, beïnvloedde in niet geringe mate de houding van de meeste dorpelingen tegenover de bezetter.

Ouwe Carel Willem van Marken – Ouwe is niet een toevoeging van mij maar de eerste van zijn voornamen – kwam in 1928 naar Rhoon. Het dorp bezat een aristocratische allure door het Kasteel, de voormalige slotkerk uit 1430, de pastorie met aan beide zijden van de voordeur de grote 12-ruits ramen, de herenhuizen langs de Dorpsdijk, het jachtslot Reesteyn, de veertien hofsteden, de villa's Hendrina en Johanna, die evengoed aan een lommerrijke singel in een stad hadden kunnen staan. Van Marken hield van distinctie: in 1929 veranderde hij zijn naam in De Vos van Marken. Dat kostte hem 372 gulden. 'Veel geld voor een vos,' spotten ze in het dorp.

De dominee was een kleine man die met de duimen onder de oksels stond te oreren op de kansel, in een bloemrijk Nederlands dat het ene moment naar de taal uit de Statenbijbel neigde en het andere naar de gezwollen metaforen van de dichter Tollens. De dorpelingen noemden hem Napoleon. Die bijnaam ging voorbij aan zijn blonde kuif en zijn grote, levendige, blauwe ogen, maar de kleine man snakte inderdaad naar grote daden. Hij bezat paramedische gaven, genas door handoplegging en kweekte geneeskrachtige planten in de grote moestuin achter de pastorie. Dominee De Vos van Marken publiceerde twee parapsychologische studies, *Parapsychologie en haar betekenis voor het geloof* en *Parapsychologische beschouwingen over leven en dood*, waarvan zoveel exemplaren verkocht werden dat de boeken nu nog moeiteloos via internet op de kop zijn te tikken – het eerste kun je voor 4 euro kopen, het tweede voor 3,50. Hij gaf godsdienstles op twee middelbare scholen in Rotterdam en publiceerde columns – overdenkingen heette dat toen – in het christelijk-sociale dagblad *De Amsterdammer*, een kopblad van het behoudende protestantse dagblad *De Standaard*. Met vier studerende kinderen had hij die neveninkomsten hard nodig. De kerkenraad verweet hem dat hij door zijn publicitaire ijver de kantjes ervan af liep in de gemeente en hield zijn traktement zo laag mogelijk.

Vijf maanden na het uitbreken van de oorlog nam O.C.W. de Vos van Marken ontslag als columnist van dagblad *De Amsterdammer* en stapte over naar weekblad *De Weg* van het Nationaal Front.

Het eerste nummer van *De Weg* was op 25 mei 1940 verschenen; het Nationaal Front kwam voort uit het in 1934 opgerichte Zwart Front van Arnold Meijer, een gesjeesde seminariestudent uit Brabant. Het Zwart Front haalde zijn ideeën eerder uit het fascistische Italië dan uit het nationaal-socialistische Duitsland. De ongeveer tienduizend aanhangers beschouwden zichzelf als de zuivere, oprechte fascisten, niet te verwarren met de benepen loketbedienden, boekhouders en kruideniers van de NSB. Arnold Meijer was de fascist zoals een striptekenaar die zou tekenen: groot, fors, blond, blauwe ogen, krachtige trekken. Het tegendeel van de gedrongen Anton Mussert. In uniform en met de rechterarm gestrekt, straalt Mussert nog een zekere kracht uit, maar op de in 1941 genomen foto in de Reichskanzlei in Berlijn verdoft hij tussen Adolf Hitler en Seyss-Inquart tot een buffetbediende. De waterstaatkundig ingenieur Mussert kon op respect van zijn volgelingen rekenen: een kundig man, die het Amsterdam-Rijnkanaal had ontworpen. Maar Arnold Meijer had altijd een schare bewonderaars om zich heen. Meijer trok als Mussolini op dwingende wijze de aandacht naar zich toe en kon zijn gehoor urenlang in de ban houden. Zijn felste aanhangers vond hij in Brabant, het Zwart Front was een overwegend katholieke beweging. De NSB gedijde beter in het protestantse westen en noorden.

Maar het Nationaal Front mocht dan een vooral Brabants fenomeen zijn, het kon best een hervormde predikant uit een Zuid-Hollands dorp gebruiken om aan macht en invloed te winnen. De bijdragen van O.C.W. de Vos van Marken – theologische beschouwingen met niet mis te verstane politieke verwijzingen – kregen dan ook een prominente plaats in *De Weg*.

'Uit handen van Hem die 't al regeert,' schreef hij op 12 oktober 1940, 'aanvaarden wij de huidige ombuiging in de historie van het Nederlandsche volk en wij nemen een houding aan tegenover allen die macht over ons hebben gekregen, welke ons als Christenen betaamt. Het heil van het volk gaat in alles voorop. En waar Nationaal Front ruimte laat voor ontwikkeling dezer gedachten, wil breken met den neutralen Staat, strijdt voor autoritair staatsgezag, handhaaft de christelijke tradities van ons volksleven, respect betoont, bovenal zoekt het welzijn van land en volk, heb ik toegang tot deze beweging gezocht en verkregen.'

De taal is brallerig, de stijl heiig en de achterliggende gedachte munt evenmin uit in helderheid. Toch stond De Vos van Marken bekend als een begaafd man. Juist dat maakte zijn beschouwingen zo beangstigend: gaandeweg leek hij niet meer in staat tot helder denken en nuchter formuleren.

De hervormde dominee uit Rhoon bleef aan *De Weg* verbonden tot het weekblad in 1941 verboden werd door de bezetter. Het Nationaal Front wilde namelijk een zelfstandige Nederlandse beweging blijven en weigerde zich te onderwerpen aan het nazi-regime en de ss.

De meeste dorpelingen konden toen de gedachtegang van De Vos van Marken niet meer volgen. De dominee werd door een niet gering deel van de kerkgangers aanbeden, maar niemand begreep waarom hij begin 1942 het kerkkoor verbood nog langer in het Duits te zingen. Cantates van Bach en gezangen van Brahms moesten voortaan in het Nederlands ten gehore worden gebracht. De hele winter van 1941-1942 zat Fien den Otter-Lodder voor de andere koorleden teksten over te schrijven die de dominee eigenhandig had vertaald. Het probleem was dat hij geen enkel gevoel voor maat had en de strofen, hoe beeldend vertaald ook, niet met de cadans van de noten overeenkwamen. Fien, die me dit vertelde, dacht dat de dominee in die winter anti-Duits was geworden.

Zo zat het niet precies. Het Nationaal Front was een sterk nationalistische beweging die de Groot-Nederlandse gedachte aanhing. Nederland en Vlaanderen zouden samen een nieuwe, krachtige, fascistische staat moeten vormen. Het idee stond rijkskanselier Seyss-Inquart niet aan, noch Mussert: de NSB-leider en de vertegenwoordiger van Hitler in Nederland wilden hun Groot-Duitse droom realiseren. Dat was de reden dat eind 1941 het Nationaal Front en weekblad *De Weg* verboden werden. Vanaf dat moment publiceerde dominee De Vos van Marken zijn gedachten alleen nog in het plaatselijke hervormde kerkblaadje *De Tarwekorrel*, gedachten die nog wel latent fascistisch waren maar minder uitgesproken en zonder lof over al wat Duits was.

Het Zwart Front mocht dan een andere kijk op de toekomst van Europa hebben, in zijn antisemitisme was het nog veel feller dan de NSB. Het weekblad *De Weg* stond bol van de Jodenhaat. Dat moet De Vos van Marken moeilijk hebben kunnen rijmen met zijn sterk orthodoxe geloofsopvatting. Voor zijn preken koos hij bij voorkeur een tekst uit het Oude Testament. Hij was, zoals de meeste dogmatische calvinisten, doordesemd van het oudtestamentische judaïsme. Dat stond zijn politieke keuze kennelijk niet in de weg.

Zou hij in staat zijn geweest Joden aan te geven? Hij kwam nooit voor dat dilemma te staan. In Rhoon woonden geen Joden, met uitzondering van één meisje, over wie De Vos van Marken nooit iets gehoord kan hebben. De Landelijke Organisatie Hulp aan Onderduikers achtte het niet veilig genoeg om Joden dicht bij de steden in het westen van het land te laten onderduiken. De Rhoonse afdeling van de LO hield zich strikt aan die lijn. Haar voorman Hendrik Kwist maakte één uitzondering: hij nam zelf een Joods meisje in huis. Hij liet haar papieren vervalsen en adopteerde haar als dochter.

In de herfst van 1943 waren vrijwel alle in Rotterdam wonende Joden verdwenen: of ze waren afgevoerd naar de concentratiekampen, of ze zaten ver van de stad ondergedoken, meestal in Friesland of Drenthe. Van de elfduizend Joden die in Rotterdam woonden, overleefden 6300 de oorlog niet. Het Joodse meisje bij Kwist kwam de oorlog wel door, maar ze had een slechte gezondheid en overleed kort na de bevrijding.

De hervormde herenboeren moesten weinig van politieke ideologieën hebben, of het nu het fascisme betrof of het communisme. Zelfs het kapitalistische liberalisme pruimden de herenboeren maar half – als de graanprijzen schrikbarend daalden, rekenden ze op overheidssteun. Dominee De Vos van Marken was hun te demagogisch. Hij riep op tot ultranationalisme, corporatisme, autoritair leiderschap en zelfs onverdraagzaamheid tegenover mensen die zich lieten leiden door 'allerlei instincten van inferieure kwaliteit'. Ofschoon in zijn artikelen wat duidelijker en openhartiger dan in zijn preken, droeg hij een onversneden fascistische overtuiging uit.

Maar de herenboeren wilden geen openlijk conflict over wat de man te berde bracht. Zwart-op-wit zetten dat hij heulde met de bezetter, was vragen om moeilijkheden met diezelfde bezetter. Ze wachtten liever geduldig af tot de dominee een fout zou maken die niets van doen had met geloof of politieke overtuiging. Die gelegenheid deed zich eind 1943 voor. De dominee liet tuindeuren aanbrengen in de pastorie zonder de kerkvoogdij om toestemming te vragen en diende een rekening in die nogal hoog was uitgevallen. Toen kon de dominee klem worden gezet. De Vos van Marken moest voortaan een toontje lager zingen, ook op de kansel.

De meeste tegenstand kreeg hij echter thuis. De op één na jongste van zijn vier kinderen koos de zijde van het verzet. Reinbert, drieëntwintig jaar in 1943, nog thuis in de pastorie wonend maar al wel kandidaat-notaris in Rotterdam, werd plaatsvervangend leider van de LO in Rhoon. Voor de oorlog was hij even rechts geweest als zijn vader en aan het begin van de oorlog werkte hij op een Rotterdams notariskantoor dat zich bezighield met het beheer en de verkoop van Joodse bezittingen. In 1942 nam hij afstand van zijn vader en in 1943 werd hij een van de drijvende krachten van de hulp aan onderduikers. Aanvankelijk vertrouwde niemand hem, maar de andere leiders van de organisatie zagen snel in dat het buitengewoon handig was om van Reinberts diensten gebruik te maken. Als de Duitsers ergens niet zouden gaan zoeken naar vervalste persoonsbewijzen, illegaal gedrukte stamkaarten, bonzegeltjes, nummers van *Trouw* of andere verzetskranten, dan was het in het huis van de fascistische dominee. Reinberts kamer in de pastorie werd een ideale plaats om gevoelig materiaal te stallen. Sommige leden van het verzet bleven dat link vinden: Reinbert kon een verrader zijn of een dubbelagent. Maar hij deugde. In 1944 en 1945 ontpopte hij zich als een van de meest actieve en meest betrouwbare leden van de LO; in het laatste oorlogsjaar was hij twintig uur per etmaal in touw, zonder in het oog te lopen en fouten te maken. Ook na de oorlog is geen enkel belastend feit tegen Reinbert gevonden.

De vraag is waarom hij in 1943 radicaal van opvatting veranderde en openlijk brak met zijn vader. 'Openlijk' omdat hij niet meer de (aangekochte) naam van zijn vader wilde voeren: Reinbert de Vos van Marken liet zich voortaan Reinbert van Marken noemen. Na de oorlog had hij nog niet direct geld voor een officiële naamsverandering; het verzoek daartoe diende hij in 1964 bij de Rotterdamse rechtbank in. Reinbert moet niet een beetje boos zijn geweest op zijn vader maar een reusachtig en fundamenteel conflict met hem hebben gehad. Over... ja, waarover?

Ik veronderstel dat hij me dat wilde vertellen toen hij me in het najaar van 2005 telefonisch benaderde. Zijn vader was in 1951 met emeritaat gegaan, mijn vader was hem in 1952 opgevolgd als Nederlands Hervormd predikant in Rhoon. Over mijn jeugd als domineeszoon en over de conflicten met míjn vader schreef ik een halve eeuw later een autobiografie die Reinbert van Marken geraakt moet hebben. Hij belde me op en vroeg of ik voor een gesprek naar Breda kon komen. Na de oorlog was hij daar gaan wonen en had een bloeiende notarispraktijk opgebouwd. Zelf kon hij niet meer reizen, na een verkeerd verlopen operatie was hij aan beide benen verlamd.

Hij vroeg me of ik vóór de afspraak het rapport wilde lezen dat hij opgesteld had over de LO in Rhoon en over de situatie in het dorp tijdens de Tweede Wereldoorlog. Dat rapport had hij gedeponeerd in het archief van de gemeente Rhoon, maar daar was het om een onbekende reden verdwenen. Gelukkig had hij nog een kopie. Zodra ik het hele rapport doorgenomen had, konden we praten. Hij zou me dan een toelichting geven over zijn houding in de oorlog en het conflict met zijn vader.

Ik bestudeerde de veertig dicht betypte vellen – bestuderen is het juiste woord, mr. Van Marken veronderstelde veel als bekend en gaf geen uitleg bij gebeurtenissen en namen – en belde op om een afspraak te maken. Toen bleek Van Marken overleden te zijn, plotseling, negenentachtig jaar oud.

Op zijn begrafenis was niemand van de LO aanwezig en überhaupt niemand uit Rhoon. Door die foute vader van hem bleef er kennelijk toch nog altijd iets fouts aan Reinbert kleven.

Van Marken zag in mij een herhaling van zichzelf: de opstandige domineeszoon. Ik ben er zo goed als zeker van dat hij de beslissingen die zijn vader in de oorlog nam – toetreden tot het fascistisch Nationaal Front en publiceren in weekblad *De Weg* – precies de stappen vond waarmee hij de grens van het betamelijke overschreed. Reinbert accepteerde een rechtse en orthodoxe vader, niet een fascistische en extremistische. Maar ik had hem dat graag zelf horen zeggen.

Vanaf 1938 hield de postbode van Rhoon bij wie op *Volk en Vaderland* geabonneerd was. In de oorlog gaf hij zijn lijstje door aan de gereformeerde predikant J.J. Kloosterziel, die bezig was het verzet op poten te zetten.

De sympathisanten van de nazi's hadden zich als een gifspoor over alle groeperingen en bevolkingsgroepen verspreid. Op de lijst van de postbode stonden een pacht- en een herenboer, twee, drie tuinders, een fruitteler met maar een paar appel- en perenbomen en een fruitteler met een flinke boomgaard, een beambte, een winkelier, een havenarbeider en een voormalige visser. Tussen de NSB'ers zaten protestanten, katholieken, communistenhaters en voormalige SDAP'ers.

Bij de organisatie van de LO kreeg dominee Kloosterziel hulp van het oud-ARP-raadslid Hendrik Kwist, de achttienjarige zoon van de hoofdonderwijzer van de Openbare Lagere School Jan Jongepier, de timmerman-aannemer Chiel Lodder, de elektricien Berry Hersbach en de kandidaat-notaris Reinbert van Marken. Agrariërs ontbreken in dit rijtje, zij verleenden de onderduikers onderdak en bemoeiden zich niet met de organisatie.

De LO'ers wisten precies wie lid was van de NSB. Berry Hersbach zei me dat daar geen echte verraders tussen zaten. De verrader is geniepig, die eet van twee walletjes. Er was moed voor nodig om je van het gros van de bevolking af te scheiden en naar de NSB over te stappen. Berry had respect voor mensen die openlijk kozen voor het nationaal-socialisme. Hij vreesde de verklikkers, de stiekemerds die anoniem mensen aangaven. En niet bijvoorbeeld Markus van den Oever, een herenboer die affiches van de NSB op het voorraam van zijn hoeve plakte en vanzelfsprekend ook geabonneerd was op *Volk en Vaderland*.

Berry vergiste zich, zou ik later tijdens mijn onderzoek merken. Op enkele NSB'ers kwam wel degelijk de verdenking van verraad te rusten, op Van den Oever onder anderen, die een onderduiker zou hebben aangegeven. Ook verleenden sommige NSB'ers actief hulp aan de Duitse bezetter. Maar Hersbach had in zoverre gelijk dat zij uitzonderingen waren.

Onder de fouten zaten goeie mensen, in die zin dat ze niemand aangaven en geen levens in gevaar brachten. Andersom had je onder de goeien die niet geheel van onbesproken gedrag waren: Reinbert van Marken werkte aan het begin van de oorlog op een notariskantoor dat zich bezighield met het beheer en de verkoop van Joodse bezittingen, en ook Hendrik Kwist, de voorman van het verzet, was niet loepzuiver.

Kwist, zoon van een tuinder, kende iedere struik, knotwilg en sloot van het dorp. Hij groeide er op, hij zwierf er rond. Kwist had op zijn dertigste jaar nog iets van een jongen. Hij trouwde laat, met een elf jaar jongere vrouw, die ook volledig verweven was met het dorp: haar vader was prijsjager in de grienden langs de Oude Maas. Prijsjagers schoten voor hun brood op eenden.

Als veel mannen van zijn generatie hield Kwist het boerenbedrijf voor gezien. Hij ging werken bij de BPM-raffinaderij, die
toen nog gevestigd was aan de Sluisjesdijk in Rotterdam-Charlois. Vanaf 1936 fietste hij naar Pernis, waar de nieuwe raffinaderij werd gebouwd. Kwist zat vier jaar voor de ARP in de gemeenteraad, maar in 1939 kwam zijn naam niet meer voor op
de kandidatenlijst voor de verkiezingen. Hij had een greep in de
kas gedaan van de Rotterdamse afdeling van de Christelijk Nationale Werkmansbond, de protestantse vakbond voor arbeiders in de bouw en de industrie. Niet ten gunste van zichzelf
(dat voerde Kwist naderhand tenminste ter verdediging aan),
maar ten bate van de propaganda voor de ARP. Het was wel bijna duizend gulden, een reusachtig bedrag in die jaren en veel
meer dan een lokale afdeling aan een verkiezingscampagne kon
besteden. Aan het einde van de oorlog ging hij opnieuw in de
fout. Bij de LO, waarvan Kwist de penningen beheerde, was na
de bevrijding een kastekort van negenhonderd gulden. Dat was
dan weer een schijntje vergeleken bij de tienduizenden guldens
die de hulp aan onderduikers vergde. Het werd hem niettemin
door zijn strijdmakkers nagedragen.

Hendrik Kwist verliet het dorp in 1946. Hij keerde er nooit
meer terug, ook niet voor de jaarlijkse dodenherdenking op
4 mei, wanneer de oude kameraden uit het verzet elkaar troffen. Zijn zoon Johan vertelde hij niets over zijn Rhoonse jaren,
noch over zijn rol in het verzet. Hij vestigde zich in de jaren
zeventig in Spanje, waar hij in 1986 overleed. In Rhoon herinnert niets meer aan Kwist, geen straat of gebouw is naar hem
vernoemd.

Volgens Berry Hersbach was hij de spil van de verzetsgroep.
Een lange, forsgebouwde man die gezag uitstraalde, een dappere man, slim, en bovenal een man met een uitstekend informa-
tienet. Tot driemaal toe waarschuwde hij dat er binnen vierentwintig uur een razzia zat aan te komen; alle drie de keren had
hij gelijk. De belangrijkste informatie kreeg hij van een in Rot-

terdam werkende maar in Rhoon wonende politieman die met de SD samenwerkte.

Berry Hersbach leerde uit ervaring dat de leider van een verzetsgroep beter een slimme kerel kon zijn dan een branieschopper. Kwist vertrouwde hém bijvoorbeeld omdat hij zo weinig zei en daardoor moeilijk in de verleiding kon komen om op te scheppen. Een andere eis die Kwist stelde was uithoudingsvermogen. Het vergde ongelooflijk veel inspanning om tussen de honderdvijftig en honderdzeventig onderduikers in leven te houden. Daar was je dag en nacht mee bezig.

Van de omvang van de operatie kon ik me geen voorstelling maken, zei Berry me. Hij had gelijk. Hulp aan onderduikers klinkt een beetje als een liefdadigheidsactie. Ik had me nooit gerealiseerd dat al die mensen te eten moesten krijgen, terwijl voedsel op de bon was. Die bonnen moesten dus vervalst worden of gestolen worden uit een distributiekantoor. Ik had me evenmin gerealiseerd dat die onderduikers niet anderhalf of twee jaar niks konden gaan zitten doen. Ze moesten aan werk geholpen worden bij boeren, tuinders, kwekers of bij een timmerman in het dorp. Die onderduikers moesten voorzien worden van valse persoonsbewijzen, anders liepen ze bij de eerste de beste controle tegen de lamp. Ze moesten ook allemaal een schuilplek hebben, in een kast, een kelder, achter een schoorsteen of een dubbele wand op zolder. Beter nog was een ondergrondse hut achter op het land of een in de grienden verscholen keetje. Voor gewapende acties moesten jongemannen worden opgeleid: ze kregen schietles in een loods bij de haven. Die plek was gekozen omdat de katholieken in het dorp, die voornamelijk rond de haven woonden, illegaal voedsel aanvoerden en het opsloegen in de grienden of op het onbewoonde eilandje De Beer in de Oude Maas. Dat was niet zonder gevaar en zij beschikten als eersten over wapens. In de loop van 1943 begonnen de broers Meeze, aangespoord door pastoor Van Tilburg, wapens en munitie te leveren aan de Rhoonse knokploeg van de

LO, die Wout Wachtman op poten zette. De knokploegen opereerden in opdracht van de LO maar waren op lokaal, regionaal en landelijk niveau aparte organisaties.

Nederland zou Nederland niet zijn als niet ook bij de LO geloofskwesties voor hoofdbrekens zouden zorgen. Een roomse onderduiker kon natuurlijk nooit bij een gereformeerd gezin worden ondergebracht. Een gereformeerde onderduiker paste niet in een hervormd gezin. Zelfs tussen hervormden onderling was het nog oppassen geblazen: een orthodoxe hervormde, behorend tot de gereformeerde bond, kon niet bij een vrijzinnige hervormde worden ondergebracht. Het Nederlandse protestantisme telde in die tijd tachtig stromingen, het was een enorm gepuzzel.

Veel gezinnen wilden wel één of meerdere onderduikers in huis nemen, maar konden dat niet betalen. Er werd daarom een fonds in het leven geroepen waarop die gezinnen een beroep konden doen. Binnen de bebouwde kom van het dorp werden geen onderduikers ondergebracht, dat was te link, daar waren al te veel Duitse militairen ingekwartierd. Alle onderduikadressen bevonden zich in wat in Rhoon het Buytenland heette: aan de dijken buiten de dorpskern. Het waren daarom weer voornamelijk de beter gesitueerden uit het centrum van het dorp die de kas spekten van het onderduikfonds. Al met al was het een bijna gekmakend georganiseer.

Aan de Rijsdijk en aan de noordkant van het dorp, aan de Oud-Rhoonsedijk, zaten tien tot twaalf spoorwegstakers ondergedoken. Na een oproep van de Nederlandse regering in Londen via Radio Oranje hadden op 17 september 1944 dertigduizend personeelsleden van de NS het werk neergelegd. De staking zou tot de bevrijding duren. De spoorwegstakers moesten driekwart jaar onderduiken. Via het Nationaal Steunfonds kon de regering in ballingschap de staking financieren. Het geld voor 'de mensen van het spoor' in Rhoon kwam uit Enschede. Geld om eten te kopen, kleren, brandstof. De verdeling liep via de LO, in totaal ging het om tonnen.

In overleg met dominee Kloosterziel trad Kwist op de voorgrond en coördineerde de acties. Wilde acties soms, een knokploeg eiste midden in de nacht bij een tuinder zeven kistjes witlof op en bij een fruitkweker acht kisten goudrenetten. Het buitgemaakte voedsel – de tuinders en kwekers zeiden: de gestolen waar – voer de knokploeg naar de voorraadschuur op het onbewoonde eilandje in de Oude Maas.

De dominee kon moeilijk op roverspad gaan. Jacob Jacobus Kloosterziel deed het voorbereidende werk op de achtergrond en nam de contacten met andere afdelingen van de LO voor zijn rekening. Hij kon afspraken met vergaderingen in Rotterdam of Dordrecht combineren zonder dat het in de gaten liep – gereformeerden vergaderden onophoudelijk – en hij kon naar de 'beurzen' toe die in het Noorse zeemanskerkje in Rotterdam, in de pastorie van Alphen aan den Rijn en tal van andere plaatsen in het land werden gehouden. Op de beurzen werden vraag en aanbod van onderduikadressen op elkaar afgestemd en vervalste persoonsbewijzen verstrekt.

In Rhoon waarschuwde de gereformeerde dominee tweemaal vanaf de kansel voor een razzia. Hij deed dat met een Bijbeltekst die onder de onderduikers als code gold. In januari 1945 deed hij het openlijk. De dominee was vlak voor de kerkdienst getipt en vroeg de onderduikers na votum en groet op te staan en zo snel mogelijk een goed heenkomen te zoeken. Twintig mannen verlieten de kerk. Een evacué uit Zuidland keek verbaasd toe: door de oproep van de dominee wist iedereen in de kerk wie onderduiker was.

Kloosterziel was een even slimme vent als Kwist, was snel van woord en gedachte – hij sprak zo gehaast dat hij over zijn woorden struikelde – maar in één opzicht was hij te goedgelovig: hij ging ervan uit dat alle gereformeerden te vertrouwen waren. Een fout die Kwist niet maakte. Argwaan behoedde de leider van de LO ervoor vertrouwelijk te worden met Van Aspen, die nabij de splitsing van de Essendijk en de Oudeweg woonde, een bijzonder strategisch punt. Als je daar goed op de voorbijgangers lette, wist je wel zo ongeveer wat er in de polders gebeurde. Van Aspen was gereformeerd. En: informant van de SD. Hij leverde een lijst met namen van mannen van tussen de achttien en veertig jaar die aan de Rijsdijk zaten ondergedoken, met de eerste grote razzia als gevolg. Kwist hoorde van zijn politieman dat die razzia eraan zat te komen, en kon alarm slaan. De onderduikers verstopten zich in schuren en hutten achter op de akkers of in de grienden langs de rivier. Zonder de snelle actie van Kwist had de razzia desastreus kunnen uitpakken, met een honderdtal arrestaties. Kwist mocht dan lange vingers hebben in de buurt van een kas, door zijn behendig opereren kwamen alle Rhoonse leden van de LO zonder kleerscheuren de oorlog door en bleven arrestaties uit.

Als het doorknippen van de elektriciteitskabel bij de vlasfabriek op Het Sluisje een sabotagedaad was, dan had Hendrik Kwist beslist niets met deze actie te maken. Hij zou die hoogst onverstandig hebben gevonden, en, vier weken na Dolle Dinsdag, in een periode dat de Duitsers nerveus begonnen te worden, levensgevaarlijk.

Hendrik Kwist is in de jaren tachtig overleden. Om iedere verdenking van betrokkenheid weg te nemen, liet hij in het laatste jaar van de oorlog een onderzoek instellen door de illegaliteit. Vlak voor hij Rhoon in 1946 verliet, breidde hij dat onderzoek uit met een gedegen rapport. De andere leiders van de LO – Berry Hersbach, Jan Jongepier en Reinbert van Marken – bevestigden me (de laatste door de telefoon) dat er nooit een directief van de groep is uitgegaan om actie te ondernemen tegen bepaalde personen op Het Sluisje. 'Als hier sprake is van een sabotagedaad, dan gaat het om een individuele actie waarvoor niemand toestemming heeft gevraagd aan de leiding van het georganiseerde verzet en waarvoor niemand de verantwoording heeft durven opeisen,' luidde de eindconclusie van het rapport van de illegaliteit.

Toen ze eindelijk werk had gevonden bij de Luftwaffe op het Kasteel, nodigde Dirkje de Ruyter Duitse militairen uit bij haar thuis. Ze begon daar in de laatste week van september 1944 mee. Algauw kwamen iedere avond Duitsers bij haar over de vloer.

Om de mannen te amuseren nodigde ze Dien de Regt uit, die weliswaar een stug karakter had maar alle schaamte aan de kapstok hing. Tot haar verbazing, en misschien ook wel tot haar schrik, nam Dien haar zusje Sandrien mee, die wel erg jong was, minstens vier jaar jonger dan de andere vrouwen van de Rijsdijk die Dirkje de Ruyter bij haar thuis ontving.

Met Dien de Regt was Dirkje aan het begin van de oorlog bevriend geraakt. Ze gaf haar vriendin graag de gelegenheid intiem met Walter Loos te verkeren, op wie ze met de dag heftiger verliefd aan het worden was. Ze mocht Dien, en dat was wederzijds, maar ze zag die nogal stuurse meid ook als een rivale. Ze hield haar maar liever goed in de gaten, en waar kun je dat beter doen dan bij jezelf thuis? Dirkje vond het ook veiliger dat Walter Loos bij haar over de vloer kwam. Hij was de hoogste in rang aan de Rijsdijk, hij kon haar bescherming bieden.

De buren zagen het allemaal met lede ogen aan. Het Sluisje was een buurtschap waar de mentaliteit nog dorpser was dan in Rhoon. Men hield elkaar in de gaten, men wist bijna alles over elkaar, men roddelde over elkaar, maar men nam nooit openlijk stelling tegen een buurtgenoot en men hield de mond stijf dicht tegenover een buitenstaander. Dat Dirkje met Duitse officieren en onderofficieren naar bed ging, zag men door de vingers. Dirkje had het al moeilijk genoeg, ze legde het met Duitsers aan om haar kinderen te eten te geven.

Alle oud-bewoners van Het Sluisje die ik te spreken kreeg vonden Dirkje aanvankelijk een vrolijke, hartelijke vrouw die zich dapper door alle tegenslagen heen vocht. Alle mannen vonden haar ook nog eens aantrekkelijk, 'nie lelijk nie' in de woorden van Klaas Pikaar. Maar in het najaar van 1944 konden de buurtgenoten bepaalde dingen maar moeilijk aanvaarden. Dat Dirkje haar huis veranderde in een rendez-vous-plek, was tot daaraan toe, alleen, waarom deed ze dat in het nabijzijn van haar dochters? Magda was elf jaar in 1944, Winnie net zes. Vaak werden ze voor een paar dagen naar hun grootouders in Pernis gestuurd, maar niet altijd. Vaak ook waren ze overdag bij de buren, bij de familie De Buizerd, maar ze waren even dikwijls thuis (anders had Dirkje niet om eten hoeven te bedelen) en zagen of hoorden dan wat daar 's avonds gebeurde.

Gevraagd naar haar oordeel over de oorlogsjaren, gebruikte Magda ruim zestig jaar later een oud Joods gezegde: leg als ouders geen stenen neer waarover je kinderen kunnen struikelen. Dat deden ze wel, eerst Dirkje, later Arend-Jan. Over die stenen zouden hun dochters hard vallen en ze zouden er hun hele leven lang littekens aan overhouden.

Dirkjes handelwijze riep allengs meer ergernis op bij de buurtbewoners. De soldaten mochten dan jong zijn, de officieren waren meestal over de veertig. De officieren hadden thuis in Duitsland een gezin. De kans dat ze een meisje zwanger maakten was groot; binnen het jaar zouden die officieren verdwenen zijn. Van de onderofficieren en de soldaten werden de eersten al naar Rusland gestuurd, hun eventuele zoon of dochter zouden ze nooit zien en nooit erkennen. Ik noem hier geen hypothetische gevallen – meerdere Rhoonse meisjes raakten in verwachting van een Duitse militair en uiteindelijk zou dat ook Dirkje overkomen.

Het ergste vonden de buurtbewoners wat Sandrien de Regt voor hun ogen overkwam. Zo'n leuk, grappig meisje van veertien, zo'n mooi poppetje... Dirkje, die zich opeens Nel liet noemen, moest met haar tweeëndertig jaar toch beter weten? Het scheen dat het kind tot over haar oren verliefd was op die soldaat Ernst Friedrich Lange. Maar veertien jaar was veertien jaar. Dan had je het toch over ontucht met een minderjarige?

Wat de buurtbewoners misschien wel het meest irriteerde was dat het een vrolijke boel was bij Dirkje thuis. Aan drank geen gebrek, aan sigaretten evenmin. Op een warme avond in september, toen een paar ramen opengingen, hoorden ze muziek. Er moest gedanst worden bij Dirkje, gefeest.

De verontwaardiging steeg tot een verontrustend peil. In het café van Wieger Mantz werd openlijk gezonnen op wraak. Een daad die de moffen mores zou leren. Een actie die de meiden eens en voorgoed thuis zou houden, doordat ze zich een ongeluk zouden schrikken.

De jongens De Kooning waren het meest uitgesproken. Zonen van boer Aaldert de Kooning, beren van gozers met ruggen die krom stonden van de agressie. De tweede had de bijnaam De Commandant van het Sluisje. Job de Kooning was begonnen met steentjes gooien naar de moffen, bewonderend gadegeslagen door zijn broers Darius en Amos. De jongens Robbemond hadden algauw meegedaan.

Dat was nu kinderspel. Ze moesten op een niet mis te verstane manier duidelijk maken dat ze het gedoe met die meiden zat waren. De meiden zelf hadden ze een keertje of twintig voor moffenhoer uitgemaakt. Het antwoord was een giechellachje geweest of een schouderophalen. Het had allemaal niet geholpen. Misschien, zeiden ze na het derde jenevertje, zouden er dooien vallen. Misschien zou een van die meiden wel iets ernstigs overkomen. Jammer dan, ze wisten waarmee ze bezig waren. Alle keren dat ze gewaarschuwd werden, was er die hooghartige grijns op de smoelen van Dien, Sandrien, Emma, Corrie, Riet, Ans, Gertie, altijd dachten ze dat ze zich alles konden veroorloven door de sjans die ze bij de moffen hadden. Het moest uit zijn. Eens en voorgoed.

Wie omhoogkeek zag dat op de muur van de vlasfabriek, op het punt waar de boven de dijk gespannen elektriciteitskabel de loods binnenging, een porseleinen isoleerpotje gebroken was. Gebroken tijdens een najaarsstorm. Driekwart van dat potje hing buiten de muur. Je hoefde maar even aan de draad te trekken om hem los te rukken.

VIER

Walter Loos werd gek. De bootsman was de hoogste in rang op de Rijsdijk. Hij had zijn plicht verzaakt. Met meiden op stap in plaats van patrouilleren, hij zou een douw krijgen. Gedegradeerd tot korporaal, binnen een week naar het oostfront; zulke dingen hingen hem boven het hoofd. Waar zou hij terechtkomen? In Slowakije, waar ze een Sudeten-Duitser rauw lustten? Of in het oosten van Polen? Diep in de sneeuw in ieder geval. En diep in de stront. Dat moest hij met een paar goed gekozen maatregelen zien te voorkomen.

Hij liep naar het dichtstbijzijnde huis, dat van Wijnand Wagenmeester, machinist bij het gemaal en fietsenmaker. Hij belde aan, droeg Wagenmeester op zo snel mogelijk de elektriciteitskabel door te knippen waaraan matroos Lange hing. De gereformeerde Wagenmeester, die zo anti-Duits was dat hij eigenhandig iedere mof van de dijk kon slaan, weigerde. Omdat het hem niet toegestaan was aan een elektriciteitskabel te zitten, voerde hij als argument aan. Hij was immers geen elektricien van beroep en had er evenmin het goede gereedschap voor. In het pikkedonker aan een hoogspanningskabel te gaan priegelen vond hij levensgevaarlijk.

Loos zette hem het pistool op de borst om hem te dwingen de kabel door te knippen. Dat deed Wagenmeester niet, maar met een jutezak wist hij Ernst Lange van de draad los te krijgen.

Voor Ernst kwam de hulp te laat. Hij had vijfentwintig tot dertig minuten aan 500 volt gekleefd en dat overleeft niemand.

De aanvankelijke weigering van Wagenmeester vatte bootsman Loos op als het bewijs dat het hier om sabotage ging. Hij besloot niet alleen Wijnand Wagenmeester te arresteren maar ook zijn twee oudste zoons: Tijmen, die Tijm werd genoemd en die met zijn eenentwintig jaar net volwassen was geworden, en Wim, bijna zestien. Met hun vader werden ze naar de Ortskommandantur in Hoogvliet overgebracht.

Zo luidt althans het vervolg van de officiële versie. De versie die in het dorp als de enige ware werd beschouwd en die ik als schooljongen ieder jaar te horen kreeg uit de mond van juffrouw Corthals of bovenmeester Brons of hun opvolgers. De versie die de enige ware werd, die in herdenkingsartikelen van regionale kranten en weekbladen kwam te staan en in boeken over de oorlog in Rotterdam en de dorpen in de omgeving. De door journalisten en vakhistorici gehanteerde versie. Maar niets daarvan klopt. Helaas, zou ik bijna zeggen. Helaas voor mijn dorp, voor Het Sluisje, voor de nabestaanden en de kinderen van de slachtoffers die hun verdere leven met een immens trauma zijn blijven rondlopen. En ja, helaas ook voor Ernst Lange, die, als zijn superieur inderdaad direct naar Wijnand Wagenmeester was gestapt, misschien gered had kunnen worden.

Dat deed Loos echter niet. Voor hij bij Wagenmeester terechtkwam, belde hij bij drie andere huizen aan vanwege zijn allereerste obsessie: hoe de dans te ontspringen. Het was zeker niet Wijnand Wagenmeester die de bootsman op de gedachte bracht dat het hier wel eens om sabotage zou kunnen gaan: Walter Loos geloofde dat vanaf het eerste moment. Met een dodelijk verschrikte stem had hij naar soldaat Heinz Willems en naar Dien en Sandrien geroepen dat ze in een hinderlaag waren gelopen. De volgende gedachte die bij hem opkwam was dat de meiden zo snel mogelijk weg moesten van de onheilsplek en dat hij versterking moest halen.

In alle getuigenverklaringen komt naar voren dat nog geen kwartier later, rond tien uur, vier, vijf soldaten en volgens sommigen zelfs zeven of acht soldaten op Het Sluisje aanwezig waren. Niemand schijnt zich te hebben afgevraagd waar die plotseling vandaan waren gekomen.

Loos heeft denk ik in het eerste huis waar hij aanbelde de telefoon gepakt en naar Jan Krijn Jabaaij of Arie van den Akker gebeld om versterking te vragen. De bij Jabaaij en Van den Akker ingekwartierde soldaten sprongen op de fiets en waren binnen vijf minuten op Het Sluisje. Misschien hadden ze niet allemaal een fiets gestolen in het dorp – gevorderd heette dat in het verzachtende bezettingsjargon; zij die liepen deden er hooguit een kwartier over.

Het eerste huis waar Loos en Willems aanbelden lag het dichtst bij de gebroken kabel: landbouwer Kees Blekemolen woonde recht tegenover de loods van de vlasfabriek. Kees had uit de geluiden buiten – de gil van de soldaat, de haastige voetstappen die erop volgden – opgemaakt dat er iets niet pluis was. Hij stuurde zijn vrouw naar de deur. Ze deed open, zag de Duitse militairen en draaide zich half om, zodat het zwakke schijnsel, dat het peertje in de gang verspreidde, op de revers van haar hesje viel. Gertie Blekemolen-Wiessner droeg het insigne van de Nationaal-Socialistische Vrouwenorganisatie NSVO.

Ik betwijfel of Loos er veel oog voor heeft gehad, maar hij herkende Gertie Blekemolen. Ze vertroetelde graag Duitse militairen die zo ver van huis waren en zo moederziel alleen; ze kwam bij Jan Krijn Jabaaij over de vloer en was ook al een paar keer tot laat in de avond bij Dirkje de Ruyter geweest. Was het motto van de NSVO niet: het hartvuur heilig, het haardvuur veilig?

De vrouwenbond van de NSB was in het derde en vierde oorlogsjaar sterk aan het radicaliseren en richtte zich steeds meer op de Nederlandse SS. In de paniek van Dolle Dinsdag regelde de afdeling Hulp en Bijstand van de bond de evacuatie van NSB-leden naar het oosten van het land. De bond raadde zijn leden aan de deuren wijd open te zetten voor Duitse militairen, die het met de maand moeilijker kregen door 'de gespannen internationale situatie'.

Dat alles wist Loos niet, maar hij herkende Gertie Blekemolen en maakte uit haar houding op dat ze hem een dienst wilde bewijzen. Mogelijk dus dat hij in het halletje zonder iets te vragen naar de telefoon greep en belde.

De andere mogelijkheid is dat Heinz Willems dat deed, maar hem zie ik eerder om een geïsoleerde tang vragen omdat hij, meer dan Loos, begaan was met het lot van zijn maat. Voor de tang verwees mevrouw Blekemolen naar de buren.

Dat deed ze misschien ook voor de telefoon. Want ik kreeg door niemand bevestigd dat ze in 1944 bij Blekemolen thuis telefoon hadden. De twee dochters Blekemolen twijfelden: in 1947 was er telefoon. Maar in 1944? Weinig mensen hadden telefoon in die tijd. In het Veerhuis hing een toestel aan de muur, een centrale post waar verschillende families gebruik van maakten.

Zeker is dat Loos en Willems even later bij Piet Osseweijer in het Veerhuis aanbelden. Piet Osseweijer werkte op de vlasfabriek, was vader van een groot gezin en had nog twee dochters en een zoon thuis wonen. De oudste van die dochters deed open. Ook zij verwees naar Wagenmeester.

Loos en Willems kenden de weg nog niet zo goed op Het Sluisje, zeker in het donker niet. Voor vreemden was het daar een labyrint, de huizen klonterden aaneen rond het grote Veerhuis, dat door verschillende families werd bewoond. De bootsman en de soldaat vergisten zich en belden bij de familie Van Deutekom aan.

Van Deutekom! Ik zie hem voor me: Riekes van Deutekom, borstelige snor, zachtmoedige ogen. Getrouwd met een ietwat bazige maar gastvrije Vlaamse. Vier zoons. De oudste zou kolonel bij de luchtmacht worden, de tweede naar Zuid-Afrika emigreren, de derde naar Australië en de jongste, Oscar, zou huisarts worden. Hij zat bij mij op de lagere en de middelbare school. Hij was wel wat jaartjes ouder, maar ik had toch vrij veel contact met hem en fietste ook wel eens met hem op naar de hbs in Rotterdam. Een beminnelijke jongen die net als zijn moeder met een zachte g sprak. Aan hem vraag ik veertig jaar later wat zijn vader op de bewuste oorlogsnacht heeft gedaan.

Hij schreef me: 'Inderdaad ken ik de geschiedenis waarnaar je onderzoek doet. Het incident heeft zich voorgedaan tegenover mijn geboortehuis aan de Rijsdijk. Ik heb het verhaal bij herhaling van mijn vader gehoord. Mijn oudere broers hebben het zelf meebeleefd. Ik ga binnenkort voor vakantie naar Zuid-Afrika; ik zal het mijn broer Cyriel vragen.'

Na dit conclaaf: 'Twee Duitse militairen kwamen bij mijn ouders aan de deur vragen of mijn vader een geïsoleerde tang had om een elektrische kabel door te knippen. Mijn vader had die niet en verwees ze door naar Wagenmeester. Van Wagenmeester was bekend dat hij over dat soort spullen beschikte en technisch van wanten wist.'

Gold dat ook niet voor vader Van Deutekom? Hij werkte op de tekenkamer van het gemeentelijke vervoerbedrijf RET, de Rotterdamse Elektrische Tram. Akkoord, hoogspanningsleidingen tekenen betekent nog niet dat je ze kunt aanleggen, uitschakelen of doorknippen.

Oscar vervolgt: 'Wagenmeester heeft toen geweigerd ze te helpen. Hij en zijn zoons hebben dat later moeten bezuren. Mijn vader is de dans ontsprongen. Mogelijk omdat hij zich behulpzaam heeft opgesteld. Hij vond dat je een mens in levensgevaar niet mocht laten creperen, ook al was het een Duitser. Verder was hij ook geen held en dacht hij aan het belang van zijn vrouw en vier kinderen.'

En verwees de Duitsers naar Wagenmeester door.

De Wagenmeesters waren 'kleine luyden' die zich binnen twee, drie generaties omhoogwerkten. De meeste Wagenmeesters ken ik even goed als de Van Deutekoms. Mees, de jongste zoon van Wijnand, was de beste vriend van mijn oudste broer Bert. Mees kwam alle dagen bij ons aan huis. Op zaterdagavond, wanneer de pot nasi schafte, at hij met ons mee. Dan hield hij een wedstrijd sambal eten met mijn vader. Theelepels werkten ze naar binnen. Mees verloor altijd, kreeg de hik, zat twintig minuten later nog met een rood aangelopen hoofd aan tafel, maar ging de week daarop de uitdaging weer aan. Hij moest en zou mijn vader verslaan. Maar ja, die had vijftien jaar pedis gegeten op Java en Celebes, en er een tong van leer aan overgehouden.

Ik heb een foto waarop Mees, kleine man met een groot hoofd, naast de piano 'Summertime' staat te schmieren: zijn hele gezicht straalt van plezier. Ik weet dat het 'Summertime' is, mijn broer Bert speelde de melodie zwoeler dan een blues en Mees kon nooit nalaten het met een beetje hese stem mee te zingen. Nu vraag ik me af hoe hij zo opgeruimd en vrolijk kon zijn.

Mees was een techneut. Net als mijn broer doorliep hij de middelbare technische en de hogere technische school. Samen droomden ze van machientjes. Het idee om een solexmotor in een tweezits kano te bouwen, kwam van Mees. Met mijn broer werkte hij er een heel jaar aan.

De Wagenmeesters hebben altijd iets met motoren gehad. De opa van Mees verloor zijn ouders toen hij nog een kleuter was. Hij had het geluk opgenomen te worden in een gezin dat alleen dochters telde. De vader bediende het gemaal van Ouderkerk aan den IJssel, tot hij rond 1880 een dubbelfunctie aangeboden kreeg die beter verdiende: fietsenmaker en machinist van het stoomgemaal van Het Binnenland van Rhoon. Hij bereidde zijn stiefzoon voor op dezelfde functie.

Meindert Wagenmeester werd een belangrijk man in Rhoon: machinist van het gemaal, adviseur van het waterschap en het polderbestuur, lid van de gereformeerde kerkenraad en lid van de gemeenteraad voor de ARP. Vanaf de invoering van het algemeen mannenkiesrecht in 1919 tot 1935 was hij lid van de gemeenteraad. Uit de raadsverslagen komt hij naar voren als een drammer en als een idealist die opsprong als hij sociale onrechtvaardigheid vermoedde en dan als Abraham Kuyper de geest kreeg. Vanwege zijn oratorische gaven werd Kuyper 'de Geweldenaar' genoemd – zo was het met Wagenmeester ook; als hij aan het woord was, moest je een kanon afschieten om het hem te ontnemen.

Meindert stichtte een gezin dat je niet gemakkelijk over het hoofd zag. Hij werd vader van – het is bijna niet te geloven – zeventien kinderen. Ze vielen allemaal op door ijver, discipline en leergierigheid. De oudste zoon werd hoofdonderwijzer van de School met den Bijbel in Poortugaal, twee andere zonen zetten autobedrijven op: Han Wagenmeester werd dé Opel-dealer van Rotterdam en Gerard Wagenmeester dé Peugeot-dealer.

Hardwerkende, strenge, slimme, zuinige mannen, over wie ze in de streek zeiden: echte gereformeerden. Wijnand kon niet zo'n glanzende carrière maken: één zoon moest zijn vader opvolgen als fietsenmaker en machinist van het gemaal, en dat was hij, de jongste.

Het gemaal pompte het overtollige water uit polder Het Binnenland van Rhoon naar een achter Het Sluisje gelegen boezemmeer. De pompen werden aangedreven door de druk van stoom die uit buikbolle koperen ketels kwam. Kinderen en volwassenen brachten uren door bij 'het watermachien'. Rieke Baars herinnert zich hoe heerlijk warm het er altijd was. De kinderen speelden tussen de machines die stampten als scheepsmotoren, de mannen lagen op de betegelde vloer naast de ketels languit te praten en te roken. Voor Rieke was het gemaal als de eetzaal van koning Saul uit de Bijbel. In diens paleis lagen de mannen ook aan: in dat geval aan de dis.

Wijnand Wagenmeester stuurde nooit iemand weg, dat maakte hem een geliefd man. Tijdens de oorlogsjaren, toen de kolen op de bon gingen en veel mensen de kachel laag moesten afstellen, werd het gemaal de ideale plek om even bij te komen in de bijna tropische warmte. Wijnand werd later als een stijfkop afgeschilderd die snel in woede ontstak; volgens Rieke was hij rustig en opgewekt. Een kleine man met een groot hoofd en korte blonde krullen. Net Mees, dacht ik, toen ik de enige foto zag die van hem bewaard is gebleven, een foto genomen op het gemaal.

Hij had wel een gloeiende hekel aan de moffen, zeker sinds ze zijn radio hadden ingepikt, maar het zou de wereld op zijn kop zijn als je een vaderlander dat in 1944 aanrekende. Toch zou dat gebeuren: de meeste dorpelingen vonden dat Wijnand op de avond van de tiende oktober wat laffer én toeschietelijker had moeten zijn.

Tot die avond vonden zijn buren hem ontzettend aardig.

Zijn vrouw kon op minder bijval rekenen; ze heette 'een kwaaie' te zijn. Ik herinner me mevrouw Wagenmeester eerder als gesloten. De reputatie van boosheid dankte ze aan haar eerste huwelijksjaren. Basje van der Sar was Nederlands Hervormd toen ze met Wijnand Wagenmeester trouwde. Ze weigerde tot de Gereformeerde Kerk toe te treden, zoals de gereformeerde predikant bij ieder gemengd huwelijk eiste. Voor de jonge dominee J.J. Kloosterziel bestond er geen onderscheid tussen hervormden en heidenen; na de oorlog draaide hij bij. Basje Wagenmeester-van der Sar gaf zich niet zo snel gewonnen, wat haar levenslang de reputatie van moeilijk en dwars gaf. Pas na de geboorte van haar jongste dochter stapte ze met haar vijf hervormd gedoopte kinderen naar de Gereformeerde Kerk over.

Ze kreeg nog twee kinderen. Het gezin telde bij het uitbreken van de oorlog vier meisjes – Aaf, Carla, Bertie, Hillie – en drie jongens – Tijmen, Wim en Mees. De oudste jongen werkte op het gemaal en zou zijn vader opvolgen als machinist. Vanaf zijn achttiende jaar ontdook Tijmen de Arbeitseinsatz. Hij had eigenlijk naar Duitsland gemoeten om te werken, maar de Duitse militairen in het dorp begrepen algauw dat je een goed draaiend gemaal nodig had om je voeten droog te houden in het Zuid-Hollandse polderland. Wijnand en Tijm werkten in wisseldienst, als machinisten op schepen. Tijm werd ontzien.

Eind 1941 werd het toch te link voor hem. Zijn oom Han had

goede contacten met de Duitsers. Tijm ging in de Opel-garage van zijn oom werken en kreeg een Ausweis. Bootsman Loos had daarom niet minder de pest aan hem: Tijm was een van de steentjesgooiers op de Rijsdijk.

Een automonteur die van 1941 tot 1944 met Tijm samenwerkte vertelde me dat Tijmen met een probleem zat. Tot 1943 onderhielden ze in de Opel-garage personenauto's, bedrijfsauto's en legerauto's. Toen kwam de verordening van de bezetter dat ze alleen nog Duitse legerauto's mochten repareren. Tijm had het daar moeilijk mee. Hij werd dwars, rebels, roekeloos. De hele dag liep hij in de garage tegen de moffen te schelden. Hij sprak chauffeurs aan met: 'Zo, nazi.' Maar hij nam geen ontslag. Hij had zich verloofd, hij zou snel gaan trouwen. Tijm wilde niet riskeren in de gevangenis terecht te komen of naar Duitsland gezonden te worden. Dat vond hij tegelijkertijd laf van zichzelf.

Het besluit tot een verzetsgroep toe te treden, stelde hij steeds weer uit. Hij had al wel een pistool, dat hij in de werkplaats van zijn vader regelmatig demonteerde en schoonmaakte.

Soldaat Willems belde ten slotte bij Wagenmeester aan, Walter Loos kwam eraan lopen. Wat gebeurde er toen precies? Slechts één persoon die erbij was kon dat navertellen: Wim, de tweede zoon van Wijnand Wagenmeester.

Wim maakte in de jaren vijftig en zestig carrière bij de KLM. Hij vertegenwoordigde de luchtvaartmaatschappij in Tunesië en op vele andere plaatsen in de wereld. Wim leeft nog, woont in Amstelveen, maar over één ding heeft hij nooit meer willen spreken: Het Sluisje.

In het licht van de latere gebeurtenissen is dat begrijpelijk. De Wagenmeesters kregen op een gegeven moment alle schuld in de schoenen geschoven, voor Wim een onverteerbare omkering van zaken.

Decennialang onthield hij zich van ieder commentaar en verwees naar de twee verklaringen die hij onder ede had afgelegd. De eerste tegenover drie rechercheurs van de Politieke Opsporingsdienst van de Rijksrecherche, op 24 september 1945, nadat zijn moeder een aanklacht had ingediend tegen de overbuurman Aalbert de Kooning, die in het openbaar had geroepen dat 'de Wagenmeesters de meeste schuld hebben aan wat er gebeurd is op Het Sluisje'. De tweede op 15 januari 1946: hij was toen zeventien en werd als getuige gehoord, nadat het onderzoek naar oorlogsmisdaden was gestart. De verklaringen spreken elkaar niet tegen, de tweede verklaring is alleen uitvoeriger en vollediger dan de eerste.

Omstreeks tien uur in de avond van 10 oktober kwam een Duitse militair – Wim kende zijn naam niet, maar het ging overduidelijk om Heinz Willems – zijn vader vragen of hij de elektrische stroom wilde afzetten. De militair gaf niet precies aan wat er aan de hand was en waarom de stroom afgesloten moest worden.

Ik denk dat Heinz Willems nog niet van de schrik was bekomen en warrig sprak. Het had immers weinig gescheeld of hij had zelf aan die kabel gelegen.

De vader van Wim gaf te kennen dat hij niet zomaar de stroom mocht afsluiten. Hij gaf verder geen details, maar inderdaad: daar ging het EBR over, het Elektriciteitsbedrijf Rotterdam. Alleen een door het EBR erkende elektricien mocht in noodgeval een hoogspanningskabel doorknippen.

Enkele ogenblikken later kwam een andere Duitse militair. Zijn naam kende Wim wel: bootsman Walter Loos. In zijn brabbel-Nederlands zei Loos tegen Wims vader: 'Als Wijnand Wagenmeester niets van stroom weet, dan zullen wij wel van schieten weten.' Wijnand keek toen verbaasd naar zijn zoons.

Als machinist van het gemaal en als fietsenmaker wist vader Wagenmeester inderdaad niet bijster veel van stroom. Overigens: nog altijd zei Loos niet wat er precies aan de hand was. Zo kwam het óók in het rapport te staan dat de illegaliteit naar eigen bevinden opmaakte: 'Hij vroeg of de heer Wagenmeester de stroom wilde uitschakelen, zonder echter te vertellen, waarom dit nodig was.'

Bootsman Loos nam vader Wagenmeester, Tijmen en Wim mee. Wim: 'Wij kwamen op de plaats waar blijkbaar iets gebeurd was.' Nog altijd wisten ze niet dat matroos Ernst Lange in doodsnood verkeerde. Wim: 'Er stonden daar enkele soldaten om een soldaat heen die op de grond lag. Hij had een stroomdraad in beide handen en was blijkbaar achterovergevallen.'

Rond Ernst stonden 'enkele soldaten'. Zag Wim dat goed? Jawel, Ernst Lange zou even later door vier soldaten worden weggedragen. Heinz had dus binnen het kwartier gezelschap gekregen van drie andere soldaten.

Niet vader Wagenmeester knipte uiteindelijk de draad door, zijn zoon Tijmen deed dat. Wim in zijn verklaring: 'Mijn broer Tijmen gebruikte hierbij de combinatietang die met stukken fietsband geïsoleerd was en droeg rubberen laarzen. Of hij de tang en de laarzen direct al meegenomen had of dat hij terug is gegaan om die te halen weet ik niet meer.'

In het laatste geval was er weer extra vertraging, die voorkomen had kunnen worden als Loos en Willems direct duidelijk waren geweest over de ernst van de situatie. Niet één keer schreeuwden Loos en Willems dat er godverdomme een kameraad van hen lag dood te gaan. Zeker de bevelen uitdelende Loos had duidelijker moeten zijn. Hij was echter zo over zijn toeren dat Wagenmeester maar langzaam doorkreeg wat er precies aan de hand was.

Terwijl zijn zoon met de draad in de weer was, stond vader Wagenmeester allerminst met de armen over elkaar toe te kijken. Hij lichtte zijn zoon voortdurend bij en duwde ondertussen matroos Lange een jutezak in de handen. Volgens Wim was hij toen nog in leven.

Walter Loos vroeg Wagenmeester wie er een wagen had. De wagen was nodig om Ernst Lange af te voeren. Het verzoek was weer vaag, bij wagen dacht vader Wagenmeester aan paard-en-wagen, terwijl Loos een kruiwagen bedoelde. Op Het Sluisje beschikte alleen Aalbert de Kooning over een paard-en-wagen.

'Die daar,' zei Wagenmeester, met een knikje.

Begeleid door twee militairen liepen vader, Tijm en Wim Wagenmeester naar de boerderij van Aalbert de Kooning.

Dat heeft Aalbert de Kooning de Wagenmeesters nooit vergeven; hij dacht dat hij door hen verlinkt was. Een week later begon hij al te morren, een jaar later riep hij dat 'de Wagenmeesters aan dit alles de meeste schuld hebben'. Hij zou dat nog vele malen zeggen, al dan niet onder ede. Van de getuigenverklaring van Wim heeft hij nooit kennis kunnen nemen – die werd in een besloten zitting afgelegd. Aalbert de Kooning bleef geloven dat vader Wagenmeester en zijn beide zonen bootsman Loos en soldaat Willems naar zijn huis hadden geloodst, waar de Duitsers zijn zoon arresteerden.

Wim: 'Op het erf aangekomen, moesten wij onmiddellijk naar binnen gaan, waar toen Bo Robbemond en Job de Kooning aanwezig waren. Verder waren aanwezig vader Aalbert de Kooning en zijn vrouw, terwijl ook aanwezig moet zijn geweest een onderduiker, genaamd Klaas, afkomstig uit Hoogvliet. Hij was blijkbaar weggekropen.'

Nee, Klaas Pikaar was om zes uur op zijn fiets gestapt om in zijn ouderlijk huis zijn eenentwintigste verjaardag te vieren. Zijn redding: anders zou hij meegenomen zijn door Loos.

Na ongeveer vijf minuten moesten de Wagenmeesters weer met de soldaten mee. Ook Job de Kooning en Bo Robbemond kregen het bevel op te staan en mee te lopen. Over een wagen werd niet meer gesproken.

Die was niet meer nodig, Ernst Lange had de geest gegeven. Hij werd als een zandzak weggedragen.

Bewaakt door Duitse militairen moesten Wijnand Wagenmeester, Tijmen Wagenmeester, Wim Wagenmeester, Job de Kooning en Bo Robbemond tegen de muur van de vlasfabriek gaan staan met hun handen in de nek. Na een minuut of tien klonk er een nieuwe order: ze moesten achter elkaar naar het tramhuisje aan de Groene Kruisweg lopen.

Sergeant Loos brulde dat er tien mannen doodgeschoten zouden worden.

Het tramhuisje was overdekt, had rondom vensters en aan de voorkant een opening naar het perron van de halte Rijsdijk.

Ze wachtten, keken elkaar aan zonder een woord te zeggen en hoorden voetstappen.

Dries Marcelis en de andere Job de Kooning werden binnengebracht. Die waren door Walter Loos en een Duitse soldaat van bed gelicht.

Wim: 'Toen we bij de vlasfabriek weggingen, lag de Duitser nog op de grond. Terwijl wij in het tramhuisje stonden, onder bewaking van een Duitse militair met geweer, kwam er een ziekenauto, die gewoonlijk naast een bunker aan de Reedijk geparkeerd was, die de Duitse soldaat blijkbaar opgehaald had. Een onderofficier, die in de ziekenauto zat, vroeg aan mijn broer Tijm hoe hij de draad had doorgeknipt en vertelde dat de soldaat dood was.'

Klopt niet. Dien en Sandrien de Regt, die naar huis waren gevlucht en snel in bed waren gekropen, hoorden om halfelf (volgens Dien) of om elf uur (volgens Sandrien) gekerm van passerende soldaten op de dijk. Toen ze door het zolderraam keken, zagen ze dat Ernst werd weggedragen.

Wim vergiste zich in de tijd. Ze moesten uren in het tramhuisje blijven wachten. De ziekenauto kwam pas na middernacht en haalde toen inderdaad het lijk van Ernst Lange bij Jabaaij op.

Wel weer vreemd dat Loos zo laat op het idee kwam de op de Reedijk gestationeerde ambulance te laten komen. Het kan zijn dat hij niet wist dat daar een ziekenauto stond en dat hij daar pas laat van op de hoogte werd gebracht, in het telefoongesprek dat hij om elf uur met zijn superieur Oberleutnant Karl Schmitz voerde.

Zeven mannen in het tramhuisje. De meesten nog jong. Tijmen Wagenmeester: 21 jaar. Zijn broer Wim: 16 jaar. Bo Robbemond: 22 jaar. Job de Kooning Azn – zoon van Aalbert de Kooning: 21 jaar. Job de Kooning Dzn – zoon van Dimmen de Kooning: 29 jaar. Dries Marcelis: 31 jaar. Vader Wagenmeester was met 45 jaar de oudste. Een sterke man niettemin, één bonk spier.

Zeven staande mannen, bewaakt door één militair. Waarom kwamen ze niet in verzet? Waarom sloegen ze de soldaat niet tegen de vlakte?

Misschien begrepen ze dat ze nog veel meer levens op het spel zouden zetten door een onbezonnen daad. Of waren ze niet zo koelbloedig?

Ze knepen 'm voor sergeant Loos, die tot een bloedbad in staat leek. Maar de belangrijkste reden dat ze kalm bleven was een misvatting. Een van de overlevenden zei later: 'In het tramhuisje dachten we nog dat het met een sisser zou aflopen.'

Dat veranderde toen om twee uur 's nachts een vrachtauto kwam voorrijden.

Opeens veel militairen. Geschreeuw, geduw. 'Nach vorne, aus!' De laadbak in. 'Nach vorne in den Eimer!' Vooruit, voorover gaan liggen, gezicht naar de vloer.

De vrachtwagen reed weg.

Pas na een paar kilometer durfde een van de mannen het hoofd enigszins op te richten en over de klep van de laadbak heen te kijken. 'Hoogvliet,' zei Dries Marcelis bijna toonloos, maar zo duidelijk dat de anderen het hoorden.

Ze naderden Hoogvliet.

In de lagere school, die als Ortskommandantur dienstdeed, moesten ze hun bezittingen afgeven. De zeven mannen werden in de kelder gestopt: de kolenkelder van het voormalige woonhuis van de hoofdonderwijzer. Pal boven hen zetelde de Ortskommandant.

Waarom de bootsman om halfelf 's avonds Dries Marcelis en Job de Kooning Dzn brullend en scheldend uit bed heeft getrapt, blijft een raadsel. Walter Loos moet werkelijk niet meer geweten hebben wat hij deed.

De Wagenmeesters hadden althans nog iets met het gebeurde te maken: in de beleving van Loos waren ze opzettelijk traag in actie gekomen. Aan Job de Kooning Azn had Loos een pertinente hekel, net zoals aan de jongens Robbemond: zij waren de steentjesgooiers op wie hij met scherp geschoten had. Bij Dries Marcelis was sprake van willekeur. Het had zijn linkerbuurman kunnen zijn of zijn rechterbuurman. Toevallig was hij de pineut.

Met zijn vrouw en zijn twee kinderen woonde Dries Marcelis pas sinds kort op Het Sluisje. In januari 1944 was hij met tweehonderd andere dorpelingen uit Zuidland naar Rhoon geëvacueerd toen de polders buiten de Ringdijk van Zuidland onder water waren gezet door de Duitsers. Dries had ervaring met de vlasverwerking, zijn schoonvader was directeur en vennoot van Vlasfabriek Van Steggelen in Zuidland. Door de inundatie moest de fabriek sluiten. De activiteiten van het bedrijf werden ondergebracht bij de vlasfabriek op Het Sluisje in Rhoon. Het lag voor de hand dat Dries op die vlasfabriek ging werken. Ook de schoonfamilie Van Steggelen verhuisde mee naar Rhoon en betrok de zolder van een herenboer. Dries Marcelis kreeg inwoning in het Veerhuis op Het Sluisje.

Zijn pech was dat hij met zijn gezin aan de voorkant van het Veerhuis logeerde. Zo werd hij voor Loos een snelle prooi. De bootsman ramde de deur van het Veerhuis open (een uur nadat hij daar aangebeld had bij Osseweijer), stormde naar binnen, trok de bedstee open en schopte Dries uit bed.

Dries had een organisatorische taak op de vlasfabriek. Hij moest de orders van de fabriek in Zuidland en de fabriek in Rhoon op elkaar afstemmen. Sinds zoveel akkers waren geïnundeerd was het een nog veel groter probleem aan voldoende grondstof te komen. In de zomer van 1944 kocht Dries een deel van het vlas zelfs in de Wieringermeer. Hij zat hele dagen te rekenen en te cijferen: de directie had besloten de boekhouding van de Rhoonse en de Zuidlandse firma gescheiden te houden.

Dries Marcelis was even na negenen in bed gestapt omdat de volgende morgen om zes uur de wekker weer zou rinkelen. Een andere reden van het vroege naar bed gaan was dat hij en zijn vrouw Alie alleen in de bedstee privacy hadden. Het Veerhuis was overvol. De zitkamer en de keuken moesten de vier leden van het gezin Marcelis met de familie Osseweijer delen, alsook het stromend water. Alleen als Dries de deurtjes van de bedstee dichttrok, was hij alleen met Alie.

Ze lagen vaak lang op fluistertoon te praten, of besmuikt te lachen. Ze hadden het fijn samen. Op andere mensen maakte Dries een gesloten indruk, door zijn ontwijkende blik en zijn korte, gedrongen gestalte. Tegenover Alie was hij open en opgewekt. Hij had humor. Alie streek hem graag door de haren als ze lagen te praten – beiden op de zij en steunend op de elleboog. Haren die naar achteren golfden. Altijd weer verbaasde Alie zich erover hoe zacht en tegelijk sterk zijn haar aanvoelde, als uitgeplozen touw. 'Ja,' grinnikte hij, 'het is net vlas.' Zij was langer dan hij. Hij vond dat niet erg. 'Ik kijk graag tegen je op,' zei hij, als ze er een opmerking over maakte.

In de processen-verbaal kwam achter de volledige naam van Dries – Johannes Diederik Marcelis – fabrieksarbeider te staan. Dries werkte inderdaad in de vlasfabriek, maar zijn werk was administratief. Op Rhoon had hij ook een tuinderij gehuurd waarop hij vele uren van de dag doorbracht. Hij aarzelde wat hij na de oorlog zou doen als hij met Alie en zijn zoontjes naar Zuidland was teruggekeerd: een eigen tuinderij beginnen of voorman worden op de vlasfabriek van zijn schoonvader. Vlas was in Zuidland nog belangrijker dan in Rhoon, het dorp telde drie vlasfabrieken en de oudste, die van Van Steggelen, was in het midden van de zeventiende eeuw opgericht. Alie had zes broers en een paar van hen zouden zeker in vaders vlasfabriek willen werken.

Dries en Alie wilden net gaan slapen toen ze een doordringend gegil hoorden.

'Zo,' zei Dries tegen Alie, 'dat is weer een mof minder.'

'Ach, hij heeft toch ook een ziel,' zei Alie.

'Dan zal het wel een zwarte ziel zijn,' mompelde Dries.

Een uur later trok Loos de deurtjes van de bedstee open en stond Dries nog net toe dat hij zich aankleedde.

'Aber schnell, mensch. Schnell, schnell.'

Dries schoot zijn kleren aan, stapte in zijn klompen en stak zijn portefeuille in zijn binnenzak. In die portefeuille zaten negen briefjes van honderd. Dries zag het tijdens zijn arrestatie somber in, de razernij van Loos vatte hij terecht als een alarm op. Maar, moet hij gedacht hebben, met negenhonderd gulden op zak draai ik me er wel uit.

'Zo, dat is weer een mof minder.'

'Ach, hij heeft toch ook een ziel.'

'Dan zal het wel een zwarte ziel zijn.'

Ik verzin dit niet.

Alie sprak ik drie keer, in het voorjaar van 2006. Ze was toen negenentachtig jaar oud. Elke keer reproduceerde ze de dialoog woordelijk op dezelfde manier.

'Dat herinnert u zich nog goed.'

'Vind je het vreemd? Het waren de laatste woorden die Dries en ik tegen elkaar zeiden.'

Bij Dries Marcelis ging het om willekeur, bij Job de Kooning Dzn zal een vergissing in het spel zijn geweest. Loos dacht: prima, weer een De Kooning. Maar als hij per se een De Kooning had willen hebben, dan had hij Darius moeten arresteren, de oudste broer van Job de Kooning Azn. Darius verkeerde vaak in het gezelschap van de steentjesgooiers en hoewel hij zelf niet veel durfde, vond hij het vermakelijk toe te kijken hoe de vrienden van zijn broer de moffen op de zenuwen werkten.

Job woonde nog thuis bij zijn vader Aalbert op de boerderij, Darius was al getrouwd en woonde even verder aan de dijk, maar hij werkte op het bedrijf van zijn vader en was vaak op de boerderij.

Die woensdagavond waren ze volgens de latere verklaring van vader Aalbert aan het kaarten. Job en Darius hadden gezelschap gekregen van Bo Robbemond, die aan het laatste stuk van de Rijsdijk woonde en op een tuinderij werkte. Het was ver na spertijd, Bo moest zeker een kilometer lopen om naar huis terug te keren. Maar hij waagde het er wel vaker op en liep dan over het land, niet over de dijk. Aalbert kaartte nooit, dat mocht hij niet van zijn vrouw. Net als zij was Aalbert al naar bed gegaan.

Toen bootsman Loos en soldaat Willems met de Wagenmeesters naar binnen stapten, was Darius er niet. Ik vermoed dat hij op de uitkijk stond en maakte dat hij wegkwam toen hij Loos het erf van zijn vader op zag lopen. De andere mogelijkheid is dat hij naar huis was teruggekeerd en allang lag te slapen.

Er was nog een derde broer De Kooning, die een even Bijbelse naam droeg als Job en Darius. Hij, Amos, was naar familie in Maarssen uitgeweken. De grond op Het Sluisje was hem te heet onder de voeten geworden, bootsman Loos had de pik op de jongens De Kooning en kon hem ieder moment arresteren. Ook Amos de Kooning viel onder de Arbeitseinsatz; hij moest zich schuilhouden om niet als dwangarbeider naar Duitsland te worden gestuurd.

Op Het Sluisje gold Amos als een sul. Ook zijn broer Job stond niet erg hoog aangeschreven; beide broers waren volgens een buurtgenoot 'droge klootzakken'. Job was niettemin de ondernemendste van de twee. In het dorp noemden ze hem 'De Commandant van het Sluisje'.

Job had bravoure. Hij kon goed biljarten, deed dat 's zondags met Bo Robbemond en een paar andere kroegtijgers in café-biljart De Tol van Wieger Mantz. Zijn drank verdiende Job louter met de keu – de laatst overgeblevene aan het groene laken moest voor de andere spelers betalen. In de meeste gevallen hoefde Job alleen voor 'het binnenkomertje' te dokken: veertien cent voor de eerste jonge jenever.

Net zo bedreven was Job in een gokspel met kurken. Ook dat won hij meestal. Altijd winnen maakt je onuitstaanbaar. Wieger Mantz kon Job schieten: als hij in het café was, bleven de andere vaste klanten weg. Job ging steeds vaker naar café Van Straaten op de hoek van de Groene Kruisweg en de Charloisse Lagedijk.

Niemand heeft Job en Amos ooit met meisjes gezien. De jongens – nou ja, jongens, de oudste was al over de twintig – waren misschien wel heimelijk verliefd op Dien en Sandrien de Regt. Heimelijk verliefd kan een explosieve cocktail zijn. Volgens de buurtgenoten zag je ze stiekem kijken naar de zussen De Regt, maar de meiden aanspreken durfden ze niet. Wel uitschelden voor 'moffenhoer', maar als Dien Job dan recht in het gezicht keek, kreeg hij een kop als een vuurbal.

De oudste zoon De Kooning was evenmin erg snugger met meisjes. Darius de Kooning moest met Bets de Rooy trouwen. Bets had pas in de gaten dat ze zwanger was toen de weeën kwamen. In de voorgaande negen maanden was ook Darius niets bijzonders opgevallen.

Alleen de twee dochters De Kooning gedroegen zich als normale Rhoonse meiden: ze hadden verkering, verloofden zich en trouwden.

'Mooi zo,' moet bootsman Loos gedacht hebben toen hij kort na Dries Marcelis' aanhouding een volgend huis binnenging en

Job de Kooning Dzn arresteerde. 'Alweer een De Kooning.'

Inderdaad weer een De Kooning. Maar het moet hem toch direct zijn opgevallen dat deze De Kooning heel andere ogen had dan de etter die hem altijd treiterde. Normale ogen. De andere De Kooning had ogen van verschillende kleur, het ene was blauw, het andere bruin.

Nee, dat subtiele onderscheid zag Loos niet. Hij dacht: 'Ik heb beet. Alweer een De Kooning.'

Een oude Rhoonse familie. In de annalen duikt de eerste De Kooning in 1620 op. Bekend, gewaardeerd, een straat in het dorp heet de Jacob de Kooningstraat. Voor deze geschiedenis is alleen van belang dat er twee takken zijn: De Kooning Aalbertzoon en De Kooning Dimmenzoon.

De eerste tak was de rijke, de tweede de verarmde. Alleen zag je dat er aan de buitenkant niet aan af. De leden van de rijke tak waren boertjes van buten: Aalbert hield altijd zijn pet op, ook als hij thuis aan tafel zat. Terwijl de leden van de verarmde tak op een innemende, wellevende manier met hun dorpsgenoten omgingen.

De herenboeren van het dorp keken neer op Aalbert de Kooning, noemden hem een sjacheraar. Aalbert had goede kleigrond en een paar stukken waardeloze hei die hij voordelig had kunnen verkopen toen ze binnen het terrein van Vliegveld Waalhaven kwamen te liggen. Hij hield twee varkens, zes koeien, een paar schapen, kippen. Vlak voor de oorlog ging hij voor dertigduizend gulden het schip in, waar hij niet lang wakker van lag. Je moest in de crisisjaren aardig wat duiten hebben om dertigduizend gulden te kunnen verliezen: een landarbeider verdiende duizend gulden in het jaar. Het meeste geld verdiende Aalbert ín de oorlog, met zwarte handel in vlees en groente.

Dimmen, de vader van de andere Job de Kooning, was een broer van Aalbert. Hij werd knecht bij een boer. Een beetje zuur natuurlijk, als je broer zelf een boerderij heeft en het geld over de balk kan gooien. Tussen Dimmen en Aalbert boterde het niet. Tussen hun nazaten zou het een graadje erger worden: die konden elkaars bloed drinken.

Ook Job, de zoon van Dimmen, ging voor een boer werken. Hij trouwde met Bep van der Stoep uit Heijplaat en werd vader van twee zonen. Van geloof hervormd. Verder is er niet veel over hem bekend. Of hij fel anti-Duits was of dat hij de veilige kant hield, kan niemand meer vertellen. Hij was bescheiden, verlegen bijna. Een indrukwekkende verschijning op de twee foto's die van hem bewaard zijn gebleven: intense blik, volle lippen, stevige neus, een enorme bos achterovergekamd haar, opgeschoren in de nek en boven de oren. Een modern gezicht, je ziet de mode van de late jaren veertig en de beginjaren vijftig eraan komen. Van die toekomst zou hij niet mogen proeven: hij werkte alle oorlogsjaren op het land en op de avond van 10 oktober 1944 bevond hij zich op de verkeerde plek, ofschoon die plek gewoon het bed was waarin hij vanaf zijn trouwen iedere nacht had geslapen.

Job van Dimmen noemden ze hem in het dorp. Of Job de Echte, omdat hij net zoals de Bijbelse Job arm was maar aan alle tegenslagen wijsheid ontleende.

Toen hij gearresteerd was en weggevoerd, pakte zijn vrouw Bep de bijbel die ze bij haar huwelijk in de kerk had gekregen en onderstreepte Romeinen 8 vers 36 en 37.

Bep moet een even goede mensen- als Bijbelkennis hebben gehad. Vers 36: 'Wij zijn geacht als schapen ter slachting.' Zo werd Job van Dimmen inderdaad weggevoerd: als een schaap ter slachting.

Bo Robbemond liep in de oorlog met een oranje strik op de bovenarm door Rotterdam. Brutale blik in de ogen. Eigenwijze flaporen. Hij had het gezicht van een jongen die niet deugen wil, ook al had hij in 1944 de drieëntwintigjarige leeftijd bereikt.

Zijn één jaar oudere broer Mart was bedachtzamer. Met zijn hoge voorhoofd, zijn bijna doorlopende wenkbrauwen en zijn diepliggende ogen zag hij er ook een stuk norser uit. Mart werkte tussen ruige bonken op de vlasfabriek. Met zijn boze blik hield hij ze op een veilige afstand.

Mart was meer op zichzelf dan zijn broer. Op zaterdag of zondag ging hij in zijn eentje naar de film in altijd hetzelfde theatertje: Harmonie aan de Gaesbeekstraat in Rotterdam-Zuid, een even smoezelige als knusse, gezellige bioscoop in een arbeiderswijk, met portier Dikke Arie bij de ingang, die niet op leeftijden lette als je hem een dikke fooi gaf. In 1938 had Mart Robbemond in Harmonie *Robin Hood* gezien met Errol Flynn in de titelrol, en sindsdien spendeerde hij iedere gespaarde cent aan de bioscoop.

Op zaterdagmorgen begon de voorstelling met een optreden van Jessie and the Flaming Stars, op zondagmorgen met Lou Bandy. Dan volgde het Journaal met in de oorlog de 'successen' van de Duitsers. Het publiek ging met veel misbaar naar het toilet, liet de deuren openstaan en begeleidde de vorderingen op het slagveld met boeren en scheten. Op last van de Duitsers mocht vanaf 1942 niemand meer tijdens het Journaal zijn plaats verlaten. Zodra Hitler in beeld kwam, werd iedereen toen spontaan verkouden in de zaal.

Errol Flynn zag Mart niet meer, hij moest het doen met films als *Een witte droom* met in de hoofdrol Wolf Albach-Retty en *De gouden stad* van Veit Harlan, de grootste kaskraker van de oorlog. In die film déden ze het – de portier van Harmonie ging met een zaklamp de rijen af om te controleren of het liefdesgefrunnik op het doek geen navolging kreeg in de zaal.

Voor Mart en Bo was de oorlog avontuur. In de zomer van 1944 werden ze beiden gearresteerd omdat ze zich voor Duitse soldaten hadden uitgegeven. Ze hadden gehoord dat op de boerderij van Wies Dekker een varken geslacht zou worden, bestemd voor de Duitsers. Mart en Bo en twee andere jongens van Het Sluisje trokken een uniform aan dat ze van de Duitsers hadden gestolen en eisten het varken op. Toen het uitkwam, werden ze opgepakt en moesten een nacht in de Ortskommandantur in Hoogvliet doorbrengen, in de kolenkelder onder het huis van het schoolhoofd. Bo kende die kelder dus al toen hij er in de nacht van 10 op 11 oktober werd opgesloten.

Beide broers overwogen zich bij de ondergrondse aan te sluiten. Of misschien hadden ze dat al gedaan, met instemming van vader Bas Robbemond, wiens hekel aan de Duitsers lang voor de oorlog was begonnen. Hij vond ze strebers van het ergste soort. Als op de kaasfabriek Betz and Jay in Delfshaven, waar hij werkte, Duitse inkopers op bezoek kwamen, ging hij een ommetje maken. Bij Betz and Jay versmolten ze oude kaas tot Edammer en juist de Duitsers waren gek op die ronde Edammer met rode korst. Maar er was altijd iets mis met die korst: te dun, te dik, te donker of te weinig rood.

Bas Robbemond, een eilander uit de Hoekse Waard, geboren en getogen in Oud-Beijerland en sinds 1925 woonachtig in Rhoon, werd nog feller anti-Duits toen in 1943 zijn zoon Cor voor de Arbeitseinsatz naar Duitsland werd gestuurd. Hij ontplofte als hij Duitse militairen met meiden uit het dorp op de Rijsdijk zag lopen. Klaas Pikaar: 'Tussen Bas Robbemond en Dirkje Veth-de Ruyter was het water en vuur.' Dirkje de Ruyter, Gertie Blekemolen-Wiessner, Dien en Sandrien de Regt verachtte hij.

Dat misprijzen droeg hij op zijn zoons over. Het verbaasde vader Robbemond dan ook nauwelijks dat 'het rode sergeantje' zijn zoon Bo op de avond van de tiende oktober arresteerde. Zijn eerste reactie luidde: 'Dat is zijn wraak.'

Zeven mannen in het donker van de kolenkelder. Een kelder van een meter hoog.

Zitten, hurken, liggen, meer konden ze niet. Elkaar zien was onmogelijk. Bij het binnengaan van de school hadden ze hun bezittingen moeten afgeven, hun portemonnee, hun sleutels, hun aansteker.

Kil, het was kil in de kelder. Twee mannen hadden niet eens

de tijd gekregen een jas te pakken. Hun overhemd was te dun voor de nacht.

Geen matras, geen stromend water, geen toilet.

Midden in de nacht zei een stem: 'Ik moet schijten.'

Zelfs de jongen – Wim – moest er niet om lachen. Het klonk bang, doodsbang.

'Wacht,' zei een andere stem. 'Hier, mijn laars, doe het maar daar in.'

Geschuifel. Een persende zucht.

Toen klonk de stilte weer, als een doffe klop in de slapen.

Zo staat het althans in de getuigenverklaring van de enige volwassene die het overleefde.

VIJF

Oberleutnant Karl Schmitz ging die avond vroeg naar bed. Zoals gewoonlijk had hij goed gegeten. Eten was belangrijk voor Schmitz, zo belangrijk dat hij zijn overplaatsing van Slikkerveer naar Hoogvliet alleen geaccepteerd had toen hij de schriftelijke garantie had gekregen dat hij zijn huishoudster – zelf zei hij: zijn keukenmeisje – mocht meenemen.

Koken konden ze niet in Nederland; het was afschuwelijk wat je op je bord kreeg. Hij had zeker drie keukenmeisjes versleten voor hij Maria in dienst nam. Zij scheen in ieder geval het verschil tussen doorbakken en aangebrand op te merken. Hij had haar tien gulden opslag beloofd als ze een paar gerechten op zijn Duits leerde klaarmaken. Dat had ze gedaan. Sindsdien keek hij naar de avondmaaltijd uit als een hond naar zijn kluif.

Verder voelde hij niets voor Maria. Ze mocht dan een struise meid van vierentwintig zijn, hij had geen vertrouwelijke relatie met haar. Voor seks nam hij meisjes uit de buurt. Die gaf hij wijn en schnaps te drinken en dan hoefde hij nauwelijks meer aan te dringen. Voor zijn wekelijks verzetje koos hij de dag waarop Maria vrij had en bij haar familie in Rotterdam was. Soms vond hij haar even streng als zijn eigen vrouw.

Een jaar na de oorlog was Schmitz de achternaam van Maria vergeten. Toen ze drie jaar later eindelijk door de rechterlijke macht was getraceerd, bleek ze Maria Antonia de With te heten. Ze was tot het einde van de oorlog bij Schmitz in huis gebleven.

Natuurlijk herinnerde hij zich haar naam nog bijzonder goed. Vijftig weken lang had hij haar loonstrookje ingevuld, vijftig weken lang had hij de aan mej. M.A. de With gerichte

brieven en briefkaarten uit zijn eigen post gevist en aan haar gegeven. Hun levens waren op een merkwaardige manier ver-
knoopt geraakt. Het geheugenverlies van Karl Schmitz kwam
uit vrees voort: na de oorlog wilde hij haar opsporing voorkomen. Ze wist te veel over hem.

Maria serveerde het avondeten stipt om halfzeven. Schmitz
probeerde de maaltijd tot halfacht of tot acht uur te rekken
door bij het eten langzaam bier te drinken, slokje voor slokje.
Deed hij dat niet, dan vond hij de avond onverdraaglijk lang
duren.

Op die woensdagavond had Maria varkensbraadworst, aard-
appelpuree en zuurkool voor hem klaargemaakt, met als toetje
hangop. Dat laatste was weer Hollands, maar als het om zuivel
ging, kon er in dit koeienland met de bereiding weinig misgaan.

Bij het eten had hij drie flessen bier gedronken, één fles meer
dan gewoonlijk. Dat had hij beter niet kunnen doen. Schmitz
werd niet dronken van bier, maar als hij meer dan een liter op-
had, liep de energie uit zijn lichaam weg als de urine uit zijn
blaas. Een vermoeide Schmitz was een schim van de Schmitz die
's morgens achter zijn bureau zat. Een vermoeide Schmitz werd
snel onredelijk.

Jenever had hij die avond niet gedronken. Tegen zijn gewoonte in, vertelde Maria de With tijdens het verhoor. Met jenever, schnaps of vieux was het anders dan met bier: Schmitz
kon er absoluut niet tegen en werd er verschrikkelijk dronken
van. Een dronken Schmitz veranderde volgens Maria binnen de
kortste keren in een bruut.

Naast zijn stoel en net onder zijn rechterhand zat ook die
avond zijn hondje. Een wit hondje met een donkergrijs linkeroor. Naar de kleur van het rechteroor moet ik gissen: op de foto
waarover ik beschik draait de hond zijn kop naar rechts en is
alleen zijn linkeroor te zien. Een goed verzorgd beestje met een
halsband om. Tijdens iedere maaltijd zat het naast zijn baasje.

Schmitz legde vork en mes neer, veegde met zijn servet zijn

mond af, schraapte zijn keel. Nog voor het hondje zijn naam hoorde sprong het op en hapte naar het stukje worst dat de Oberleutnant uit zijn rechterhand liet vallen.

Je zag Schmitz zijn zesenveertig jaren aan, waarvan zeven in het leger. Hij was gedrongen, gezet, opgezwollen. Het enige innemende aan hem was zijn hondje, een draadharige foxterriër die regelrecht uit *Kuifje* leek te zijn gestapt. Een slim beestje met een vrolijke snuit, een Milou, een Bobbie. Of een Struppi, zoals het hondje in de Duitse versie van de strips van Hergé heet.

Op de enige foto in zijn justitiële dossier zit Struppi voor de voeten van de luitenant. De witte vacht steekt scherp af tegen de lange donkere uniformjas. De foto is voor de ingang van de lagere school in Hoogvliet genomen, het gebouw waar Schmitz' eenheid was ondergebracht. Ik neem aan dat het hondje hem overal vergezelde. Behalve de volgende dag, de elfde oktober in Rhoon.

Schmitz' ervaring met oorlog strekte zich over de Eerste en de Tweede Wereldoorlog uit. Op 16 augustus 1916, de dag na zijn achttiende verjaardag, was hij opgeroepen voor militaire dienst. Als soldaat infanterie was hij eerst naar de loopgraven in Frankrijk gestuurd en toen naar Rusland. Oorlog was overal ellendig, maar als je in 1917 en 1918 in Rusland moest vechten, ging je diep door de drek. Aan de smerigheid die als een cholera-epidemie op de Oktoberrevolutie volgde, probeerde hij nooit terug te denken.

In het café van Hoogvliet vertelde een aangeschoten Schmitz niettemin keer op keer een verhaal dat de kroegbaas langzamerhand uit zijn hoofd kende en dat zich in Rusland afspeelde. Schmitz was van lage komaf. Op een dag zwierf hij over het slagveld en zag een bijkans dode officier liggen. Hij knielde neer en vroeg: 'Hoe heet u?' Met zijn laatste adem zei de man: 'Karl Schmitz.' Toen hij overleden was, had Schmitz het uniform van de officier aangetrokken en zijn identificatieplaatje om de hals gehangen. Sindsdien ging hij als de officier Karl Schmitz door het leven.

Het lijkt me een sterk verhaal. Echt een verhaal voor een winterkoude avond in het enige café van Hoogvliet, een dorp dat toen vele malen kleiner was dan Rhoon.

In januari 1919 was Schmitz naar Duitsland teruggekeerd. Tussen de beide oorlogen had hij zes jaar als arbeider op een weverij gewerkt en vijftien jaar als administratief medewerker bij de gemeente Rheydt, zijn geboorteplaats in Noordrijn-Westfalen. Een stad die tegen Mönchengladbach aan schuurde en in de jaren dat hij er ambtenaar was explosief groeide. Rheydt was ook de geboortestad van Joseph Goebbels. Schmitz scheelde een jaar met Goebbels. Een groter verschil was dat Goebbels aan het begin van de Eerste Wereldoorlog afgekeurd was voor militaire dienst wegens een misvormde voet. Vandaar dat hij zo meeslepend over de *totale Krieg* kon schreeuwen: hij wist niet half hoe goor oorlog is.

In 1937 was Karl Schmitz lid geworden van de Nationaal-Socialistische Duitse Arbeiderspartij. Uit vrije wil, zei hij later, en vooral om een partijtje mee te kunnen blazen in het muziekkorps van de Sturmabteilung van de partij. Welk instrument hij zo graag bespeelde in de SA-harmonie van zijn geboortestad heb ik niet kunnen achterhalen. Net zomin of hij, als vrijwel alle SA-mannen in Rheydt, winkels van Joden kort en klein sloeg tijdens de Kristallnacht en de eigenaren molesteerde. Het kan haast niet anders dan dat hij er op die nacht in 1938 bij was, maar over zijn politieke overtuiging en zijn betrokkenheid bij de nazi-partij zei hij na de oorlog zo min mogelijk, en zijn Hollandse ondervragers interesseerde het niet. Ze verzuimden hem ook te vragen een wijsje te fluiten dat hij op de tuba spelen kon of op de klarinet. Dan hadden ze waarschijnlijk opgemerkt dat het muziekkorps maar een voorwendsel was. Schmitz had wel degelijk voor het nationaal-socialisme en voor de SA gekozen.

In 1939 werd Schmitz opnieuw opgeroepen voor militaire dienst. Tot 1940 zat hij bij de infanterie; toen werd hij als Feldwebel overgeplaatst naar de marine. In 1941 volgde zijn bevordering tot luitenant, zes maanden later mocht hij zich Oberleutnant noemen, wat voor een man als Schmitz natuurlijk een stuk beter klonk dan 1ste luitenant. Oberleutnant was bij de marine overigens een hogere rang dan bij de landmacht.

Achtereenvolgens Wilhelmshaven, Husum, Münster. In Münster bleef hij tot augustus 1943. Fijne stad, niet ver van Rheydt. Hij kon zijn vrouw, zijn zoon en zijn dochter om de vijf dagen bezoeken. Tegelijk was het een zorgelijke tijd: bij zijn vrouw hadden zich de eerste symptomen van een ongeneeslijke ziekte gemanifesteerd. Hij had zich aanvankelijk tegen overplaatsing willen verzetten, maar wat later dacht hij: hoe verder ik bij haar weg ben, des te beter het voor haar is, want dan zal ze op mijn terugkeer wachten en vechten tegen haar ziekte. Die beslissing had de eerste jaren goed uitgepakt, ook voor hem. Als hij in Münster was gebleven, zou hij bijna zeker bij een van de geallieerde bombardementen zijn omgekomen. De stad werd vrijwel met de grond gelijkgemaakt.

In Holland kreeg hij gezien zijn rang en opleidingsniveau een belangrijke functie. Gelegerd in de kazerne van Ede-Harskamp moest hij in een paar maanden tijd een nieuwe compagnie opbouwen. Van die eenheid, een onderdeel van de 20ste Schiffstammabteilung, werd hij commandant.

De geallieerde invasie wijzigde de militaire situatie radicaal. Zijn eenheid kreeg de taak de waterlinie van oostelijk IJsselmonde te verdedigen tot en met de brug van Alblasserdam. Schmitz vorderde een woning in Slikkerveer. Hij bleef er niet lang; drie maanden later kreeg zijn compagnie een uitgebreidere taak aan de westelijke kant van IJsselmonde. Zijn manschappen bracht hij in de beide lagere scholen van Hoogvliet onder, de christelijke en de openbare. Zelf eigende hij zich een huis aan de overzijde van de school toe, aan de Dorpsstraat 21.

Een plek om van te houden. Het dorp was klein, aangenaam, lieflijk. Een paar huizen rond een eeuwenoud kerkje van gele baksteen, een paar boerderijen. Heel in de verte de olieraffinaderij, dichterbij de ijzeren hefbrug over de Oude Maas. De brede stroom kon bij zonsondergang gloeien als een Russische steppe in de zomer.

De brug maakte Schmitz tot een man die je nederig tegemoet moest treden. Niet alleen was het zijn taak die Spijkenisserbrug met zijn eenheid te beschermen en verdedigen, hij was de enige man die een personenauto, een vrachtwagen, een ambulance, een paard-en-wagen, een goederentrein, een fietser of een voetganger toestemming kon geven van de brug gebruik te maken. Zonder een door hem ondertekend en afgestempeld Ausweis mocht niemand naar de overkant. Als hij een slechte dag had, of een kater, weigerde hij medewerking. Tegen iemand die een begrafenis wilde bijwonen op Voorne-Putten zei hij: 'Er sterven zoveel mensen. Eén meer of minder maakt niet uit.'

Luitenant Schmitz had een Duits gevoel voor humor.

Ik wissel nu even van perspectief.

Berry Hersbach nam eens in de maand de meterstanden in Rhoon op. Hij inde de verschuldigde bedragen en bracht het geld naar het gewestelijke kantoor van de elektriciteitsmaatschappij in Brielle. Hij moest bij Schmitz de vergunning halen voor het oversteken van de Spijkenisserbrug.

Berry Hersbach haatte de moffen voor hij goed en wel kon praten. De Eerste Wereldoorlog had hem tot wees en verschoppeling gemaakt. Zijn vader, een Belg, kwam niet terug uit de strijd tegen de Duitsers in Frankrijk. Zijn moeder was een Française uit de Elzas die in België voor een Duitse werd aangezien. Leuk als je man door de Duitsers is gedood. In Gent dacht ze veilig te zijn, maar de Duitse bezetter verklaarde haar tot ongewenst persoon in België. Ze werd bij Zeeuws-Vlaanderen over de grens gezet. Twee maanden later beviel ze van een zoon. Bertrand werd op 26 januari 1918 in de Bethesda Kraamkliniek in Rotterdam geboren. Zijn moeder overleed na een paar maanden. De dood van haar man en de verbanning naar Nederland hadden haar zo sterk aangegrepen dat ze nog voor het einde van de Eerste Wereldoorlog overleed. Bertrand werd in een weeshuis gestald. Na de Duitse overgave in oktober 1918 kwam de moeder van zijn Belgische vader hem halen en nam hem mee naar Gent. In 1922 kon ze door haar snel afnemende krachten niet meer voor de kleuter zorgen. Ze bracht hem naar Nederland terug, naar een broer van Berry's moeder.

Karel Hersbach was na vele omzwervingen, tot in Mexico aan toe, in Rhoon neergestreken. Hij adopteerde de vierjarige Bertrand Hubert, vroeg de Nederlandse nationaliteit aan en diende tegelijk het verzoek in zijn Duits aandoende naam Hersbach in Heersbeek te veranderen. Dat laatste werd niet toegestaan.

In Rhoon verklaarde Karel alles van de nieuwste ontdekking elektriciteit te weten. De bewoners geloofden hem maar al te graag, vooral omdat ze niets van zijn bizarre accent begrepen. Algauw legde Karel elektrische leidingen aan.

Berry volgde na de lagere school de opleiding tot elektromonteur bij het Elektriciteitsbedrijf Rotterdam. Hij ging bij zijn oom Karel werken, die naast het elektrotechnische installatiebedrijf een winkel in radio's en elektrische apparaten aan de Dorpsdijk begonnen was. Oom en neef boerden goed, maar bleven een beetje schuw, als vreemde eenden in de bijt.

Alleen in hun moffenhaat waren ze uitgesproken. Met de jaren werd die haat feller door de toespraken van Hitler die ze op de radio beluisterden. Thuis hadden ze drie kortegolfontvangers staan. Als ze het Duitse gebral zat waren, stemden ze op Radio Batavia af en imiteerden het accent van de Indische omroepers.

In 1938 werd Berry opgeroepen voor militaire dienst, in de zomer van 1939 werd hij gemobiliseerd. Van 10 tot 17 mei 1940, tot twee dagen ná de capitulatie dus, vocht hij met het 2e Regiment Genietroepen in Rotterdam. Wat hem betreft hadden ze nog een paar weken mogen blijven doorvechten: hij kon in die dagen alle opgekropte moffenhaat kwijt.

Deze Berry moest eens in de maand aan Oberleutnant Karl Schmitz een vergunning vragen in de lagere school van Hoogvliet of bij hem thuis op de Dorpsstraat 21. Hij vond Schmitz een redelijke man.

Redelijk? Ik vroeg het Berry zeker drie keer. Redelijk? Jawel. Berry had niet de indruk dat de luitenant willens en wetens mot zocht. Soms kreeg hij een kop koffie aangeboden, die weliswaar even slecht smaakte als de surrogaatkoffie thuis maar het ging om de geste. Terwijl hij de koffie dronk, handelde Schmitz de vergunning af. Berry zag in hem de gewezen ambtenaar die even langzaam als precies werkte. Niet een bietebauw.

In de Hongerwinter werd Schmitz neurotisch, maar dat was maanden later. Het groeide hem toen allemaal boven het hoofd. Soms stonden twee- tot driehonderd mensen op het voorplein van de school op een Ausweis te wachten. Vaak weigerde hij. Het wilde er bij hem niet in dat al die mensen alleen voor voedsel naar Voorne-Putten trokken. Op een dag raakte hij zo geïrriteerd dat hij zijn dienstpistool leegschoot in de lucht.

'Daß ist doch genau wie in Rußland hier,' schreeuwde hij.

Het werd toen volgens Berry tijd dat de Ortskommandant de leiding overnam.

Berry Hersbach schatte Karl Schmitz te laag in: hij hield hem voor een ondergeschikte van de commandant. De Ortskommandant van Hoogvliet was volgens Berry kapitein Hüdt. Velen in de regio maakten die beoordelingsfout: geen ingewikkelder organisatie dan de legeronderdelen van de nazi's.

Hüdt was Abschnittskommandant. Hoogvliet was geen zelfstandige militaire eenheid en viel onder de Ortskommandant van Rotterdam. Hüdt was vaak afwezig en bleef in 1944 de hele maand oktober weg. De hoogste militaire baas in West-IJsselmonde was wel degelijk Karl Schmitz. Zijn compagnie had een detachement gewone infanterie afgelost dat onder bevel stond van Hüdt. Hauptmann Hüdt wachtte op overplaatsing en waarschijnlijk ook op bevordering.

De verantwoordelijkheid van Schmitz strekte zich uit over het gebied van de Eerste Petroleumhaven in het noordwesten tot de Waalhaven in het noordoosten, en van de Barendrechtsebrug in het zuidoosten tot de Spijkenisserbrug in het zuidwesten. Onder zijn militair gezag vielen de dorpen Rhoon, Poortugaal, Pernis, Heijplaat, Hoogvliet en een stukje stad: de gemeente Rotterdam had in 1934 het deel van de Groene Kruisweg tot de Waalhaven opgeëist, inclusief de buurtschappen Het Sluisje en De Tol. Door die gemeentelijke herindeling ('de annexatie,' zeiden de bewoners) waren Het Sluisje, De Tol, Pernis en Hoogvliet wijken van Rotterdam geworden. Alleen kerkelijk vielen Het Sluisje en De Tol nog onder Rhoon, en qua onderwijs: de kinderen gingen in Rhoon naar school. In 1943 werden alle scholen in de regio gevorderd om militairen onderdak te verschaffen voor overdag. De scholen deden dienst als Schreibstubes, verhoorlokalen en kantines. Dat de kinderen eerst elders les kregen en later helemaal niet meer, kon Schmitz geen bal schelen: hij was militair.

Naast de detachering betrof zijn grootste zorg de twee bruggen binnen het gebied en de raffinaderij bij Pernis. De laatste was in mei 1940 onklaar gemaakt door een Britse sabotageploeg. Het in brand steken van de olietanks en tot ontploffing brengen van de installaties was haastig en slordig uitgevoerd: drie dagen na de capitulatie waren de branden geblust. Toen bleek slechts vijf procent van de olievoorraad vernietigd. Een paar weken later draaide de raffinaderij als voor de oorlog. Sindsdien waren door de Engelsen vele pogingen gedaan de raffinaderij plat te bombarderen. Een enkele tank was geraakt, maar het luchtafweergeschut van de in Rhoon gelegerde afdeling Flugzeug Abwehr Kanone (FLAK) had de meeste bommenwerpers uit de buurt weten te houden. Schmitz vreesde echter dat de installaties opgeblazen zouden worden door Hollandse sabotagegroepen of gedropte Engelse agenten van de geheime dienst. Vaak hield hij zoekacties in de polders.

Voor het controleren van de bevolking, die steeds vijandiger begon te worden, had Schmitz een aantal steunpunten ingericht. Het belangrijkste bevond zich op de Rijsdijk in Rhoon en stond onder bevel van onderofficier Loos. Schmitz bemoeide zich niet al te nadrukkelijk met het werk van Loos. In de eerste plaats vertrouwde hij de man niet – hij was een Sudeten-Duitser, voor Schmitz een halve Tsjech. In de tweede plaats viel er voor een militair weinig eer te behalen aan papiercontroles of razzia's. Je daalde dan af tot het veldwachterwerk. Een brug, een raffinaderij of een haven uit handen van de vijand houden gaf je als marineofficier een grotere voldoening.

Al met al was de organisatie ingewikkeld geworden, door de duur van de bezetting en de sterker wordende kans op een tweede geallieerde invasie. In veel kwesties moest hij toestemming vragen van de bazen in Rotterdam, van Kampfkommandant Generalmajor Kistner of aan Wehrmachtsbefehlshaber General der Flieger Christiansen. Zij besloten vaak de SD en de Gestapo in te schakelen. Op die diensten had je als Oberleutnant Kriegsmarine geen enkele grip.

Op 10 oktober was Karl Schmitz vroeg naar boven gegaan. Lezen in bed lukte hem nooit. Ook als hij nog een rapport moest doornemen viel hij als een blok in slaap.

De telefoon maakte hem wakker. Een schel gerinkel, gevolgd door geblaf. Een paar seconden vroeg Schmitz zich af of hij zich niet om zou draaien en rustig verder zou slapen. Toen vreesde hij zijn plicht te verzaken.

Hij stond op, knipte het licht aan, zag dat het elf uur was en liep naar het toestel, dat beneden aan de wand van de gang hing. Het hondje gromde. Schmitz liet de telefoon nog eenmaal overgaan. Toen greep zijn hand naar de bakelieten hoorn en begon het donkerste etmaal uit zijn leven, een etmaal waarin hij de ene na de andere foute beslissing nam.

Tijdens het verhoor dat de rechercheurs Siebrant Boeree en Leendert Ridderikhoff de gewezen luitenant op 21 oktober 1949 in het Hoofdbureau van Politie in Rotterdam afnamen, verklaarde Karl Schmitz dat hij, terwijl hij 'reeds te bed was', een telefonische melding kreeg van onderofficier Walter Loos. Die rapporteerde hem dat die avond op de Rijsdijk een van zijn manschappen dood was gebleven door aanraking met een elektrische krachtstroomdraad. Loos vermoedde dat er sabotage in het spel was en had ondertussen al zeven Nederlanders aangehouden die hij van betrokkenheid bij de sabotage verdacht.

Van de gearresteerden herinnerde Schmitz zich slechts één naam: Wagenmeester, 'een fietsenmaker uit de omgeving'. De gearresteerden werden diezelfde nacht naar Hoogvliet gebracht en op bevel van Schmitz in een kelderruimte opgesloten. Voordat zij ingesloten werden, had hij ze níét geïdentificeerd, laat staan verhoord.

Dezelfde avond – ik volg nog steeds de verklaring van Schmitz – had de luitenant de melding van Loos telefonisch doorgegeven aan zijn hoogste chef, de Fregatten Kapitän Ehme Suhrmeyer. Van de zijde van Suhrmeyer had hij geen bevelen ontvangen, slechts de order alles schriftelijk te melden. Dat was gebruikelijk bij de Kriegsmarine – bootsman Loos had tijdens het telefoongesprek met Schmitz ook direct de opdracht gekregen de sabotage schriftelijk te melden.

In eerste instantie waren de officieren met procedurekwesties bezig en met bureaucratisch gepriegel. Het had iets obsessiefs: schriftelijk melden! Schmitz liet na bij Loos te informeren of er duidelijke bewijzen waren voor sabotage. Hij vroeg hem evenmin of hij overtuigend kon aantonen dat de zeven gearresteerden bij de sabotage waren betrokken. Volgens zijn eigen verklaring droeg hij Loos alleen op een rapport te schrijven, schreef hij zelf een rapport en keerde haastig terug naar bed.

De volgende morgen stond Schmitz in zijn eigen woorden 'zeer vroeg' op. Gewoonlijk begon de dienst op zijn Schreibstube om ongeveer halfacht. 'Deze morgen waren we echter reeds veel vroeger daar.' De luitenant ging zijn kantoor binnen en slaakte een zucht van verlichting: de schriftelijke melding van Loos was binnen. Schmitz nam die door, schreef er een krabbel onder bestemd voor de Kommandeur in Rotterdam en zette er zijn handtekening onder. De melding stuurde hij onmiddellijk in viervoud met een motorkoerier naar Rotterdam. Hij wreef zich in de handen: de organisatie van zijn eenheid werkte perfect.

Schmitz had er goed aan gedaan vroeg op te staan. Maar hij had er nog veel beter aan gedaan de situatie op Het Sluisje de vorige avond in ogenschouw te nemen. Dan had hij zich een eigen beeld kunnen vormen, in plaats van op de bevindingen van bootsman Loos af te gaan.

Of gaf hij tijdens het verhoor een verkeerde voorstelling van zaken? Loog Schmitz?

Ja, hij loog.

De rechercheurs van het Bureau Opsporing Oorlogsmisdrijven hoorden hem aan, tikten zijn verklaring uit en lieten die door Schmitz ondertekenen. Het was eind 1949. Twee maanden later zouden de jaren vijftig beginnen en de ondervragers hadden genoeg van de oorlog. Snel deze zaak afhandelen en dan: Schluss! Het had allemaal lang genoeg geduurd.

Wat er precies gebeurd was, ach, wat deed dat er nog toe?

Als de beide heren ook maar één blik hadden geworpen op de verklaring die de huishoudster van Schmitz een paar maanden eerder had afgelegd, zouden ze gezien hebben dat de luitenant op een slinkse manier bezig was zijn hoofdrol in een bijrol te veranderen. Sterker nog, als een van de rechercheurs even goed had nagedacht en op zijn herinnering was afgegaan, zou hij een paar verhelderende vragen hebben kunnen stellen. Die rechercheur, Siebrant Boeree, had namelijk zélf Maria de With verhoord.

Schmitz was erg boos geworden toen hij de melding van Loos had gekregen. De draad, schreeuwde hij tegen Maria, was door 'terroristen' over de weg gespannen. Hij zou die actie vergelden, hij zou er 'vele mensen voor kapotschieten'.

Rustig terug naar bed? Welnee. Schmitz belde naar zijn eenheid in de school van Hoogvliet. Even later kwamen een paar soldaten de woning binnen. Hij riep: 'Jullie zullen het executiepeloton vormen. Ik zal zelf het commando voeren over dat peloton.' Schmitz, nog maar net op de hoogte gebracht, had dus al precies in zijn hoofd hoe de dood van Ernst Friedrich Lange vergolden moest worden. Maria: 'Hij nam een zeer bewuste houding aan en was blijkbaar enthousiast over het gebeurde.' Eindelijk bloed in plaats van inkt en schrijftafelwerk!

De Rotterdamse rechercheurs hadden vervolgens de verhoren onder de loep moeten nemen die de leden van The Netherlands War Crimes Commission in het voorjaar van 1949 in West-Duitsland afnamen. Bijna alle ondergeschikten van Schmitz waren opgespoord en ondervraagd door majoor b.d. Jonkheer Mr. F.A. Groeninx van Zoelen en 1ste luitenant J.Th. Mekers.

Obermaat Albin Eberhardt en Obermaat Hermann Heindorf verklaarden dat bootsman Walter Loos luitenant Schmitz tot 'scherp optreden' had aangezet. Hauptfeldwebel Willy Fenner verklaarde dat hij kort na de melding Schmitz naar de onheilsplek had gereden: de Rijsdijk in Rhoon. De luitenant had Heinz Hanneforth en Johannes Seidewitz opgedragen met hem mee te gaan. Ze reden er met de open dienst-DKW heen. Nee, per rijwiel, meende Seidewitz zich te herinneren.

Dat lijkt me stug. De zwaarlijvige Schmitz behoorde overdag al niet tot de alleractiefsten, laat staan 's avonds laat, na een uitgebreid maal. Hij liet zich in zijn dienstauto naar de Rijsdijk rijden.

Even voor middernacht zagen ze bij Jan Krijn Jabaaij het ontzielde lichaam van Ernst Lange op de divan liggen. Toen ze het huis binnengingen, had de Rhoonse huisarts dokter Koos Monteyn net de dood geconstateerd en de overlijdensakte opgemaakt.

Vooral commandant Schmitz reageerde alsof hij zélf een stroomstoot had gevoeld en maar ternauwernood aan de dood was ontsnapt. Hij was buiten zichzelf en reageerde volgens Seidewitz 'als een bullebak'.

Ik kan me niet voorstellen dat Seidewitz het Dik Tromwoord 'bullebak' heeft gebruikt. De jonkheer met de dubbele naam zal het wel zo vertaald hebben voor het proces-verbaal van de Oorlogsmisdaden Commissie.

Een andere ondergeschikte, Hermann Heindorf, vond dat Schmitz de mentaliteit had van een 'kleine städtische Angestellter' en daarnaar handelde: als een benepen ambtenaartje uit een provinciestadje dat plotseling de macht kreeg over leven en dood.

Geen van de gewezen militairen deed een poging tot nuancering. Schmitz was volgens hen allen als een beest tekeergegaan. Hij was verantwoordelijk voor wat er op Het Sluisje gebeurde. Allen gebruikten hetzelfde woord, alsof ze het met elkaar hadden afgesproken: 'Schweinerei.'

Het was de schuld van hun baas. Dat klopt. Maar de volgende dag zouden ze zich net zo goed als zwijnen gedragen: Seidewitz, Heindorf, Hanneforth, allemaal, met uitzondering van één soldaat, die zich afwendde en in huilen uitbarstte.

Die soldaat zond Schmitz woedend heen.

De per motorkoerier in viervoud verstuurde melding werd door de staf van de commandant in Rotterdam verder verspreid en doorgestuurd naar de secretarie van de marinebevelhebber, de Sicherheitsdienst aan de Heemraadssingel en de Gestapo aan het Haagsche Veer. Telefonisch had kapitein-luitenant-ter-zee Suhrmeyer de vorige avond tegen Schmitz gezegd dat hij de volgende morgen, in het eerste licht, de onheilsplek in ogenschouw wilde nemen. Schmitz had beloofd hem op te halen bij de stadsgrens van Rotterdam.

Willy Fenner zat weer achter het stuur van de open DKW. Hij reed de officieren Suhrmeyer en Schmitz naar Het Sluisje en hoorde hoe ze daar uitleg kregen van bootsman Walter Loos en 'van een soldaat die bij het gebeurde aanwezig was geweest' – Heinz Willems. Willy Fenner zou later een belangrijke getuige blijken. Wachtend achter het stuur van de open personenauto keek hij goed om zich heen en spitste zijn oren.

Loos was bijna klaar met zijn versie van het gebeurde toen de SD arriveerde. De agenten van de Sicherheitsdienst namen het onderzoek onmiddellijk over, haalden bij de vlasfabriek een ladder, zetten die vanaf de dijk tegen de muur van de loods, klommen op het dak en inspecteerden de aansluiting van de hoogspanningskabel. Walter Loos keek toe. Wat zal hij gedacht hebben? Dat het wel erg gemakkelijk was geweest om bij die kabel te komen?

De SD'ers constateerden dat er een porseleinen isolatiepotje gebroken was. Ze inspecteerden de kabel en namen die mee.

Ik vroeg Berry Hersbach waarom ze dat deden. Hij vertelde me dat je kunt zien of een kabel gebroken is of doorgeknipt. Een kabel die breekt maakt kortsluiting en lijkt doorgebrand. Een kabel die met een isoleertang is doorgeknipt, vertoont geen brandsporen.

De kabel was het overtuigende bewijsstuk. Hij verdween in de kelders van de Sicherheitsdienst en zou nooit teruggevonden worden.

De SD-agenten verhoorden Loos en Willems. Toen was het voor hen zo klaar als een klontje: sabotage.

Afgaand op de verklaring van Loos kan ik me dat voorstellen. Want wat vertelde hij? Dat hij met twee man te voet op patrouille was gegaan. De Rijsdijk af, tot het dorp. Geen onraad, er was niets gebeurd. Langs de vlasfabriek waren ze gelopen. Bij de bebouwde kom hadden ze rechtsomkeert gemaakt. Een paar minuten later waren ze weer langs de vlasfabriek gelopen. Toen hing er een stroomdraad over de weg.

Dit behoefde voor de SD nauwelijks nader onderzoek. Loos

had het overtuigend gebracht: dit was overduidelijk sabotage.

De schuldigen? Loos was bij Wagenmeester wezen vragen om gereedschap. Dat had Wagenmeester hem niet willen geven. Hij was teruggegaan naar zijn kameraad Lange. Even later was hij opnieuw naar Wagenmeester gegaan. Hij had hem gearresteerd en meegenomen naar de dijk. Daar had Wagenmeester onder bedreiging dan eindelijk de draad doorgeknipt.

De SD'ers knikten weer. Wagenmeester: het brein achter de sabotage.

Kapitein Suhrmeyer vond het toen wel welletjes. De Standortalteste, Ortskommandant en Bereichsführer van de 20ste Schiffstammabteilung maakte zich op om naar het hoofdkwartier in Ede terug te keren. Voor het verdere onderzoek zei hij op de SD te rekenen.

Luitenant Schmitz reed met de SD'ers naar Hoogvliet.

De zeven arrestanten waren die morgen vroeg een paar minuten gelucht. Ze mochten naar de wc. Toen moesten ze weer in de kelder terug. Liggen, zitten. De kelder mat twaalf vierkante meter en was één meter twintig hoog. Ik heb het nagemeten. De school in Hoogvliet staat er niet meer, de woning van het schoolhoofd nog wel, tussen tientallen flats. Aan de kelder is niets veranderd. Nog even donker, nog even kil.

Om een uur of tien arriveerde Schmitz met de SD'ers en begonnen de verhoren. De planken van de vloer waren niet erg dik, de mannen in de kelder konden vrijwel alles verstaan wat er boven hen werd besproken. Ze hadden al snel in de gaten dat er SD'ers uit Rotterdam naar Hoogvliet waren gekomen. Hoeveel konden ze niet precies nagaan; in ieder geval was er een tolk bij.

Als je in handen van de SD viel, kon je het vergeten. Iedereen wist dat in 1944. De Gestapo organiseerde razzia's, sloeg, martelde, dwong arrestanten tot een bekentenis, doodde. De SD, de veiligheidsdienst van de SS, was een dolgedraaide moordmachine.

Schmitz verklaarde in 1949 dat hij niet had deelgenomen aan de verhoren. Hij was er wel bij geweest – ofschoon niet voortdurend – maar de SD'ers en de twee agenten in burger van de Gestapo ondervroegen de arrestanten. Wim Wagenmeester weersprak dit in zijn verklaring: Schmitz had wel degelijk vragen gesteld en dreigende taal uitgeslagen.

Wijnand Wagenmeester werd als eerste naar boven geroepen. Zijn zoon Wim: 'De Duitsers beweerden dat wij – mijn vader, mijn broer en ik – de schuldigen waren en mijn vader de hoofdschuldige. Wat er verder besproken is, weet ik niet meer.'

Wim begreep dat de situatie er somber uit begon te zien en verkeerde in doodsangst. Hij kon zich niet meer concentreren. Job de Kooning, de zoon van Aalbert, slaagde er beneden in de kelder wél in het verhoor te volgen. Hij hoorde Wijnand Wagenmeester vragen of zijn zoon Wim niet naar huis mocht omdat hij pas zestien jaar was. Vader Wagenmeester kwam daar een paar keer op terug: Wim is nog een kind. En juist dat kon Wim zich later niet meer herinneren.

Wat hem weer wel was bijgebleven was dat vervolgens hijzelf, Job de Kooning Azn en Bo Robbemond verhoord werden. 'Bij mijn verhoor werd een radiotoestel gebracht, dat ik een paar dagen tevoren uit elkaar had gehaald en in een vlasschelf bij de vlasfabriek weggestopt had. De Duitsers probeerden van mij te weten te komen van wie het toestel was. Ze hebben over het radiotoestel alleen met mij gesproken en niet met de anderen.'

Het toestel was van vader Wagenmeester. Dirkje de Ruyter had aan de Duitsers doorgegeven dat hij het bij de vlasfabriek had verstopt.

De radio stond demonstratief op tafel toen Wijnand Wagenmeester werd verhoord. De Duitsers probeerden zoon en vader tegen elkaar uit te spelen. Dat lukte niet. Toen namen de agenten van de Gestapo een agressiever houding aan. Ze deelden een paar rake klappen uit. Schmitz volgde hun voorbeeld, ook hij sloeg Wagenmeester. Eén keer, twee keer, hard. Hij sloeg nadat hij het de Gestapo had zien doen. Naderhand ontkende hij dat hij aan de verhoren had deelgenomen. Dat tekent Schmitz ten voeten uit.

Voor de Duitsers was de radio een belangrijk bewijs om vader Wagenmeester en zijn beide zonen tot 'subversieve elementen' te bestempelen, tot 'anarchisten', 'terroristen'. Het toestel stond nog steeds op tafel toen Job de Kooning naar boven werd geroepen – de Job met het bruine en het blauwe oog. Hij keek beter om zich heen dan de jonge Wim.

Achter een tafel, verklaarde hij op 15 januari 1946 toen het onderzoek van de Politieke Opsporingsdienst begonnen was, zaten drie Duitsers, gekleed in uniform. Minstens een van die Duitsers had op de kraag van zijn uniform zwarte kraagspiegels. Bovendien stonden er nog twee Duitsers, ook in uniform.

Die met de zwarte kraagspiegels moeten de SD'ers zijn geweest. Job zei het al: minstens één. Het waren er twee.

Job duidden ze aan met 'de landbouwer waar we gisteren zijn geweest'. Uit die omschrijving maak ik op dat Walter Loos of Heinz Willems tot de ondervragers behoorde. Loos arriveerde pas om vier uur in de middag in Hoogvliet, dus het moet Willems zijn geweest.

De Duitsers vroegen of Job militair was geweest en nog een paar bijzonderheden over hem persoonlijk. Over de zaak zelf en 'het ongeval bij de vlasfabriek' vroegen ze hem niets. Wel toonden ze hem een scheermes dat ze de vorige avond van hem afgenomen zouden hebben. Ze vroegen wat hij met dat mes deed. Job zei dat het van Bo Robbemond was en dat Bo het op het land gebruikte.

Bo werd naar boven geroepen. De ondervraging van Robbemond duurde maar kort: toen Job weer in de kelder werd opgesloten, was het verhoor al bijna voorbij. Ook Bo werd geslagen.

Een macabere stoelendans volgde. De 'zestienjarige' werd weer naar boven geroepen. In de haast van zijn arrestatie had Wim zijn schoenen niet mogen aantrekken; hij stond daar op zijn klompen, in overhemd, met een afzakkende broek: de bretels waren hem de vorige avond afgenomen voor hij met de anderen in de kelder was opgesloten. Een echte jongen nog, met een blonde kuif. Na een blik van de Duitsers op hem werd hij opnieuw naar de kelder gedirigeerd. Een paar minuten later moest hij weer terugkomen. Toen was het treiteren en het spelen met zijn angst voorbij en werd hij vrijgelaten.

De drie andere arrestanten – Tijmen Wagenmeester, Dries Marcelis en Job de Kooning, de zoon van Dimmen – werden niet verhoord. Aan de schijnvertoning kon een einde worden gemaakt; de SD vond dat hij over voldoende bewijzen beschikte.

Tijmen hoorde enige tijd later dat er boven iemand, een Hollander, de vrijlating van een van de zes overgebleven mannen aan het bepleiten was. Tijmen zei tegen de anderen dat hij niet kon verstaan om wie het ging. Waarschijnlijk kon hij dat heel goed, maar wilde hij geen onenigheid tussen de mannen in de kelder veroorzaken. Tijmen moet ook geweten hebben wie die Hollander boven was. Hij moet hem aan zijn stem hebben herkend: Jan Krijn Jabaaij, de NSB'er.

Wim Wagenmeester liep van Hoogvliet over het fietspad langs de Groene Kruisweg naar zijn oom in Poortugaal, zijn oom de hoofdonderwijzer. Oom Maarten belde oom Han, de Opeldealer. Oom Han kwam Maarten met de auto ophalen. Wim zat te bibberen op de achterbank. De tranen schoten hem in de ogen, zijn stem schoot in de hoogte, gierde. Hij was totaal in de war door twee dingen die hij zijn oom vertelde.

Onderweg van Hoogvliet naar Poortugaal was hij door twee oude Duitse militairen ingehaald die hem hadden toegeroepen: 'Ze zijn al dood, hoor.' Ze: zijn vader, zijn broer, de andere mannen in de kelder. Even later was hij Jan Krijn Jabaaij en Walter Loos tegengekomen, die snel en met rood aangelopen hoofden in de richting van Hoogvliet fietsten. Om de een of andere reden vond hij dat even onheilspellend als de grijns waarmee de 'oude' moffen – ze waren overigens pas veertig – hem bang hadden gemaakt.

Wim vergiste zich in de chronologie. Zijn oom Han had hem niet onmiddellijk naar huis gebracht. Eerst had Han zijn broer Wijnand en zijn neef Tijmen proberen te redden. Samen met Maarten de hoofdonderwijzer was Han Wagenmeester naar het gemeentehuis van Rhoon gereden.

De gebroeders Wagenmeester vroegen de tweede ambtenaar ter secretarie Ad Breeman of de burgemeester niet een goed woordje voor de gearresteerden kon doen in Hoogvliet. Tijdens het gesprek kwam burgemeester Groeneboom het gemeentehuis binnen. Hij was ontsteld over de gebeurtenissen maar moest zich formeel opstellen: Het Sluisje behoorde sinds 1934 niet meer tot de gemeente Rhoon en viel onder de gemeente Rotterdam. Alleen de burgemeester van Rotterdam kon een dringend verzoek aan de Duitse bevelhebber van Rotterdam laten uitgaan.

'Dat heeft geen zin,' zei Han Wagenmeester.

Hij had gelijk: de burgemeester van Rotterdam, mr. P.J. Oud, had in juli 1941 zijn ontslag aangevraagd. In oktober van datzelfde jaar was hij opgevolgd door ir. Frits Müller, zoon van een welgestelde Utrechtse industrieel en een Duitse barones. Müller behoorde tot de eerste leden van de NSB (lid nummer 543) en was de vertrouweling geworden van de leider van de beweging, ir. Anton Mussert. Een moeilijk plaatsbare man. Het tegendeel van een fanaticus, eerder een beschouwend ingestelde heer van stand. Toch had Müller van het gehele Rotterdamse ambtenarenapparaat een NSB-kliek gemaakt. Noch van hem, noch van zijn ambtenaren hoefden Han en Maarten Wagenmeester enige hulp of clementie te verwachten.

Door het voorwerk van bootsman Loos stond het voor de Kriegsmarine, de Sicherheitsdienst en de Gestapo vast dat het hier om sabotage ging. In 1941 had de bevelhebber van Rotterdam, generaal Christiansen, verordonneerd dat sabotage ondubbelzinnig vergolden moest worden. Na Dolle Dinsdag had hij de richtlijnen verscherpt.

'Laat mij met de Wagenmeesters meegaan,' stelde de tweede man op het gemeentehuis Ad Breeman voor. 'Ik probeer het eerst bij Schultze, ik heb zo vaak met hem te maken dat ik zo bij hem naar binnen kan lopen. Ik denk dat ik invloed op hem heb, ik kan er voorzichtig op aansturen dat hij Schmitz op andere gedachten brengt.'

'Goed voorstel,' reageerde burgemeester Groeneboom. 'Ik heb formeel geen enkel recht van spreken. Jij kunt ze de bezorgdheid en de verontwaardiging van de Rhoonse bevolking overbrengen.'

Dat had hij zelf ook kunnen doen. Of dacht de stroeve Groeneboom dat Breeman meer kans van slagen had?

Burgemeester J.H. Groeneboom sprak geen woord Duits, dat was het vooral. Hij legde zich neer bij de beslissingen en verordeningen van de bezetter. Uit zichzelf nam hij alleen contact op met Duitse officieren die zich het Nederlands eigen hadden gemaakt. Ik begreep zijn gedrag pas toen ik erachter kwam hoezeer hij zich voor zijn gebrek aan talenkennis schaamde. Alle officiële contacten met de Duitse autoriteiten liet hij aan Breeman over, de jonge intellectueel op het gemeentehuis.

Ad Breeman werkte al negen jaar op de secretarie van Rhoon. Hij was geen broekie meer maar had nog wel het enthousiasme van iemand die net aan zijn loopbaan was begonnen. Met zijn altijd wat scheefhangend hoofd, zijn eigenwijs opwippende kuif, zijn ronde brillenglazen in een doorzichtig montuur en zijn lippen die zich bijna automatisch in een glimlach plooiden, zag hij er even innemend als slim uit. Hij sprak vlot Duits en kon af en toe Goethe citeren, iets waar Oberleutnant Schmitz totaal ongevoelig voor was maar Oberleutnant Schultze niet.

Schultze was de commandant van Rhoon. Hij zetelde in Villa Johanna aan de Dorpsdijk. Schultze gedroeg zich alsof hij de eigenaar van die villa was: als een landjonker die zijn slechte intenties achter goede manieren verborg.

Sinds de gemeenteraden in 1941 op last van de bezetter waren opgeheven en de wethouders waren heengezonden, vormden de burgemeester en de gemeenteambtenaren de enige schakels tussen het militaire en het burgerlijke gezag. Breeman kwam inderdaad zo vaak bij de commandant over de vloer dat hij, na zich gemeld te hebben, direct kon doorlopen en, belangrijker nog, alleen naar binnen kon gaan in zijn schrijfkamer voor een gesprek onder vier ogen. Met een adjudant erbij, een ordonnans of een tolk zou de commandant veel voorzichtiger hebben moeten reageren.

Ad Breeman, die na de oorlog archivaris van de Vereniging van Nederlandse Gemeenten zou worden, voelde dat de geschiedenis over zijn schouders meekeek. Hij maakte die dagen van alle ontmoetingen aantekeningen en werkte die direct na de oorlog uit tot een welhaast stenografisch verslag. Door zijn precisie kan ik bijna woordelijk weergeven wat er toen besproken is.

Zonder omwegen of plichtplegingen vertelde de tweede ambtenaar ter secretarie de Ortskommandant de reden van zijn komst. Schultze reageerde even snel. Tot schrik van Breeman zei hij dat de zaak er vrijwel hopeloos voor stond, zeker voor vader Wagenmeester. Hij was zelf op Het Sluisje geweest en had vastgesteld dat de betreffende draad niet losgestormd was maar expres doorgesneden.

'Een sabotagedaad, Herr Breeman.'

De Sicherheitspolizei, die met het onderzoek belast was, had hetzelfde geconstateerd.

'Dan weet u wel hoe het ervoor staat. Als de sd ergens van overtuigd is, kan niemand het tegendeel beweren.'

Schultze vreesde het ergste voor de betrokkenen.

'Maar Herr Ortskommandant,' zei Breeman zo nederig mogelijk, 'kunt u mij en de heren Wagenmeester niet introduceren bij uw collega in Hoogvliet?'

Schultze schudde het hoofd.

'Jammer genoeg niet. Ik heb formeel geen bemoeienis met een zaak die zich buiten het Rhoonse grondgebied afspeelt.'

De militaire gezaghebber gebruikte hetzelfde argument als de Hollandse burgemeester Jan Hendrik Groeneboom – de spreekwoordelijke burgemeester in oorlogstijd. Of in de woorden van Berry Hersbach: een flapdrol.

'Het is werkelijk onmogelijk,' vervolgde de Ortskommandant. 'Collega Schmitz is van dezelfde rang.'

Tja. Stel je voor dat de ene luitenant de andere op de vingers tikt! Dat zou het einde van het Duitse leger betekenen.

Breeman nam haastig afscheid; dit had verder geen zin. Hij liep naar buiten, stapte in de auto en zei tegen Han Wagenmeester en zijn broer: 'De volgende poging wordt de laatste. Zo snel mogelijk naar Hoogvliet.'

Han gaf gas en de Opel schoot de Dorpsdijk op.

Zijn broer Maarten huiverde.

'Je ziet er aangeslagen uit, Breeman.'

'Zo voel ik me precies. Zeer terneergeslagen. Bij Schultze dacht ik een potje te kunnen breken. Maar die nazi's zijn zo verrekte formeel.'

'Gaan Maarten en ik in Hoogvliet mee naar binnen?' vroeg Han.

'Beter van niet. Ik kan het als gemeenteambtenaar even formeel proberen te spelen als zij.'

'Zakelijk blijven,' knikte Han, 'met lovende woorden voor de persoon. Zo doe ik het ook altijd bij de hoge omes van Opel.'

In Hoogvliet diende Breeman zich aan als 'Gemeindesekretär von Rhoon'. Hij mocht alleen naar binnen en schrok van de vijf officieren die achter twee aaneengeschoven tafels zaten. Aan weerszijden stonden mannen, al dan niet in uniform. Hij had alleen Schmitz verwacht, niet een hele delegatie. Ad stelde zich nogmaals als 'Gemeindesekretär' voor en vroeg de Ortskommandant te spreken.

Breeman zou ook ná de oorlog nog niet in de gaten hebben dat hij met die vraag tegen het zere been van Schmitz schopte. Hij, Karl Schmitz, was de belangrijkste militair in de regio; waarom vroeg dan iedereen naar de Orts-kom-man-dant?

Schmitz' gezicht werd rood en bars en kreeg scherpe trekken.

'Was wollen Sie?'

'Ik kom hier om te informeren naar de toestand van de zes gevangenen en in het bijzonder van de beide Wagenmeesters.'

'Hebt u dan persoonlijk iets met de zaak te maken?'

'Nee.'

'Dan gaat het u geen donder aan.'

Naast Schmitz zat een officier met blond haar. Hij keek steeds half vragend van de gemeenteambtenaar naar de luitenant, maar durfde niet te interrumperen. Ik zie het door de nauwkeurige beschrijving van Ad voor me: onder de schoften is er één die zich schaamt.

'Zijn de betrokkenen nog hier in dit gebouw?' vroeg Breeman.

'Dat gaat u óók geen sodemieter aan.'

'Kan ik voor de gevangenen bemiddelen?'

Schmitz richtte zich half op, keek Breeman met zijn inmiddels bijna purperrode gezicht aan en schreeuwde: 'Nein!!'

Ad achtte toen het moment gekomen om zich snel te verwijderen.

'Iets,' schreef hij na de oorlog, 'waar ik vooral later erg blij om was, want in zijn woede had de heer Schmitz me wel over één kam met de anderen kunnen scheren.'

In de auto zei Han Wagenmeester dat hij het nog in Rotterdam bij de Sicherheitspolizei zou gaan proberen. Dat raadde Ad Breeman hem ten sterkste af.

'Ze zijn tot alles in staat. Hoe meer we ons ermee gaan bemoeien, des te meer doden er vallen.'

Toen ze de jonge Wim ophaalden en naar Het Sluisje terugbrachten, was Han tot dezelfde conclusie gekomen.

In Rhoon, bij de kruising van de Dorpsdijk en de Groene Kruisweg, vroeg Ad Breeman te stoppen. Hij durfde niet tegen Han, Maarten en de jonge Wim Wagenmeester te zeggen dat hij die dag jarig was.

'Ik moet nog even op het gemeentehuis zijn,' gaf hij als reden op.

Hij stapte uit, liep de vijftig meter naar het gemeentehuis, bracht verslag uit van zijn bevindingen aan de eerste ambtenaar ter secretarie, de derde ambtenaar en natuurlijk aan de burgemeester. Groeneboom onderbrak hem niet eenmaal en schudde na iedere zin het hoofd. Hij was een bange man, geen slechte: hij vreesde dat er bloed zou vloeien, en al was dat net buiten de gemeentegrens, hij kende al de mensen van Het Sluisje van haver tot gort.

Ad stopte het lege broodtrommeltje in zijn aktetas. Toen vertrok hij met een verontschuldiging die hij mompelend uitsprak.

'Mijn zevenentwintigste, vandaar.'

'Zevenentwintigste wat?'

'Verjaardag.'

'Dat vierden we vroeger met moorkoppen en vruchtengebak,' riep de derde ambtenaar.

Ad haalde verontschuldigend de schouders op.

'Daar heb ik geen bonnen meer voor.'

Ad zou het vieren met een kop thee bij zijn hospita. Onderweg naar zijn kosthuis aan de Molendijk nam hij zich voor zo weinig mogelijk te vertellen over zijn bezoeken aan Schultze en Schmitz en over de toestand waarin hij de jonge Wim Wagenmeester had aangetroffen. Zijn hospita was namelijk Trees Wagenmeester, een ongetrouwde zus van Maarten, Han en Wijnand Wagenmeester. Vooral om juffrouw Wagenmeester een dienst te bewijzen was hij met Han en Maarten meegegaan naar Hoogvliet en hij had gehoopt met veel beter nieuws naar zijn kosthuis te kunnen terugkeren.

'Slechte tijdingen komen altijd nog vroeg genoeg,' zei Ad tegen zichzelf. Hij moet tevreden zijn geweest over die zin, want hij schreef hem die avond tweemaal: in een brief naar huis en in een notitie die hij naderhand voor zijn verslag zou gebruiken.

Ad Breeman kon over de Dorpsdijk en het begin van de Rijsdijk naar zijn kosthuis aan de Molendijk lopen, of over het fietspad langs de Groene Kruisweg. Dat hij voor het laatste traject koos, was vanwege de dubbele rij kastanjebomen naast de Groene Kruisweg. Hun bladeren waren in dit jaargetijde bronzig bruin of zwavelgeel en maakten van de provinciale weg een allee. Anderen hielden van de lente, de zomer; Ad had een sterke voorkeur voor de herfst. De eerste kastanjes waren al gevallen. Helaas oneetbaar, het waren paardekastanjes. De bladeren van de paardekastanje – hoefijzervormig met meer dan drie bladsporen – waren wel veel mooier dan die van tamme kastanjebomen.

Ad schrok uit zijn mijmeringen op toen dertig Duitse militairen op de fiets hem passeerden, geheel in oorlogsuitrusting, met de karabijn op de rug en met gaas op de helmen. Ze reden over het fietspad in de richting Rotterdam en Het Sluisje.

Bijna tegelijkertijd reed hem op de weg een militaire vrachtauto voorbij. In de laadbak stonden een paar soldaten met het grendelgeweer aan de voet. Ze hielden de blik strak naar beneden gericht op iets dat daar kennelijk lag. Toen de vrachtwagen hem gepasseerd was, zag Ad een zeil. Onder dat zeil vandaan staken over de klep van de laadbak heen drie paar schoenen en drie paar klompen.

Zes paar schoenen en klompen. Of waren het er vijf? De vrachtwagen was al te ver weg om ze nog te kunnen tellen.

Een tweede legerauto volgde, die aan een touw een tiental Duitse soldaten op de fiets voorttrok.

Ad keek op zijn horloge. Het was vijf voor halfvijf.

Achter de tweede legertruck reed een open DKW. Naast de militaire chauffeur zat Oberleutnant Schmitz in donkerblau-

we uniformoverjas en met officierspet op. Hij maakte driftige gebaren en rookte een sigaret. Achter in de auto zaten
twee onderofficieren met een staand machinegeweer tussen de
knieën.

ZES

Ook Aalbert de Kooning stond die morgen vroeg op. Tegen zijn gewoonte in: onder normale omstandigheden liet hij het eerst licht worden. De oude boer moest niets van de Duitsers hebben. Die Hitler, die had de Midden-Europese zomertijd ingevoerd, ook in de bezette gebieden. Voor Aalbert de Kooning bewees dat hoe dom de man was. Iedereen op het platteland wist dat de koeien onrustig werden van de zomertijd.

Aalbert voerde zijn eigen oorlog tegen de bezetter: voor zichzelf bleef hij de vroegere wintertijd aanhouden. Iedere morgen liet hij zijn dag één uur en veertig minuten later beginnen dan de anderen in het dorp. Het gevolg was dat zijn zoon Job de koeien dan meestal al had gemolken. Job vond dat zijn vader niet moest zaniken en hield de zomertijd aan.

Die morgen schoof Aalbert de Kooning onder de koeien in de stal toen het buiten nog donker was. Hij moest wel, ze hadden Job als een kleine dondersteen bij de kladden gegrepen. Onwennig zat hij op de kruk, onwennig kneep hij in de uiers. Hij had al zeker vier jaar niet meer gemolken, sinds de invoering van de zomertijd op 15 mei 1940. Als Job de koeien niet molk, dan deed Klaas Pikaar het, de onderduiker. Job wilde nog wel eens doorzuipen bij het biljarten. De volgende morgen vroeg riep hij dan op pesterige toon: 'Voor het vroege melken hebben we d'n onderduiker.' Op zulke dagen kwam Job pas tegen koffietijd uit bed.

De onderduiker hoefde niets te betalen voor kost en inwoning, dus hij moest wel meewerken. Hij morde trouwens nooit. Het vorige jaar was hij opgepakt door de Sicherheitsdienst. Op duvelse wijze had hij uit de politiecel weten te ontsnappen: door met zijn broekriem naar de grendel te hengelen. Zulk geluk is je geen twee keer beschoren. Die knaap was zo mak als een lammetje, bang dat hij zijn onderduikadres zou kwijtraken.

Op Klaas Pikaar kon de oude Aalbert die morgen evenmin rekenen: hij was niet teruggekomen van het verjaarsmaal met zijn ouders in Hoogvliet. Eenentwintig was hij geworden, een jaar om te vieren. Waarschijnlijk had hij gehoord wat er gebeurd was op Het Sluisje en hield hij zich voorlopig schuil. Wat hem betreft mocht Klaas nog even wegblijven: een onderduiker werk en inwoning verschaffen kon je have en goed kosten, als ze je snapten. Je eigendommen konden in beslag worden genomen, je huis kon in brand worden gestoken. Eén keer had het weinig gescheeld. Op een warme midzomeravond belden twee soldaten aan met een smoes; een minuut later stond het hele erf vol met die schreeuwlelijken. Klaas was meteen in de schoorsteen geklommen, zijn vaste plek als ze het niet vertrouwden. Een dik uur had hij op een richel in de schoorsteenpijp gestaan.

Als ze Klaas de vorige avond gepakt hadden, zouden ze alle mannen in huis hebben meegenomen, daar was Aalbert zeker van. Hem ook, al liep hij tegen de zestig. Hij had die Loos niet gezien – hij lag al te slapen – maar zijn vrouw was bang van de mof geworden. Ze had hem wakker gemaakt en gezegd dat die gast eruitzag alsof hij een heel huis kon uitmoorden.

Anders dan op andere dagen kleedde Aalbert zich na het melken netjes aan. In zwart pak. Hij had trouwens maar één pak, en dat was zwart. Tegen zijn gewoonte in koos hij voor schoenen in plaats van klompen. Normaal gesproken trok hij zijn schoenen alleen voor begrafenissen en bruiloften aan. Welbeschouwd was het vandaag een even belangrijke dag; je staat niet iedere morgen op met de opdracht je zoon vrij te krijgen.

Hij schatte de situatie in als hagel, vlak voor de oogst. Erger kon het volgens hem niet. Anderen op Het Sluisje dachten dat de mannen binnen een dag zouden terugkomen. Die hadden de agenten van de SIPO dan zeker niet opgemerkt. Toen hij de leren jassen van de Sicherheitspolizei zag dacht hij: nu wordt het menens.

Alles of niets, dat gevoel had hij. Ondanks de tijdsdruk was het zaak kalm te blijven. Hij moest zijn plan rustig uitvoeren, precies zoals hij het midden in de nacht uitgedokterd had.

Eerst bij vrouw Schoonaart langs.

Voor hij vertrok, wierp hij een blik in de spiegel. Dat deed hij anders ook nooit, de spiegel in de gang hing er voor zijn dochters. Hij wisselde van pet en zette zijn zondagse op. Toen liep hij naar vrouw Schoonaart.

Hij verstond zich lang met haar. Vrouw Schoonaart was de tweede vrouw Schoonaart. Ze was nog niet officieel met Schoonaart getrouwd, omdat hij wachten moest tot de echtscheiding van zijn vrouw rond was. De tweede mevrouw Schoonaart moest trouwens ook nog wachten op een echtscheiding. Het was tegenwoordig wat met die echtscheidingen; door de oorlog scheen iedereen op drift. De tweede vrouw Schoonaart moest wachten op de echtscheiding van de man voor wie ze aan het einde van de jaren twintig naar Nederland was gekomen. Van geboorte was ze Duitse; een Saksische, opgegroeid in de buurt van Leipzig.

Juist daarom praatte Aalbert lang met haar: zij wist hoe je het moest aanleggen met die Duitse praatjesmakers in uniform. Ze was een vriendelijk ogend mens, niet zo gekweld in ieder geval als Schoonaart, die door iedereen op de dijk met de nek werd aangekeken.

Bastiaan Schoonaart kwam van Goeree-Overflakkee. Zijn familie had een boerderij in Ooltgensplaat. Een knoert van een stee met 56 bunder grond. Zesenvijftig hectare, dat had bijna niemand op Rhoon. Toch brachten de akkers tijdens de landbouwcrisis van begin jaren twintig te weinig op om meerdere zonen binnen het bedrijf te houden. Bastiaan was de jongste. Hij liet zich uitkopen en investeerde de verkregen som in een boerenbedrijf aan de overkant van het Haringvliet. In 1924 verhuisde hij met vrouw en dochter naar Zuidland op Voorne-Putten. Weer een knaap van een boerderij, die meer investeringen vergde dan het geld dat Schoonaart erin had gestopt. Hij moest zich diep in de schulden steken. In 1929 ging hij failliet, in hetzelfde jaar trad hij in dienst van de Gemeentereiniging van Rotterdam als machinebankwerker. Een afgang voor een herenboer. Het eerste wat hij tegen Aalbert had gezegd toen hij met zijn vrouw en zijn twee meisjes een huisje aan de Rijsdijk had betrokken was dat hij handig met zijn handen was en plezier had in knutselen. Maar je gaat niet om te knutselen naar de Gemeentereiniging.

Aalbert had met hem te doen, ook al mocht hij hem niet. Schoonaart was teleurgesteld in alles: in de kerk, de boerenbond, de socialistische vakbond en de SDAP. Hij sympathiseerde met de NSB, verspreidde pamfletten en plakte affiches tijdens de verkiezingscampagnes in de jaren dertig. Het had nog tot 1942 geduurd voor hij lid van de Nationaal-Socialistische Beweging was geworden. Met een concrete reden: drie maanden later schreef hij een brief aan de leider van de Landbouwdienst met het verzoek om als landbouwbedrijfsleider te worden geplaatst in de Oekraïne. Schoonaart wilde weer herenboer worden, op een van de kolchozen die de nazi's op de Sovjets hadden veroverd.

Hij had Aalbert de brieven laten lezen die hij naar de Landbouwdienst in het Oosten had geschreven. Die begonnen allemaal met 'Kameraad' – het leken wel communisten. Ze eindigden met 'Hou Zee'. Schoonaart wilde van Aalbert weten of hij het goed aanpakte. Of hij een schijn van kans maakte. Aalbert had hem gevraagd: 'Hebben ze daar in de Oekraïne ook zomertijd?' Schoonaart wist het niet. Hij wist helemaal niets van de Oekraïne. Hij wilde alleen weer boer worden met minstens zesenvijftig bunder.

Een boer die zijn grond en zijn bedrijf kwijtraakt is tot veel in staat. Het verzoek aan de Landbouwdienst in het Oosten – een NSB-organisatie – kostte Schoonaart zijn huwelijk. Zijn vrouw Anna – een jeugdliefde, ze waren vanaf hun veertiende jaar samen – wilde niet mee naar Rusland en vroeg scheiding aan. Een jaar later ging Bastiaan samenwonen met Gabi Friederike Fromme uit het Saksische Mahltizsch en nog weer een jaar later werd hij waarnemend groepsleider van de NSB in Rhoon.

De verhuizing naar de Oekraïne ging niet door: het oprukkende Rode Leger maakte een einde aan die droom van Bastiaan. Hij bleef bankwerker bij de Gemeentereiniging in Rotterdam. In augustus 1944 trad hij af als waarnemend groepsleider van de NSB in Rhoon. Ook in de beweging was hij teleurgesteld geraakt. Maar het geloof in het nationaal-socialisme zwoer hij niet af: alleen het nazisme kon Europa redden.

Schoonaart bleef aan de zijde van de bezetter staan. In zijn geval viel dat misschien nog wel te billijken; je moest mensen volgens Aalbert niet te snel veroordelen, zeker niet als het om nooddruftige boeren ging. Op het dorp maakten ze het onderscheid tussen gewone NSB'ers en brood-NSB'ers. Voor Bastiaan Schoonaart telde in de eerste plaats dat in nazi-Duitsland de prijzen voor landbouwproducten omhooggeschoten waren. Hitler koesterde zijn boeren. Dat had Schoonaart bij het nazisme gebracht en verblind.

Ze mochten hem niet op de dijk omdat het bij hem 'Deutschland über alles' was. Gek genoeg was zijn Duitse vriendin veel minder fel. Die Gabi geloofde niet zo in de Duitse eindoverwinning. Ze had ook niet zo'n hoge pet op van Duitse militairen als Walter Loos. Ze noemde Loos een gifkikker en een serpent. Maar gelukkig, zei ze, was ie corrupt. Dat knoopte Aalbert in zijn oren.

Een kleindochter van Aalbert de Kooning en een dochter van Bastiaan Schoonaart verschaften me deze informatie. Ik keek ervan op. Mijn dorp was in de oorlog niet alleen uiterlijk een nazi-dorp geworden door de hakenkruisvlaggen voor de Duitse Kommandantur en het grote aantal ingekwartierde Duitse militairen, het was ook nauw betrokken geraakt bij het wereldgebeuren. Het leek al het dorpse van zich te hebben afgeschud.

Boer Schoonaart, die naar de Oekraïne wilde emigreren, was de enige niet: zetboer Jan van Hilst van de Rheesteinseweg wilde dat ook. En hem lukte het. Van Hilst was al in 1934 lid geworden van de NSB 'omdat ik dacht dat door de NSB de boerenstand beter zou worden'. Van Hilst wilde een eigen bedrijf op eigen grond. Hij trouwde met een dochter van Markus van den Oever, de foute herenboer, maar de zonen Van den Oever gingen natuurlijk voor als het om de opvolging ging. In september 1941 – hij was toen toch al vierenveertig jaar en vader van twee kinderen – vertrok Van Hilst naar een opleidingskamp in Riga. Twee maanden later werd hij Stützpunktführer van vier kolchozen met in totaal tweeduizend hectare grond in Vilejka, op de grens met Wit-Rusland. In het najaar van 1943 keerde hij gedesillusioneerd naar Rhoon terug. Tegen de belofte in was hem in Wit-Rusland of de Oekraïne geen eigen bedrijf op eigen grond gegund. Terug in Rhoon kon hij alleen nog pochen over de onmetelijke kolchozen waarvan hij hoofdopzichter was geweest.

Internationaal! Boer Van Hilst die tot de streng geselecteerde groep van vierhonderd Nederlandse landbouwers behoorde die de graanschuren van Oost-Europa zouden vullen. Boer Schoonaart die 'samenhokte' met Gabi uit Leipzig. De hervormde dominee De Vos van Marken die vanaf de kansel unverfroren het fascisme bleef verkondigen. Dirkje die zijden kousen cadeau kreeg van een kapitein van de Luftwaffe. En Aalbert de Kooning die met zijn zondagse pet op diplomatie bedreef alsof hij Lord Chamberlain was.

Na vrouw Schoonaart ging Aalbert bij vrouw Blekemolen-Wiessner langs. Ook een Duitse van origine en ook van de NSB.

Aalbert had eigenlijk alleen oor naar mensen die met de bezetter omgingen, alle anderen zeiden maar wat omdat ze er niet het flauwste benul van hadden hoe je de moffen aan je kant kon krijgen. Blekemolen-Wiessner verwees hem door naar Jan Krijn Jabaaij, de groepsleider van de NSB in Rhoon. Die was omkoopbaar, zei ze, en die had er ervaring mee hoe je Loos en het zooitje in Hoogvliet voor je karretje kon spannen.

Met een fles jenever ging Aalbert naar Jabaaij. Niet van harte; hij had zijn bedenkingen tegen mannen die uit eigen vrije wil een uniform aantrokken en het met emblemen en insignes behingen. Hij hield ook niet van mannen die zichzelf belangrijk vonden – voor Aalbert was je alleen belangrijk als je veel land had. Wat hem evenmin beviel was dat je niet met lege handen bij Jabaaij kon aankomen. Maar hij had geen keus.

Even na het middaguur kreeg hij Jabaaij te spreken. Na drie glaasjes uit zijn fles was het beklonken.

Wat precies?

Dat bleef schimmig.

Naderhand kon niemand met bewijzen aantonen wat de mannen overeen waren gekomen.

Zelf legden Aalbert de Kooning en Jan Krijn Jabaaij er tegengestelde verklaringen over af.

Jabaaij had naar eigen zeggen de hele nacht gewerkt. Nadat dokter Monteyn bij hem thuis de dood van soldaat Ernst Lange had geconstateerd, was hij naar de stelling aan de Schulpweg gefietst die hij als werknemer van de Westdeutsche Wach- und Schutzdienst moest bewaken. De Schulpweg ligt in het verlengde van de Groene Kruisweg in Rotterdam-Charlois: vanuit zijn huis was het een kwartiertje fietsen. Hij had dienst van twaalf tot twaalf.

De volgende dag om halfelf kwam een Duitse soldaat hem zeggen dat hij 's middags met Loos in Hoogvliet moest verschijnen. Een halfuur later kreeg hij weer bezoek op de Schulpweg:

van Gertie Blekemolen-Wiessner. Die wilde weten of de dood van soldaat Lange gevolgen zou hebben voor de bewoners van Het Sluisje. Gertie Blekemolen verklaarde tijdens het onderzoek in 1946 dat ze Jabaaij die dag niet gesproken had. Of de één loog, of de ander. De rechercheurs van de Politieke Opsporingsdienst lieten het er weer bij zitten.

Om ongeveer één uur in de middag fietste Jan Krijn Jabaaij in het zwarte uniform van de bewakingsdienst van de Schulpweg naar huis terug. Tegen de rechercheurs van de Politieke Opsporingsdienst zei hij overigens dat hij geen uniform droeg maar een zwarte broek en een dik zwart overhemd, dat hem verstrekt was door de bewakingsdienst. Door de riem die Jabaaij van schouder tot koppel over het overhemd droeg, zag het er niettemin als een uniform uit.

Op de Groene Kruisweg stonden bootsman Loos en matroos Willems hem ter hoogte van de Rijsdijk op te wachten. Met z'n drieën fietsten ze naar Hoogvliet. Ze werden in een kamer gelaten waar Oberleutnant Schmitz aanwezig was, de commandant van de Verdedigingstroepen van de Eilanden (geen idee wie hij met die commandant bedoelde) en enkele personen van de SD – drie of vier.

De vraag is of Jabaaij hier de waarheid sprak. Volgens drie getuigen, onder wie zijn liefje Linda de Bondt, is hij eerst naar huis gegaan, waar hij zich met Aalbert de Kooning heeft verstaan. Hij kreeg bezoek van Duitse officieren. Volgens Arie van den Akker, die iets verderop woonde, reden de Duitse dienstauto's af en aan. Wat later die middag stuurde Gertie Blekemolen-Wiessner haar moeder naar Jabaaij om te informeren wat de Duitsers van plan waren. Hij zei dat er met de huizen in de buurt niets zou gebeuren, maar dat ze maar weg moesten gaan van Het Sluisje als ze het niet vertrouwden. Hij zei ook nog dat ze vóór vijf uur die middag meer zouden weten. Volgens de moeder van Gertie had hij veel gedronken en rook hij naar jenever. De berichten waren voor Gertie en haar moeder verontrustend genoeg om de distributiebescheiden in de handtas te stoppen en naar Rotterdam uit te wijken.

Kort daarop kwam de net vrijgelaten Wim Wagenmeester op het fietspad langs de provinciale weg Jabaaij en Loos tegen. Hijgend, rood aangelopen, half dronken. Volgens Wim waren ze met z'n tweeën, niet zoals Jabaaij later verklaarde met z'n drieën. Ik denk dat Wim het goed heeft gezien: Heinz Willems was die morgen al door de SD naar Hoogvliet meegenomen om tijdens de verhoren van de gevangenen aan te geven wat waar was van hun verklaringen en wat niet.

Jabaaij ontkende deze versie. 'Ik ontken eerst naar huis te zijn gegaan en daar met mevrouw Blekemolen en Aalbert de Kooning te hebben gesproken. Ik ontken dat Aalbert de Kooning mij gevraagd heeft te trachten zijn zoon Job de Kooning vrij te krijgen. Wanneer Aalbert de Kooning aan anderen heeft verteld dat hij zijn zoon door mijn medewerking heeft los gekregen, spreekt Aalbert de Kooning de onwaarheid. Op het Duitse bureau te Hoogvliet werd mij een briefje voorgelegd waarop de namen van zes personen voorkwamen. Hierop werd mij gevraagd of deze personen volgens mij de daad hadden kunnen bedrijven. Toen ik daarop ontkennend antwoordde, werd ik op een geweldige manier uitgescholden door een van de SD-mannen.'

Loos vertelde hoe onwillig de Wagenmeesters waren geweest. Ze konden de stroom niet uitschakelen en zeiden daarvoor trouwens niet de bevoegdheid te hebben. Terwijl Loos op hun persoonsbewijzen achter beroep elektromonteur had zien staan.

De bootsman loog nu dat het gedrukt stond. Op het persoonsbewijs van vader Wagenmeester was 'machinist' vermeld en op dat van zijn oudste zoon 'monteur'. Als een van de agenten van de SD een blik in de houten kist had geworpen waarin de persoonlijke spullen van de arrestanten waren opgeborgen, zouden ze Loos als fantast hebben ontmaskerd. Dan zouden ze nog wel even hebben doorgevraagd – dat kon je die SD'ers wel toevertrouwen. Loos' hele versie van het gebeurde zou dan op losse schroeven zijn komen te staan.

Voor de SD bleven vader en zoon Wagenmeester elektromonteur. Jabaaij: 'Dit werd tegen beiden als overtuigend bewijs van hun schuld aangenomen. Ik stond onmachtig. Alleen voor Job de Kooning kon ik gedaan krijgen dat hij in vrijheid werd gesteld. Tegen borg van mijn eigen leven.'

Dit ontkende Jan Krijn tenminste niet: dat hij voor elkaar had gekregen dat Job werd vrijgelaten. De rechercheurs verzuimden alleen te vragen waarom hij juist Job wist vrij te pleiten. Waarom niet de andere De Kooning: Job van Dimmen de Kooning? Of Dries Marcelis, die de onschuld zelve was? Of Bo Robbemond? Misschien was dan na enig aandringen als antwoord gekomen dat die geen vader, oom of neef hadden die voor ze in de bres sprong en een aantrekkelijke beloning in het vooruitzicht stelde.

Jan Krijn dichtte zich vervolgens een heldenrol toe: 'Een der leidende personen bij het onderzoek (welke kan ik me niet meer herinneren) maakte de opmerking dat men veertig tot vijftig personen wilde fusilleren en de hele vlasfabriek in de lucht wilde laten vliegen. Ik waagde het nogmaals het woord te vragen en heb hun uit naam der gezinnen gesmeekt deze onschuldigen niet te treffen. Ook mijn motief dat door vernietiging van de vlasfabriek de kledingproductie ernstig benadeeld zou worden, scheen toch enige invloed te hebben, terwijl ik ook als motief naar voren bracht dat door het opblazen van de fabriek de omliggende woningen eveneens zwaar zouden worden beschadigd. Ik kon toen verdwijnen en in het gezelschap van Loos en Willems ben ik naar huis gereden.'

Je proeft uit Jabaaijs verklaring dat ook de plaatselijke groepsleider van de NSB als de dood was voor de Gestapo, de SD en voor officieren als Schmitz. Wat hij vooral vreesde was hun botheid en hun willekeur.

Tussen vier en halfvijf werden de gevangenen uit de kelder gehaald.

In de hal van het schoolgebouw riep luitenant Schmitz: 'Boer De Kooning, de landbouwer.'

Job de Kooning, Job de Echte, stapte naar voren. Vader van twee kinderen, het derde kind was in aantocht en zou als alles goed ging in januari ter wereld komen. Job kreeg een duw tegen de schouder en moest terug in de rij.

'Jij,' riep Schmitz naar de andere Job de Kooning. 'Jou moet ik hebben: de De Kooning zonder ring.'

Toen stapte de vrijgezelle zoon van Aalbert de Kooning naar voren.

Schmitz naderhand: 'Op mijn last zijn twee arrestanten vrijgelaten. De een omdat hij te jong was, de ander omdat hij – naar de indruk die wij kregen – niet helemaal normaal was.'

Alsof het Schmitz iets kon schelen dat Job een hele of een halve debiel was: geestelijk gestoorden werden door het nazi-regime met wagonladingen tegelijk naar de concentratiekampen afgevoerd. Job was trouwens verre van achterlijk. Als het om slim en geslepen ging overtrof hij zijn broers en zelfs zijn vader, ik schreef al over het gemak waarmee hij allerlei gokspelletjes won.

Niet zijn verstandelijke vermogens deden ertoe: de vrijlating van Job leverde Karl Schmitz twee vetgemeste varkens op. De raadgever in dezen was zijn buik. De rechercheurs van de Politieke Opsporingsdienst hadden dat eens moeten weten. Dan zouden ze met hoongelach op Schmitz' bewering hebben gereageerd dat hij niets over de door Aalbert de Kooning geleverde varkens wist en niets over de afgesproken prijs. Die lag namelijk twee keer zo hoog als de marktwaarde: 140 gulden per varken.

Door de spoorwegstaking schoten de voedselprijzen in het najaar van 1944 omhoog. Een varken deed op de officiële markt 70 gulden. In de zwarte handel lagen de prijzen twee tot drie tientjes hoger. Maar 140, dat betaalde niemand.

Aalbert de Kooning was zo ingenomen met dat bedrag dat hij in 1945, 1946 en zelfs nog in 1947 op verjaarspartijen triomfantelijk verkondigde dat hij de Duitsers mooi in de maling had genomen met zijn twee varkens. Wat hij er niet bij vertelde was dat hij het geld niet direct van de Duitsers had ontvangen. De transactie verliep via Jabaaij.

Oberleutnant Schmitz dekte zich in. Hij wilde best een boerenzoon vrijlaten in ruil voor twee vetgemeste varkens, maar dat moest dan wel onderhands gebeuren. Zijn grote angst was dat hij door de Gestapo, de SD of de SIPO betrapt zou worden op corruptie. Mannen als Wölk, chef van de SD in de Aussenstelle Rotterdam, waren daar uiterst fel op. Ook op lager niveau straften officieren corruptie streng af.

Schmitz moet geweten hebben wat er in het naburige Poortugaal was voorgevallen. De motorfiets van de dokter was daar gestolen. De Ortskommandant liet de manschappen aantreden en gaf opdracht de dader op te sporen. De motorfiets was snel teruggevonden, de soldaat die hem voor een zacht prijsje had willen doorverkopen, bekende. Hij werd ter plekke doodgeschoten.

Een officier mocht opdracht geven voedsel te vorderen, kolen, brandstof voor de legervoertuigen. Of motoren, fietsen. Maar dat moest dan keurig in de rapporten worden vermeld.

Een arrestant, of in de zienswijze van de SD: een mogelijke terrorist, ruilen voor twee varkens, was een koehandel waarmee luitenant Schmitz de twee strepen op zijn uniform en misschien zelfs wel zijn leven riskeerde. Hij betaalde Jabaaij dan ook de vorstelijke som van 140 gulden per varken en zal daarvoor ongetwijfeld een reçu hebben getekend.

Ik vermoed dat Jan Krijn Jabaaij de 280 gulden toen weer onderhands aan Schmitz heeft teruggegeven. Op papier was er zodoende voor de varkens betaald, in werkelijkheid niet.

Mogelijk zijn andere wegen bewandeld. Geen van de drie betrokkenen – Schmitz, Jabaaij en Aalbert de Kooning – heeft naderhand willen uitleggen hoe het precies is gegaan.

Als Jabaaij aan de transactie smeergeld heeft overgehouden, zal het niet veel zijn geweest. Tegenover zijn buren op de Rijsdijk wilde hij laten zien dat hij, de groepsleider van de NSB in Rhoon, zich inspande voor de belangen en de veiligheid van de bewoners. Zijn motieven waren eerder politiek en propagandistisch dan egoïstisch. Zijn gedrag tijdens de laatste maand van de Hongerwinter ging in dezelfde richting: hij stal toen voedsel bij de Wehrmacht en deelde dat onder de bevolking uit.

Alle troebelheid ten spijt, voor de dorpelingen was het volstrekt duidelijk wat er was gebeurd: Aalbert de Kooning had zijn zoon op slinkse wijze vrijgekocht met twee vetgemeste varkens. Bij de deal, die door bemiddeling van Jan Krijn Jabaaij tot stand was gebracht, was ook inbegrepen gratis levering van melk, eieren en erwten aan de Kriegsmarine zolang de oorlog duurde. Nog in 1945 kwam Walter Loos die gezonde kost bij Aalbert de Kooning op de Rijsdijk halen, terwijl hij toen allang overgeplaatst was naar Hoogvliet.

Job mocht zijn eigendommen uit een kist halen en vertrekken. 'De Duitsers hebben niet gezegd waarom ik vrijgelaten werd,' verklaarde hij in 1946 voor de rechercheurs van de Politieke Opsporingsdienst.

Zelf moet hij geweten hebben dat er iets niet klopte. Boven zijn hoofd in de kelder had Jan Krijn Jabaaij zijn vrijlating bepleit en daar moet hij iets van opgevangen hebben.

Hij was in ieder geval zo verstandig niet direct naar huis terug te keren. De volgende nacht hield hij zich in Poortugaal schuil – de Duitsers konden zich bedenken.

De vijf overgebleven gevangenen werden naar buiten gebracht. Met de handen in de nek, zag de Hoogvlietse Nel den Otter vanuit haar huis aan de overkant van de straat. Met aan weerszijden een bewapende Duitse soldaat. Een enkeling kreeg de kolf van een geweer in de rug, toen er naar de zin van de Duitsers niet snel genoeg werd doorgelopen.

In de vrachtauto moesten zij plat op de bodem van de laad-vloer gaan liggen, met het gezicht naar beneden.

Ontsnappen was onmogelijk.

Is het verwerpelijk je zoon met twee varkens vrij te kopen?

Ik zie niet in waarom. Mijn vader zou het met God en Bijbel-citaten hebben geprobeerd. Schmitz zelf schakelde toen hij uit-eindelijk gevangenzat een Duitse bisschop van de Evangelische Kirche in om zijn verzoek tot gratie kracht bij te zetten. Twee varkens, God of de bisschop, een ieder zijn eigen middelen. Ik vind het een prestatie dat Aalbert zijn zoon heeft gered.

Het pijnlijke is alleen dat een andere man als wisselgeld voor de vrijlating van zijn zoon zou dienen. Een arme De Kooning moest voor een rijke De Kooning boeten. Dat wekte nijd in het dorp, een woede die je niet zag maar die tien, twintig, dertig jaar onderhuids voort kroop, die het ene moment de verhoudingen op scherp zette en op andere momenten tot verregaande onver-schilligheid leidde.

Direct na de oorlog, op 14 mei 1945, werd Aalbert de Kooning gearresteerd op verdenking van medeplichtigheid aan moord. Niet op verdenking van zwarte handel of collaboratie met de be-zetter. Moord! Hij zat twee weken vast in de Benthem Kazerne in Dordrecht. Veel konden ze hem niet ten laste leggen omdat enig bewijs ontbrak. Walter Loos kwam regelmatig melk, eieren, tar-we, erwten en andere levensmiddelen bij hem halen, ook toen hij allang naar Hoogvliet was overgeplaatst. Betalen deed hij nooit. De levering van de twee varkens aan de 20ste Schiffstammabtei-lung was volgens de regels gegaan. Tegen een te hoge prijs, maar daar zaten de rechercheurs niet mee: ze zochten een medeplichti-ge aan moord.

Aalbert nam het Rhoon en de hele mensheid kwalijk dat hij twee weken had moeten zitten. Met voormalig onderduiker Klaas Pikaar wilde hij geen woord meer wisselen. Klaas had de rechercheurs in vage bewoordingen verteld dat Job was vrijgekocht na bemiddeling van vrouw Schoonaart en Jan Krijn Jabaaij. Grove leugens, vond Aalbert.

Verdacht van medeplichtigheid aan moord vond hij helemaal te gek voor woorden. Hoe kwamen ze erbij? Welk boevenschuim had dat vermoeden uitgesproken?

Drie maanden na de bevrijding veroorzaakte Aalbert de Kooning een schandaal toen hij in het openbaar riep dat 'de Wagenmeesters er de meeste schuld aan hebben' wat er op Het Sluisje was gebeurd. Voor de meeste dorpelingen deed dat de deur dicht. Aalbert moest zich tijdens een proces wegens smaad verantwoorden. Hij nam geen woord terug.

Toen Dimmen de Kooning op sterven lag, deed hij een poging om met zijn broer in het reine te komen. Hij vroeg Aalbert te spreken. Dimmen wilde zijn broer duidelijk maken dat hij het hem niet kwalijk nam dat hij in 1944 zijn zoon had vrijgekocht. Hij waardeerde dat zelfs in Aalbert: zo hoorde een vader te zijn. Maar wat Dimmen ten diepste gegriefd had was dat hij, met zulke goede contacten, niet nóg een varken aan de Duitsers had beloofd. Of desnoods een hele koe, waarmee hij de andere Job had kunnen vrijkopen.

Dimmen kreeg niet de gelegenheid het aan Aalbert uit te leggen: Aalbert weigerde aan zijn doodsbed te verschijnen. Hij woonde evenmin Dimmens begrafenis bij.

Aalbert gedroeg zich na de oorlog als iemand met een kwaad geweten. Misschien knaagde het toch aan hem dat zijn neef de plaats van zijn zoon had moeten innemen, ook al weigerde hij dat toe te geven. Aalbert werd dwars.

Voor en tijdens de oorlog las hij aan tafel uit de Bijbel en ging hardop voor in gebed; na de oorlog deed hij dat niet meer. Hij liet zich nooit meer in de hervormde kerk zien, terwijl hij voor de oorlog zelden een zondag oversloeg.

Na de dood van zijn vrouw in 1951 bracht hij nog zes jaar op de Rijsdijk door. Hij deed zelf het huishouden, wat weinig boeren hem zouden hebben nagedaan, zeker met twee inwonende zoons. Job en Amos bleven als knechten voor hun vader werken en schenen geen moment aan een zelfstandig bestaan te denken. In 1957 werd de boerderij van Aalbert onteigend en afgebroken. Aalbert verhuisde met Job en Amos naar een houten huisje achter de boerderij van een neef. Het had als voordeel dat je het niet zag vanaf de dijk.

Aalbert kwam ten slotte volledig buiten de dorpsgemeenschap te staan. Hij stierf dement en krankzinnig in de psychiatrische inrichting Maasoord in Poortugaal. Zijn zoons gingen in een stacaravan wonen.

Job was een eenzelvig leven beschoren. Hij trouwde nooit. Na de dood van zijn vader woonde hij samen met zijn broer Amos in de stacaravan, die eerst aan de Kleidijk in Rhoon stond en later op een verlaten maar prachtige plek aan de rivier: bij de eendenkooi aan de Oude Maas in de polder Klein Profijt.

Mijn vader zocht de broers eens in het jaar op, meestal in de zomer. Jaren achtereen ging ik mee vanwege de fietstocht over de dijken. Een tocht van een kilometer of zes, die eindigde bij de grienden langs de Oude Maas.

Over Jobs oorlogsverleden wist ik niets en ik vraag me af of mijn vader er tot in de details van op de hoogte was – ik denk haast van niet. Maar als ik op de terugweg zei dat ik de gebroeders De Kooning rare mannen vond, zei mijn vader: 'Door het leven getekend.'

Ze hadden altijd cola voor me in die krappe bedompte caravan en een zak chips die ik helemaal leeg mocht eten. De chips hadden ze niet speciaal voor mij gekocht; ze aten iedere avond chips voor de buis. Ze keken zeven avonden in de week tv. Voor hun boodschappen kwamen de broers De Kooning nooit naar het dorp. Ze gaven iedere week een briefje aan de kruidenier die de levensmiddelen de week daarop met zijn bestelbus kwam brengen. Ook de slager bezorgde eens in de week de bestelling. De bakker kwam om de andere dag langs – de bakker uit Barendrecht, niet die uit Rhoon. Met mensen uit Rhoon wilden ze niets meer te maken hebben. Heel af en toe reed Amos op zijn brommertje naar het dorp, als ze dringend om iets verlegen zaten. Veel vaker reden de broers naar het stadion in Rotterdam-Zuid. Feijenoord was hun club en ze sloegen geen wedstrijd over.

In de caravan ontvingen ze niemand, behalve mijn vader en een nicht uit de Hoekse Waard, die de beide mannen later verplegen zou. Ze stonden als Nederlands Hervormd ingeschreven, vandaar dat mijn vader hen bleef opzoeken, maar ze kwamen nooit in de kerk en moesten niets meer van het geloof hebben. Ze ontvingen mijn vader omdat die zeven jaar ná de oorlog naar Rhoon was gekomen – daar ben ik nu zeker van. En omdat Job nog graag eens een redenering afstak. Hij was het altijd die het woord voerde, zijn broer knikte alleen.

Amos de Kooning overleed in 1993, Job volgde hem twee jaar later. In de caravan aan de rivier hadden ze vijfendertig jaar lang bijna niets anders gedaan dan tv kijken, chips eten en roken. Beiden overleden aan een longziekte.

'Er hoeft geen dominee bij,' had Job voor de begrafenis van Amos gezegd – mijn vader was toen al jaren dood.

Bij Jobs eigen begrafenis zouden vier mensen zijn, drie van de Veerweg en de nicht uit de Hoekse Waard.

In die stacaravan aan de rivier was de vrijgekochte Job toch op de Job uit de Bijbel gaan lijken, de Job op de mestvaalt die zijn zweren met potscherven krabt. Hij verloor veel in zijn leven, hoewel niet alles. Op het gras rond de caravan hield hij nog vijf koeien.

ZEVEN

Na het middageten belde luitenant Schmitz de Kampfkommandant van Rotterdam, Generalmajor Fritz Kistner. Hij meldde hem de bevindingen van de SD ('sabotage', 'zeven verdachten gearresteerd') en kreeg van Kistner het bevel tien mannen te fusilleren. Na dat telefonische bevel volgde een schriftelijk bevel.

Generaal-majoor Fritz Kistner zou een van de belangrijkste organisatoren worden van de grootste razzia in Nederland. Onder de codenaam Aktion Rosenstock zou hij een maand later Rotterdam in een wurggreep nemen. Duizenden soldaten van de Wehrmacht hielden op 10 en 11 november 1944 de stad omsingeld en grendelden alle wegen, sluipwegen en bruggen af. In twee dagen tijd werden 52 000 mannen gearresteerd en als dwangarbeider naar de fabrieken in het Ruhrgebied afgevoerd – per schip, per trein of te voet.

Ik leg niet voor niets dit verband. Na de oorlog is de razzia in Rotterdam grondig bestudeerd door Ben Sijes van het Nederlands Instituut voor Oorlogsdocumentatie. Sijes vroeg zich af hoe de klopjacht zo'n hoog resultaat had kunnen opleveren: driekwart van de zeventigduizend mannen tussen de zeventien en veertig jaar werd opgepakt. De gedegen voorbereiding en de goede militaire organisatie van de Duitsers is de ene verklaring, de angstige houding van de bevolking de andere. Door de constante Duitse terreur, de vernielingen in de haven die het economische leven hadden platgelegd en de standrechtelijke executies was de bevolking murw geraakt. Of zoals de Duitsers handenwrijvend vaststelden: de Rotterdamse mannen lieten een grote 'Meldungsfreudigkeit' zien. Ze waren domweg bang neergeschoten te worden.

Het Sluisje was niet een opzichzelfstaand incident. Na Dolle Dinsdag probeerden de Duitsers de bevolking bijna dagelijks schrik aan te jagen. Iedere actie tegen de bezetter werd tot in het kwadraat vergolden. Het Sluisje past in de aanloop naar Aktion Rosenstock en schiep mede het bange klimaat waarin de razzia gehouden zou worden.

Met de opdracht tot het doodschieten van tien mannen stookte Kistner de angstmachine op. In 1943 was met instemming van Hitler de afspraak gemaakt dat na elke aanslag op een 'nationaal-socialistisch persoon in de bezette gebieden' drie als anti-Duits bekendstaande mensen uit de regio zouden worden geliquideerd. Na Dolle Dinsdag werd deze regel aangescherpt. In opdracht van generaal Christiansen werden in Rotterdam aanplakbiljetten opgehangen dat de dood van een Duitse militair of een Nederlander die met de Duitsers samenwerkte 'tienvoudig gewroken' zou worden. Met zijn eis de dood van soldaat Ernst Friedrich Lange met tien man te vergelden, handelde Kistner volgens het nazi-boekje. Bij Het Sluisje eiste hij dat aantal voor het eerst.

Voor Schmitz was dat een complicerende factor. Hij had die dag twee arrestanten vrijgelaten: de jonge Wim Wagenmeester en Job de Kooning Azn. Hij zat inmiddels dik onder het quotum. En er was nog iets: hij hoorde niet – of wilde niet horen – dat Kistner nadrukkelijk zei dat Wölk van de SD voor de *Toteskandidaten* zou zorgen. Hij ging zelf aan de slag.

De vrachtwagen reed de Rijsdijk op en stopte voor het huis van de familie De Regt, vanwege de tankval vlak voor Het Sluisje, waar een vrachtwagen niet doorheen kon. Het laatste stuk moesten de gearresteerden lopen.

Tobi de Regt keek vanuit het zolderraam naar beneden.

Als ik vijfenzestig jaar later tegenover hem zit in zijn krappe huisje in Amsterdam schreeuwt hij het uit: 'Ik zag die mannen hun laatste passen maken.'

In 1944 greep het hem zo aan dat hij nog weer drie jaar in bed zou plassen.

Het zag volgens ooggetuigen zwart van de Duitsers op de Rijsdijk. Tussen de 68 en 74 militairen van de Wehrmacht en de Kriegsmarine waren opgetrommeld, een overdaad aan machtsvertoon.

Dien de Regt zag Duitse soldaten die ze nooit eerder op de Rijsdijk had gezien. Ze zetten hun fiets tegen het huis en hadden volgens Dien veel praats. Dien vond het verstandiger naar boven te gaan.

Sandrien liep achter haar aan naar zolder. Sandrien was banger dan Dien uitgevallen en vroeg: 'Wat gaat er nou weer gebeuren?' Dien haalde de schouders op en zei wat ze van Dirkje de Ruyter had gehoord. Dirkje had gezegd dat ze 'het zooitje op de vlasfabriek wel zouden krijgen'. Sandrien begon te beven, net als de vorige avond toen ze de kermende soldaat voor het huis had gehoord. Dien raadde haar aan in bed te kruipen en de dekens over haar hoofd te trekken. Dat deed ze.

Sandrien sloeg de dekens pas weer weg toen ze in de verte schoten hoorde.

De arrestanten naderden Het Sluisje met de armen omhoog en de handen achter het hoofd gevouwen. Aan weerszijden liep een soldaat met het geweer in de aanslag.

Oberleutnant Schmitz reed stapvoets achter de gevangenen aan. De DKW stopte pas pal voor de tankval. Achter het stuur zat Heinz Hanneforth.

Wijnand Wagenmeester, Tijmen Wagenmeester, Bo Robbemond, Job de Kooning en Dries Marcelis legden de laatste stappen van hun leven voor hun eigen huis af.

Mevrouw Wagenmeester durfde niet naar buiten te kijken. Zoon Wim evenmin, noch de meisjes Aaf, Bertie, Carla, Hillie en de kleine Mees.

Vader en moeder Robbemond en de hoogzwangere Bep de

Kooning-van der Stoep bleven ook bij het raam vandaan.

Alleen Alie Marcelis-van Steggelen duwde het slaapkamer-raam open en riep: 'Dries', een schreeuw die als een glasscherf door het doffe geluid van de voetstappen sneed.

Dries hoorde het niet, of vond het te zwaar, te hartverscheurend om nog één keer naar Alie te kijken. Hij hield de blik stug op de steentjes voor zijn schoenen gericht.

Iets voorbij de plek waar Ernst Friedrich Lange tegen de elektrische draad was gelopen, moesten de gevangenen blijven staan. Naast elkaar, voor een hek, naast de loods van de vlasfabriek.

Luitenant Schmitz kwam aanlopen. Hij wenkte Walter Loos. De bootsman kwam naar voren en salueerde.

'Ik heb een zesde gevangene nodig, bootsman.'

'Tot uw orders, Oberleutnant.'

Loos had deze vraag kennelijk verwacht. Hij salueerde, deed een stap naar voren en noemde een naam.

'Ga hem halen,' beval Schmitz.

Loos liep met een soldaat naar de vlasfabriek. Hij kwam even later terug met Mart Robbemond.

Mart, de broer van Bo, die al voor het vuurpeloton stond.

Het was vanwege deze onverwachte arrestatie dat veertien dagen na de oorlog Aalbert de Kooning werd aangehouden. Door de getuigenverhoren was volgens het rapport over de zaak van de vlasfabriek te Rhoon (GIC Sectie 1-3) een 'ernstige verdenking gerezen tegen Aalbert de Kooning, die een zekere Jabaaij, een NSB'er, in de arm genomen zou hebben en die op de morgen na de arrestatie in zijn uniform naar de commandant op Hoogvliet gegaan zou zijn om voor Job vrijstelling te verkrijgen. Het ernstige vermoeden bestaat dat daarbij de naam van Mart Robbemond genoemd zou zijn als plaatsvervanger voor Job de Kooning.'

Ik schrok toen ik dit in het dossier las. Jabaaij was toch een schoft. In samenspraak met Aalbert had hij een ander aangewezen die de plaats van Job moest innemen. Dat die ander uitgerekend Mart Robbemond was, die samen met zijn broer Bo bootsman Loos had getreiterd en de meisjes De Regt voor moffenhoeren had uitgemaakt, maakte van de hele koehandel een persoonlijke afrekening. Jabaaij had precies geweten hoe hij Loos aan zijn zijde kon krijgen: door de andere Robbemond te grazen te nemen.

Tussen Mart Robbemond en Dirkje de Ruyter was het volgens onderduiker Klaas Pikaar voortdurend water en vuur geweest. De meisjes De Regt konden Mart de ogen uit de kop krabben. Jabaaij en Loos wisten dat maar al te goed en wezen Mart aan als plaatsvervanger van Job de Kooning Azn.

Schmitz vond het best. Loos nam hem opnieuw werk uit handen: hij hoefde zich geen moment af te vragen wie hij nou weer moest arresteren.

Mart had die dag niet naar zijn werk op de vlasfabriek moeten gaan maar een filmpje in de Harmonie moeten pikken. Zijn broer was opgepakt, dan was het natuurlijk niet gepast om je aan Zarah Leander, Kristina Söderbaum of een andere blondine op het witte doek te vergapen, maar het zou hem wel het leven hebben gered. Hij vatte de arrestatie van zijn broer te lichtvaardig op als pure pech of dom toeval en niet als een ernstige waarschuwing. Hij onderschatte de meedogenloosheid van sergeant Loos en luitenant Schmitz.

Mart Robbemond moest naast de vijf mannen gaan staan. Schmitz gaf aanwijzingen voor de opstelling van het vuurpeloton. Toen werd het de directeur van de vlasfabriek te veel. Hij trok zijn stropdas recht, liep de fabriek uit, de dijk op en stapte recht op Schmitz af.

'Dit kunt u niet doen. Deze mensen zijn volslagen onschuldig. Het zijn mijn mensen, ze werken op mijn fabriek of op het watergemaal naast mijn fabriek. Ze hebben niemand iets misdaan. Niemand. Ik protesteer hier ten sterkste tegen.'

Of woorden van gelijke strekking.

Behalve Schmitz, Heinz Hanneforth achter het stuur van de DKW en de zes mannen voor het vuurpeloton kon niemand Jacques Pijnacker verstaan. Het deed er ook niet zoveel toe wát hij zei. Het ging erom dát hij iets zei.

Je moet maar durven. Je moet die zestig tot zeventig zwaarbe- wapende militairen van de Kriegsmarine en de Wehrmacht maar even vergeten, je moet dat oververhitte luitenantje maar even voor een windbuil houden. Je moet alleen op je geestelijk over- wicht vertrouwen en op de kracht die de verontwaardiging je geeft.

Jacques Pijnacker had een nogal bassende stem. Dat paste bij zijn functie als directeur van de vlasfabriek. Het was ruig volk dat op de vlasfabriek werkte; hij moest zijn stem meer dan eens verheffen om de zestig potige vlaswerkers in het gareel te hou- den.

Pijnacker was die hele morgen in Rotterdam geweest voor za- kelijke besprekingen. 's Middags had hij in Rijsoord onderhan- deld over de aanvoer van vlas. Hij was naar huis gegaan, had een kop thee gedronken. Van zijn vrouw en van de dienstbode had hij gehoord over de arrestaties op Het Sluisje, die nacht. Hij was onmiddellijk naar de fabriek gefietst, tegen het advies van zijn vrouw in.

Op Het Sluisje had hij de zwerm Duitsers zien neerstrijken. Hij had aan bedrijfsleider Aart Haak gevraagd wat er aan de hand was, hoorde over de ophanden zijnde represaille en zei te- gen de stoker Bas Haak, een broer van Aart: 'Zal eens kijken wat ik kan doen.' Toen pakte hij zijn hoed van de kapstok, liep de dijk op en stapte op Schmitz af.

Jacques – de dorpelingen spraken zijn naam uit als Sjaak – stamde uit een familie van herenboeren en notabelen. Tot 1941 was Pijnacker wethouder van Rhoon geweest namens de ARP, tot het moment dat de gemeenteraden op last van de bezetter waren ontbonden. Dat de gekozen vertegenwoordigers van het dorp met één pennenstreek aan de kant waren geschoven, had Pijnacker meer aangegrepen dan de Duitse inval. Het gevoel geen enkele invloed meer te kunnen uitoefenen op zijn dorp had een verlammend effect op hem gehad.

Zijn vader was ook raadslid geweest en vanaf 1923 wethouder. Jaap Pijnacker, een kleine, bazige, driftige man, ontlokte tijdens de verkiezingscampagnes steeds weer het pesterijtje om de s op de aanplakbiljetten weg te strepen, zodat er 'Temt J. Pijnacker' kwam te staan.

Vader Jaap liet voor elk van zijn zonen een huis bouwen dat ze bij hun trouwen cadeau kregen. De woningen waren herkenbaar omdat ze allemaal hetzelfde overdekte portaal bij de voordeur hadden.

De Pijnackers kwamen oorspronkelijk uit Katendrecht. Toen dat dorp bij Rotterdam was getrokken en de zandbanken aan de Nieuwe Maas in kades, pakhuizen en bordelen waren veranderd, was de familie naar Rhoon verhuisd. Met contant geld kocht Jaap in 1890 een boerderij aan de Kleidijk. De eeuwenoude stee ging veertien jaar later in vlammen op, de eerste van een serie branden die de familiegeschiedenis de gloed van vuur en de geur van as zou geven. Op dezelfde plek verrees een nieuwe boerderij, die ook weer afbrandde, maar dat was lang na de oorlog.

Naast een woning schonk Jaap Pijnacker elk van zijn zonen een agrarisch bedrijf. Jacques kreeg de vlasfabriek, Carel een boomgaard met schuren en koelcellen aan de oostzijde van de Kleidijk, Pieter een boomgaard aan de Achterdijk en Kleis, de jongste zoon, de ouderlijke stee.

Met de jaren werden de huizen en bedrijven die Jaap uitdeelde kleiner door een verkeerde investering. Op de zolder van de boerderij aan de Kleidijk lagen pakken met aandelen in de Russische spoorwegen. Die waren na de Oktoberrevolutie niets meer waard.

De zes dochters van Jaap Pijnacker kregen nog geen stuiver

bij hun huwelijk. Dat leidde tot heftige twisten in de familie: de schoonzonen kwamen in opstand. 'Een eeuw haat en nijd,' vatte een van hen de familiegeschiedenis samen.

De heren Pijnacker waren in de belangrijkste besturen van het dorp vertegenwoordigd. Als heemraad van de polder Het Binnenland van Rhoon had Jaap een dikke vinger in de pap van het polderbestuur. In het dorp kreeg je weinig voor elkaar als je Jaap Pijnacker of later Jacques Pijnacker tegen je had. Ze waren in feite machtiger dan de burgemeester van Rhoon. Recht evenredig nam de haat tegen hen toe. Hun knechten en arbeiders betaalden ze weinig, hun dienstmeiden bitter weinig. De arbeiders op de vlasfabriek verdienden anderhalf tot twee keer zoveel als de arbeiders op het land. Maar het bleef weinig – net iets meer dan een hongerloon.

Dat de Pijnackers aan het einde van de negentiende eeuw tot de Gereformeerde Kerk toetraden, had niet in de lijn der verwachting gelegen. Alle andere herenboeren bleven lid van de oude hervormde staatskerk. De overstap van de Pijnackers was vooral een politieke keuze geweest. In die nieuw gevormde kerk konden ze snel de baas worden, in de Hervormde Kerk bleven de oudste Rhoonse dynastieën de lakens uitdelen. Geloof, politiek en macht lagen overal in elkanders verlengde, maar op de Zuid-Hollandse eilanden was er nog meer aan de hand: door tot de kerk van de kleine luyden toe te treden verminderden mannen als Pijnacker de kans op een revolte tegen hun positie en hun eigendommen.

Over Jacques Pijnacker werd gezegd dat hij in het verzet zat en zelfs dat hij leider was van een in Rhoon en Rotterdam opererende verzetsgroep. Ik kon dat aanvankelijk nergens terugvinden. Later kreeg ik aanwijzingen dat Pijnacker een man op de achtergrond was die het verzet van geld en middelen voorzag. Hij was fel anti-Duits, net zoals zijn leeftijds- en geloofsgenoot Wijnand Wagenmeester. De beide mannen hadden meer gemeen: hun vaders zaten zestien jaar in de gemeenteraad en zaten ook vele jaren in de gereformeerde kerkenraad. Pijnacker zal dominee Kloosterziel volop gesteund hebben in zijn werk voor het verzet, hij zal het verzet financieel geholpen hebben, hoewel hij buiten zijn eigen familie ontzettend gierig was. Maar in de oorlogsjaren werd nogal eens met de beschuldigende vinger naar Jacques Pijnackker gewezen, omdat zijn vlasfabriek linnen aan de Duitsers bleef leveren en hij de productie ieder jaar verder opvoerde. Jacques verdiende aan de moffen. Ter verdediging voerde hij telkens aan dat hij zestig arbeiders werk verschafte en zodoende zestig families voedde, plus evenzovele boeren en gezinnen op IJsselmonde.

Ik zou zelf niet graag voor dat dilemma hebben gestaan. Als Pijnacker zijn fabriek had gesloten, zou hijzelf zonder kleerscheuren de oorlog zijn doorgekomen; hij was rijk genoeg en hij had geld van zijn vader kunnen lenen, die pas in 1951 overleed. Maar voor de vlaswerkers en vlasboeren zou het kommer en kwel zijn geweest.

Ook Carel Pijnacker, de jongere broer van Jacques, steunde het verzet. In de schuur achter in zijn boomgaard verborg hij vier leden van een knokploeg. Bij hemzelf in huis waren twee Duitse officieren ingekwartierd. Het was koorddansen wat hij deed, hij liep heen en weer tussen zijn huis, waar op de stenen trap naar de achterdeur de Duitsers sigaretten zaten te roken, en de schuur, waar de leden van de knokploeg op eten en drinken zaten te wachten. De vier verzetsstrijders – tweemaal twee broers – kwamen nooit in het dorp, voerden hun acties 's nachts uit en onderhielden het contact met de buitenwereld via een koerierster. Carel kwam heelhuids de oorlog door, een van de vier KP'ers niet: hij werd tijdens een overval in Rotterdam gepakt en de volgende dag gefusilleerd.

Alle Pijnackers waren klein van stuk, stevig, hadden glanzend gitzwart haar en een bruine gelooide huid. Alle Pijnackers – ik ken ze goed, de boezemvriend van mijn tweede boer, Hans, was een Pijnacker – hadden felle ogen. Alle Pijnackers waren principieel.

Jacques Pijnacker vond het godschandalig dat er zomaar een paar mannen en jongens werden opgepakt en voor het vuurpeloton werden gezet. Hij was vierenveertig jaar, zou zeven dagen later vijfenveertig jaar worden, hij trok zijn stropdas recht, zette zijn hoed op en stapte op de bezeten Oberleutnant af die al de hele oorlog had gewacht op het moment dat hij een daad kon stellen.

'Wer sind Sie? Was wollen Sie?' schreeuwde Schmitz.
    'Dat u die mannen vrijlaat.'
    'Frei? Frei? Ga er dan maar bij staan.'
    'Ik begrijp u niet.'
    'Ga er maar bij staan, voor het hek. Schnell.'
    Pijnacker wilde met rustige, stevige pas weglopen; Loos duwde hem de loop van het geweer tussen de ribben.
    'Da. Voor het hek.'
    Hij moest naast Dries Marcelis gaan staan, aan de linkerzijde.

Vijftien mannen vormden het vuurpeloton. Zij stonden tegenover zeven mannen die iets voorbij de loods van de vlasfabriek voor een houten hek waren geplaatst. Oberleutnant Schmitz leidde het executiepeloton. Met het blote oog schatte hij de afstand tussen de soldaten en de te fusilleren mannen. Zes meter. Dat was binnen de voorschriften, zoals vastgelegd in het oorlogsrecht.

Als de conventie van Genève werkelijk voor hem telde, beging Schmitz een paar grove overtredingen. Hij had de laatste arrestanten, Mart Robbemond en Jacques Pijnacker, niet gevraagd zich te legitimeren. Hij had ze niet gefouilleerd en niet verhoord. Dan is er sprake van het willekeurig doden van burgers bij wijze van represaille, een van de zwaarste oorlogsmisdaden. Schmitz had evenmin namenappèl gehouden van de te fusilleren mannen, wat hem later oprecht speet. Dat was, gaf hij toe, geheel tegen de voorschriften en duidde op een overhaaste uitvoering van het door de Kampfkommandant gegeven bevel.

Schmitz bleef voor alles de ambtenaar, ook in de afgemeten toespraak die hij hield. De 'lieden' die voor hem stonden moesten op bevel van de Kampfkommandant Rotterdam worden gefusilleerd wegens vergelding van sabotage, op de plek waar een Duitse soldaat voor het vaderland was gevallen. Voor zijn dood moest een zoenoffer worden gebracht. Schmitz zei letterlijk in het Nederlands dat de executie 'een zoenmaatregel betrof'.

De luitenant deed een stap terug en beval: 'Legt an.'

De vijftien soldaten legden de karabijn aan.

Wethouder Pijnacker nam zijn hoed af, sloeg zijn ogen demonstratief ten hemel, sloot ze toen en vouwde zijn handen.

Schmitz beval: 'Feuer.'

De zeven mannen vielen voorover.

Schmitz gaf een van de soldaten opdracht het genadeschot te geven. De soldaat schudde het hoofd en wendde zich huilend af.

Toen schreeuwde Schmitz buiten zichzelf: 'Du Dingeldei.'

Willi Dingeldei stapte naar voren. Hij kreeg als taak de gefusilleerden het genadeschot te geven.

'Du Loos.'

Ook Walter Loos stapte uit de rij. Hij pakte het machinegeweer en schoot het magazijn met dertig patronen op de doden leeg.

Als laatste gaf Schmitz met zijn dienstpistool nog een enkel genadeschot.

De dode lichamen mochten niet worden weggehaald, de geëxecuteerden moesten op de dijk blijven liggen.

Jan Kleinjan was op 11 oktober 1944 op een paar weken na negen jaar oud. Jan hielp de voerman Janus Koolhaas van de vlasfabriek, die iedere dag met paarden in de weer was. Ook op

11 oktober was Jan samen met Janus bezig in de paardenstal van de vlasfabriek: Jan mocht de trekpaarden roskammen.

Buiten was het onrustig, maar ze begrepen niet precies wat er aan de hand was. Toen hoorden ze schoten. Veel schoten tegelijk.

'We motten oprotten,' zei Janus.

Ze maakten zich uit de voeten.

Janus vluchtte de wei in, Jan rende de onder aan de dijk gelegen woning van Darius en Bets de Kooning binnen en kroop onder de eettafel.

Door het raam zag hij Duitse militairen lopen op de dijk met het geweer in de aanslag. Hij hoorde op de deur bonzen, 'raus, raus' roepen. De militairen troffen voorbereidingen het huis in brand te steken. Jan rende de stenen trap op naar de dijk.

Bovenaan grepen soldaten hem bij de kraag.

'Ongehoorzaam, hè,' schreeuwde Schmitz. 'Je bent even erg als de rest.'

Jan werd naar de plek van de executie gebracht.

Van luitenant Karl Schmitz moest hij toekijken hoe de zeven mannen het genadeschot kregen: een kogel door het hoofd.

Jan, een jongen van acht, bijna negen jaar.

Sinds 11 oktober 1944, vertelt Jan Kleinjan op 17 juni 2009, trekt drie tot vier keer per nacht aan zijn geestesoog voorbij hoe soldaten de zeven slachtoffers het genadeschot geven.

Dat een jongen op last van de bevelhebber moest toekijken, kwam tijdens het proces tegen Karl Schmitz niet ter sprake, noch tijdens enig ander verhoor over Het Sluisje. Het was toch wel degelijk een oorlogsmisdaad.

Vanuit het slaapkamerraam van haar huis zag Alie Marcelis haar man Dries dodelijk getroffen neervallen. Ze zeeg op de rand van het bed neer. Nog geen minuut later drongen soldaten haar woning binnen en gaven haar tien minuten de tijd te vertrekken.

Volgens Schmitz had hij de bewoners tussen de twintig en dertig minuten de tijd gegeven; in werkelijkheid waren het er minder dan tien.

De soldaten droegen scheven vlas het huis binnen en joegen de bewoners naar buiten.

Dat deden ze ook in het huis van De Kooning Dzn, waar de vrouw van Job op een stapel jutezakken wanhopig lag te huilen en te kermen.

Toen was het oude Veerhuis aan de beurt, waar de familie Osseweijer, de familie Pekelaar en de familie Marcelis woonden. Het Veerhuis was eigendom van de vader van Jacques Pijnacker.

De soldaten smeten het beddengoed op de dijk, een vrouw klampte een officier van de Wehrmacht aan en zei dat het allemaal zo haastig ging dat er wel een kind tussen zou kunnen zitten. De officier – van middelbare leeftijd – stond haar toe de dekens, lakens, spreien, kussens te doorzoeken; de vrouw plukte er een baby van een maand of negen tussenuit. Toen ze de officier het kind liet zien, sprongen de tranen in zijn ogen.

De familie Wagenmeester moest het zwaar ontgelden. De Duitsers stouwden niet alleen de dienstwoning van de machinist van het gemaal vol met brandbaar vlasafval, maar ook zijn fietsenmakerij, zijn schuur en een loods. Alle huisraad ging verloren en al het gereedschap.

Moeder Wagenmeester pakte een kruiwagen. Ze zette haar jongste dochter Hillie erin en haar zoontje Mees. Haar oudste kinderen had ze al vooruitgestuurd. Even nog keerde ze in huis terug om haar portemonnee, persoonsbewijs, trouwboekje en distributiekaart te pakken. Een Duitse soldaat duwde haar naar buiten. Ze tilde de kruiwagen op en reed hem over de dijk. Vanuit het slaapkamerraam zag een andere Duitse soldaat haar met de twee kinderen wegvluchten. Hij bleef even staan kijken, opende toen het raam en riep: 'Warte.'

'Het was zó aardig van hem,' herinnerde Hillie zich een halve eeuw later, 'hij wierp ons nog twee dekens toe.'

Moeder Wagenmeester vouwde ze op en legde ze over de benen van haar kinderen in de kruiwagen.

'Weg, schnell, schnell,' schreeuwden andere soldaten.

Ze duwde de kruiwagen voort en begon te hollen. Een vijftig meter verderop had ze geen adem meer. Ze zette de kruiwagen neer.

Hillie riep: 'Mamma, kijk.'

Ze draaide zich om en zag de vlammen door de daken van de huizen slaan. Door de scheven vlas die in de kamers waren gestouwd brandden de woningen als fakkels. Scheven zijn de houten stengels van vlas.

In het gemaal klonken de doffe ploffen van de exploderende ketels.

De boerderij van Aalbert de Kooning brandde niet, noch het huis van Kees Blekemolen en Gertie Blekemolen-Wiessner. Die woningen werden als enige op Het Sluisje gespaard. Het loonde fout of troebel te zijn.

Bets de Kooning kwam naast Basje Wagenmeester en de kruiwagen met de kinderen te staan. In haar armen hield ze een grote, dikke Statenbijbel. Ze had zo snel moeten vluchten dat er aan de randen van de kaft al brandvlekken zaten.

Vanuit de kruiwagen keken Hillie en Mees Wagenmeester met de handen tegen de mond gedrukt toe hoe vrijwel de hele buurtschap uitbrandde. Mees was te klein om te beseffen wat er aan de hand was, maar Hillie was al acht en begreep dat ze in nog geen halfuur tijd haar vader, haar oudste broer, haar huis en haar vertrouwde omgeving had verloren.

'Kom moeder, niet meer kijken.'

Het was Carla die moeder Wagenmeester riep. Carla trouwde later met Anton Pijnacker, de oudste zoon van Jacques, die met haar vader voor het vuurpeloton was gestorven. Het leek een goede keus: niemand zou haar beter kunnen begrijpen dan het

kind van een ander slachtoffer. Anton kon leven met zijn herinneringen, hoe angstig die ook waren; Ton had een missie te vervullen. Direct na de gewelddadige dood van zijn vader nam hij,
net achttien jaar oud, de leiding van de vlasfabriek over. Carla
leefde op toen ze moeder werd van drie zonen en een dochter.
Het duurde niet lang; ze kreeg reuma, werd bedlegerig en raakte
zwaar aan de drank. In het dorp zeiden ze weinig eerbiedig dat
Carla zich dood zoop. Voor mij is Carla het achtste slachtoffer
van de represaille.

Hillie begon al jong aan een psychotische aandoening te lijden: ze schudde voortdurend met haar hoofd. In tegenstelling
tot haar broers Wim en Mees bleef Hillie in het dorp wonen. Als
iemand haar voorzichtig naar de oorlog vroeg, zei ze op opgewekte toon: 'Wat oorlog?' Of: 'Hoezo, de oorlog?'

Ik was een jaar of zeventien, achttien, toen ik haar dat hoorde zeggen. Ik vond haar niet gek, zoals in het dorp gefluisterd
werd, ik vond dat ze met die ontkenning een knappe manier had
gevonden om aan de slachtofferrol te ontsnappen. Maar de
oorlog liet haar geen dag los, ook zestig jaar later niet.

Op aanwijzing van een dorpeling, een NSB'er, begaven luitenant
Schmitz en een vijftiental soldaten zich naar het woonhuis van
wethouder Jacques Pijnacker aan de Kleidijk 2.

Een sergeant – blijkbaar weer Loos – gaf Marie Pijnacker-de
Wisselare en haar vier kinderen – twee zonen en twee dochters –
opdracht het huis zo snel mogelijk te verlaten. Mevrouw Pijnacker was nog maar net op de hoogte gebracht van de executie
van haar man en verkeerde in shock.

'Waar komen die scheven vlas vandaan?' vroeg ze ongelovig.

Haar verbazing was begrijpelijk. Van de vlasfabriek naar de
Kleidijk was het algauw een kilometer of twee. Het vlasafval
moet meegekomen zijn in de vrachtwagen die de gevangenen
naar Het Sluisje had gebracht.

Marie Pijnacker kreeg nog minder tijd dan Basje Wagenmeester om de waardevolle spullen bijeen te pakken. Ze wist niet meer waar de sieraden lagen en besteedde de meeste tijd aan het in veiligheid brengen van de kanariepiet. Wat ze niet opmerkte was dat haar oudste zoon aan de dood ontsnapte. De Duitsers zochten Ton, over wie ze gehoord hadden dat hij volwassen was, en, in hun taal, 'executabel'. Pieter Pijnacker, de jongere broer van Jacques, die even verderop woonde op de hoek van de Kleidijk en de Achterdijk, had het snel in de gaten. Hij loodste Ton, die het huis al had verlaten en tussen een paar toeschouwers stond, voorzichtig weg, stuurde hem naar het kippenhok achter op zijn erf en droeg hem op onder het hooi te gaan liggen. De kippen gingen tekeer alsof ze gekeeld werden, maar de Duitsers merkten het niet op.

De soldaten hadden het te druk met de vernieling van Jacques Pijnackers huis, sleepten de scheven vlas naar binnen, sloegen de ruiten van de serre aan diggelen en besprenkelden de vlasstengels met petroleum.

Voor de vlam erin ging, inspecteerde Schmitz het huis. Het viel hem op dat in de slaapkamer van de jongste zoon een kaart van Europa aan de wand hing waarop met rode speldenknoppen de vorderingen van het Rode Leger waren aangegeven en met blauwe en groene de vorderingen van de geallieerden. Hij droeg Loos schreeuwend op de kaart van de wand te rukken.

Toen Schmitz even later het bevel gaf het huis aan de Kleidijk af te branden, brak er onder de toekijkende Rhoonaren paniek uit.

'Ze hebben het hele Sluisje uitgemoord en in de fik gestoken,' gilde een vrouw.

In het oosten kropen vijf tot zes rookkolommen de hemel in.

De vlammen sloegen door het dak. De overkapping van het voorportaal viel brandend naar beneden. De ramen sprongen. Henk, de jongste zoon van Jacques, hurkte op de stoep neer, stopte de wijsvingers in zijn oren, sloot zijn ogen en voelde een weerzin opkomen die pas verdween toen hij tien jaar later op de boot naar Nieuw-Zeeland stapte. Hij keerde nooit meer terug naar Europa. Toen een neef hem in 2010 in zijn huis ten noorden van Wellington bezocht, zei hij als eerste: 'Alsjeblieft, geen woord over de oorlog.'

In de DKW die naar Hoogvliet terugreed zat een tevreden luitenant Schmitz. Tegen chauffeur Hanneforth snoefde hij dat zich onder de gefusilleerden de directeur van de vlasfabriek bevond.

'Ach so,' zei Heinz, niet begrijpend wat daar zo bijzonder aan was.

'Mit diesem habe ich den Keim erfasst.'

'De kiem van wat?' vroeg Hanneforth langs neus en lippen weg.

'Het hart van het verzet!'

Karl Schmitz was zelf in de grootsheid van zijn daden gaan geloven. Met Jacques Pijnacker had hij het verzet tot in de wijde omgeving uitgeschakeld.

Hoe hij dat wist? Na de oorlog zei hij dat Loos hem dat had ingefluisterd. Volgens Loos was de directeur van de vlasfabriek de drijvende kracht van de illegaliteit geweest.

Achter in de auto zat Willy Fenner.

'Schmitz,' verklaarde hij na de oorlog, 'zei verschillende malen dat hij met de directeur van de vlasfabriek de juiste te pakken had. Wij hadden daar onze twijfels over. We waren zeer ontdaan over wat Schmitz had aangericht.'

Ontdaan? Misschien. Maar voor ze de huizen in brand staken, namen de soldaten alle kostbaarheden mee die ze in de gauwigheid te pakken konden krijgen en alle levensmiddelen en etenswaren, tot twintig levende konijnen aan toe.

Schmitz rookte tevreden een sigaret. Hij had laten zien dat de Duitsers de oorlog nog lang niet verloren hadden. De klus was geklaard, het liep tegen halfzeven. Hij had trek in eten.

Om zeven uur 's avonds kreeg Augustijn Noole thuis een telefoontje van Oberleutnant Schmitz. Hij gaf de opperwachtmeester van de staatspolitie in Rhoon (de rijkspolitie heette tijdens de bezetting staatspolitie) opdracht de lijken te ruimen op de Rijsdijk bij Het Sluisje.

Opperwachtmeester Noole maakte bezwaar omdat dat deel van de Rijsdijk op Rotterdams grondgebied lag.

'Op brute wijze' en 'met grote Duitse vloeken' gaf Schmitz hem te kennen dat hij persoonlijk voor het opruimen verantwoordelijk was omdat de gemeente Rhoon 'een broeinest van Duitse vijandigheid' was.

Schmitz was over zijn toeren, en niet omdat hij zich volgegoten had met schnaps voor hij aan tafel ging. Zijn huishoudster Maria de With zei later onder ede dat Schmitz op die woensdag 11 oktober tot halverwege de avond geen druppel alcohol had gedronken.

Nee, Schmitz had net een telefoontje gekregen uit Rotterdam, van Kistner, en direct daarop van de Wehrmachtsbevelhebber Christiansen, die weer namens Rauter en Wölk belde. Door zijn snelle en kordate optreden op de Rijsdijk had Schmitz de hele nazi-top in West-Nederland op zijn dak gekregen.

Dat kon Noole niet vermoeden. Hij belde dokter Koos Monteyn, die officieel de dood moest vaststellen, hij riep drie politiemannen op en vroeg drie burgers met hem mee te gaan. Een halfuur later waren ze ter plekke. De huizen waren uitgebrand en smeulden na, de hemel zat vol roet.

Met z'n achten brachten ze de lijken naar een lokaal in de vlasfabriek. Ze waren volgens Noole 'van onderbenen tot voorhoofd doorboord met ontelbare kogels'. De lichamen van Dries Marcelis en vader Wagenmeester waren zelfs 'op beestachtige manier toegetakeld'. Van beiden was de hals voor meer dan de helft weggeschoten en bij beiden zat in de linkerborst 'een gat zo groot als een voetbal.' Van vader Wagenmeester was ook nog eens het rechteroog uitgeschoten.

Noole schreef een rapport waarin de verontwaardiging in ieder woord doorklonk. Het was gevaarlijk wat de wachtmeester deed, maar de drang om zijn bevindingen schriftelijk vast te leggen was sterker dan zijn angst. Door de branden – 'die ik niet mocht vermelden van de Duitse autoriteiten' – waren vijfentwintig mensen dakloos geworden. Noole rapporteerde ook wat aan de represaille vooraf was gegaan: een uitje van Dien de Regt en bootsman Walter Loos en Sandrien de Regt en soldaat Ernst Friedrich Lange.

Na de oorlog werd dat nadrukkelijk verzwegen. Het proces-verbaal van de opperwachtmeester verdween en kwam pas zestig jaar later weer boven water. Voor mij was het een belangrijke bron bij de reconstructie van de gebeurtenissen.

Ruim een uur voor opperwachtmeester Noole en dokter Monteyn met hulp van zes mannen de lijken wegdroegen, was een Duitse legervrachtwagen een paar honderd meter voor de tankval op de Rijsdijk gestopt.

Agenten van de Gestapo hadden 'aussteigen' geschreeuwd; twee mannen in gevangeniskleren en met de handen geboeid waren uit de laadbak geduwd.

Ze moesten in de richting van Het Sluisje lopen, met de agenten van de Gestapo aan hun zij. De bewoners van de Rijsdijk die het zagen, dachten dat er een tweede executie zat aan te komen.

Een tweede executie. Herbert Wölk was er tweeënhalf jaar later nog woest over. Op 8 januari 1947 werd hij verhoord door een rechercheur van het Bureau Opsporing Oorlogsmisdrijven.

Wölk voerde het vuile werk uit voor de nazi's in Rotterdam. Van vrijwel iedere terreurdaad, vergeldingsactie of executie was hij de uitvoerder. Wölk was van december 1942 tot april 1945 Dienststellenleiter van zowel de Sicherheitspolizei (SIPO) als de Sicherheitsdienst (SD). De Dienststellenleiter Rotterdam viel direct onder Hanns Rauter, de hoogste politie- en ss-chef in

Nederland. Als Wölk de opdracht zelf niet gaf, dan handelde hij uit naam van Rauter.

Nadat de melding van sabotage op de Rijsdijk was binnengekomen, had Rauter in overeenstemming met Wehrmachtsbevelhebber Christiansen de scherpste represaillemaatregelen gelast. Wölk kreeg opdracht om een aantal – als hij het wel had: tien – ter dood veroordeelde personen voor executie naar de Rijsdijk te brengen. Dat was namelijk regel bij gijzelaars: alleen ter dood veroordeelden kwamen ervoor in aanmerking, ook al waren die in vijf van de tien gevallen na een schijnproces in een dodencel opgesloten. Wölk liet een order uitgaan alvast een paar *Todeskandidaten* over te brengen naar de plaats van de vergelding. De Gestapo haalde twee mannen uit de cel van de gevangenis in Rotterdam. Zij kwamen als eersten op de Rijsdijk aan. Acht andere mannen zouden spoedig volgen, die moesten uit de gevangenis in Scheveningen komen.

Nietsvermoedend liepen de agenten van de Gestapo met de twee gevangenen naar Het Sluisje. Toen zagen ze dat de sabotagedaad al vergolden was: de lijken lagen nog op de dijk. 'Ik zag in,' verklaarde Wölk na de oorlog, 'dat de Ortskommandant Schmitz in deze zaak zonder mijn medeweten al de scherpste maatregelen had uitgevoerd. Ik heb direct daarop een scherpe klacht ingediend bij de bevelhebber van de strijdkrachten.' Het was volgens Wölk alleen aan zijn beambten te danken dat in deze zaak niet door twee verschillende instanties dubbele represailles waren uitgevoerd.

Schmitz' handelwijze werd onderzocht. Rauter en Christiansen gaven hem een mondelinge reprimande. Wölk vond dat veel te mild, de luitenant had een disciplinaire straf moeten krijgen. 'De gijzelaars zijn op eigen initiatief en eigen bevel van Schmitz gearresteerd en doodgeschoten. Ik was het daar volkomen mee oneens.'

Als veel ss-kopstukken was Wölk een jurist. Een mislukte jurist weliswaar, hij had zijn rechtenstudie in Berlijn niet afgemaakt. Mede door zijn vroege lidmaatschap van de nationaal-socialistische partij was hij tot de Polizeihochschule in Berlijn-Charlottenburg toegelaten. Bij de politie van Berlijn klom hij op tot Kriminalrat, wat een zuiver ambtelijke baan was. In Rotterdam mocht hij dan moorden alsof hij per lijk betaald kreeg, hij wilde wel dat het volgens de regels en de richtlijnen van de nazi's gebeurde. Tien dagen voor de bevrijding schoot hij eigenhandig een meisje van twaalf dood op de Schiedamse-vest omdat ze zich niet aan spertijd had gehouden. Regels waren heilig voor de Dienststellenleiter. Wölk: 'Op de Rijsdijk kon geen standgericht gehouden worden daar het om gijzelaars ging. Gijzelaars kunnen niet veroordeeld worden omdat ze niets hebben gedaan.'

Wölk kon het later uitvechten met Schmitz. Hij werd tot twintig jaar gevangenisstraf veroordeeld. In de gevangenis van Breda kwam hij tijdens het luchten herhaaldelijk de Oberleut-nant uit Hoogvliet tegen. Ik weet niet of ze ooit een woord hebben gewisseld. Wölk vond hem een onbenul en Schmitz was uit-sluitend bezig met zijn slechte gezondheid, veroorzaakt door het eten dat hij in de gevangenis zo smerig vond dat hij er zeker van was dat het zijn lever zou vergiftigen.

Op 11 oktober 1944 werd zijn avondeten vergald door de tele-foontjes van Rauter en Christiansen en direct daarop door de meldingen van grove plunderingen. Schmitz besloot de maaltijd toen maar te laten voor wat die was. Hij trok zijn lange uniform-overjas aan, zette zijn pet op en liep naar de Schreibstube. Veel zin had hij niet, de dag had voor hem lang genoeg geduurd, maar het was toch maar beter om direct te onderzoeken wat er waar was van de beschuldigingen.

De soldaten gaven algauw toe dat ze spaargeld, sieraden, horloges, manchetknopen en andere waardevolle spullen uit de woningen hadden ontvreemd. Tegen de daders besloot Schmitz geen strafactie te ondernemen omdat de soldaten 'nog zo jong en onervaren waren'. Wel besloot hij de dieven van levensmiddelen en kleinvee disciplinair te straffen, ondanks hun verweer dat het toch zonde geweest zou zijn als de konijnen in de vlammen waren omgekomen. Van die disciplinaire straffen maakte hij geen melding bij zijn superieuren.

Schmitz beval de soldaten alle waardevolle spullen op zijn bureau neer te leggen. Hij stopte ze in de lade van zijn bureau, die hij met een sleutel afsloot. Tot het einde van de oorlog bewaarde hij de kostbaarheden. Op de dag voor de capitulatie gaf hij zijn huishoudster Maria de With een gouden armbandhorloge cadeau, als dank voor het koken.

De volgende morgen werden de zeven stoffelijke overschotten van de vlasfabriek naar de aula van de begraafplaats aan de Charloisse Lagedijk in Rotterdam overgebracht. Opperwachtmeester Noole verzegelde de kisten.

Wat later die dag stond Schmitz toe dat de stoffelijke overschotten aan de nabestaanden werden overgedragen. Ze zouden op maandagmiddag 16 oktober in Rhoon ter aarde mogen worden besteld, op voorwaarde dat de begrafenissen na elkaar plaatsvonden. Er mocht alleen familie bij aanwezig zijn en geen publiek. De opeenvolgende uitvaarten moesten in de woorden van Schmitz 'zonder tamtam verlopen'. Anders volgden strafmaatregelen.

De families hadden geen keus en gingen met de voorwaarden akkoord. Jacques Pijnacker werd bijgezet in het familiegraf, voor vader en zoon Wagenmeester werd eveneens een familiegraf in gereedheid gebracht. De andere vier slachtoffers kwamen naast elkaar te liggen in vier gewone graven. Bij Pijnacker, Wagenmeester en Marcelis ging de gereformeerde predikant voor, bij de overige begrafenisdiensten zou de hervormde predikant dat doen.

Bep de Kooning-van der Stoep weigerde dat. Ze had dominee De Vos van Marken een keer koffie zien drinken met de Orts-

kommandant van Rhoon en wat hij op de kansel vertelde vond
ze getuigen van de mentaliteit die haar man het leven had gekost. Ze koos voor dominee Bijlsma uit Rotterdam-Charlois.
Die heulde tenminste niet met de nazi's.

Het was een nevelige najaarsmiddag op maandag 16 oktober.
Rien Stolk zag de lijkkoetsen op het erf van een herenboerderij
aan de Rijsdijk staan te wachten. Om het halve uur kon een van
de koetsen vertrekken naar de begraafplaats achter de hervormde kerk in Rhoon.

De vader van Rien zat ondergedoken om aan dwangarbeid te
ontsnappen. Samen met zijn moeder was Rien naar het onderduikadres van zijn vader aan de Rijsdijk verhuisd. Hij kwam uit
een grauwe wijk in Rotterdam en vond de landelijke weidsheid
zo bedwelmend dat hij van de vroege morgen tot spertijd over
de dijken slenterde.

Begrafenisauto's waren er toen al wel, maar door de benzine-
schaarste waren de koetsen weer van stal gehaald. Ze werden
door twee paarden getrokken. Over hun ruggen waren zwarte
dekens getrokken die tot halverwege de poten reikten.

Het huiveringwekkende vond Rien de hoge zwarte pluimen
naast de oogkleppen. Ook op de lijkkoets waren van die pluimen aangebracht. Door het glas van de koetsen zag Rien de
doodskisten staan onder een zwart kleed dat de hoeken van de
kist vrijliet.

De paarden waren onrustig, stampten, schudden met hun kop,
snoven. Het was alsof ze zich tegen de begrafenis verzetten, tegen
het trieste einde van die zeven mannen, tegen de dood.

In de jaren zestig werd Rien een bekend acteur in Rotterdam.
Als hij een scène vol kilte en angst voor de dood moest spelen,
dacht hij voor hij het toneel op stapte aan die zwarte pluimen en
die zwarte koetsen onder aan de dijk, en dan hoorde hij de paarden opstandig snuiven.

ACHT

Was het sabotage?

Toen ik dat Berry Hersbach vroeg, keek hij me onderzoekend aan en zei: 'Praat je met de moffen mee, Brokken?'

Sabotage was het alibi van de vijand. Sabotage verschoonde de Duitsers weliswaar niet van oorlogsmisdaden maar gaf ze wel een verzachtend motief: ze revancheerden zich voor een kameraad die willens en wetens was vermoord.

Was het sabotage?

De vraag stellen was hem beantwoorden. Om die reden werd er zesenzestig jaar lang zo min mogelijk over gesproken. Sterker nog, als je geloofde dat de draad opzettelijk was losgemaakt, moest er ook een dader zijn en die had, in de woorden van onderduiker Klaas Pikaar, 'heel wat op zijn geweten'. Beter was het dus niet te gaan zoeken.

Ik zocht niettemin en deed een ontdekking die ik zelf nogal onthutsend vond. Ook in de laatste twaalf oorlogsmaanden namen weinig vaderlanders actief deel aan het verzet en hielden de meeste de veilige kant. Dat wist ik. Wat ik niet wist is dat de ondergrondse met een bang oog werd bezien en tegen het einde van de oorlog zelfs met een boos.

Het verzet was niet populair in de oorlog. Het ontzag voor de acties van de ondergrondse ontstond pas in de jaren zestig toen iedereen veilig voor de televisie zat en naar de serie *De bezetting* keek. Tijdens de oorlog vreesden ze in een dorp als Rhoon de illegale heldendaden minstens even sterk als de Engelse bombardementen die bij vergissing werden uitgevoerd. Na een moedige verzetsactie volgde bijna altijd een laffe vergelding van de bezetter die onschuldige burgers het leven kostte. Loonde die moed dan?

Een paar maanden voor de represaille op Het Sluisje sprong Klaas Pikaar op de fiets en reed van zijn onderduikadres in de richting van het dorp. Die onvoorzichtigheid moest hij bezuren: op een verlaten stuk dijk werd hij door een Duitse soldaat aangehouden. De militair was alleen en vroeg naar zijn papieren. De klos, dacht Klaas. Twee keer eerder was hij aan de Arbeitseinsatz ontsnapt door te vluchten, dit keer zou het hem niet lukken, tenzij hij geweld gebruikte. Hij was gewapend; in de binnenzak van zijn jasje zat een revolver. Zal ik hem neerschieten? flitste door zijn hoofd. 'Nee zak,' beet hij zichzelf toe. 'Hoeveel mannen pakken ze dan niet op om te fusilleren?' Klaas zei dat hij zijn papieren thuis had laten liggen. 'Volgende keer meenemen,' zei de soldaat. Zelfs als Klaas niet dat geluk had gehad, zou hij geen spijt hebben gekregen van zijn beslissing. In 1944 was het voor iedereen duidelijk dat je door een Duitser te doden een paar landgenoten voor het vuurpeloton sleepte.

Ook om die reden wilde Berry Hersbach niet dat het sabotage was. Berry zat er al mee dat Wijnand Wagenmeester niet onmiddellijk in actie was gekomen en de kabel had doorgeknipt. Een persoon in nood help je, al is het een mof.

Het huis van mijn vroegere overbuurman lag op de hoek van de Singel en de Parallelstraat. Langs de Parallelstraat liep een smalle sloot. Als je die oversprong, stond je in de berm van de Groene Kruisweg onder een dubbele rij kastanjebomen.

In de Hongerwinter reed een motor met zijspan over de Groene Kruisweg. Achter het stuur een ordonnans van de Wehrmacht, in het zijspan een luitenant. Het woei hard, het sneeuwde, de temperatuur schommelde rond de min vijftien. Ter hoogte van de Parallelstraat zagen de militairen rook uit een schoorsteen komen. Ze zetten de motor aan de kant, sprongen de sloot over en belden bij Berry Hersbach aan. De districtsleider van de LO in Rhoon-West deed open. De moffen bestierven het van de kou; of ze zich even mochten komen warmen? Ze deden hun handschoenen uit, hun vingers zagen blauw. Op hun oren stond ijs. Berry liet ze binnen en zette ze voor de haard neer.

'Goeie haard,' zeiden ze.

'Jaarsma.'

Begrepen ze niet.

'Een Jaarsma-haard. Fries merk.'

'Ach so.'

Ze knikten en wezen naar het vuur in de haard. 'Antraciet?'

'Ja, antraciet.' Op de zwarte markt gekocht, maar dat begrepen ze ook wel – hoe kwam je anders aan brandstof in januari 1945?

Ze kregen rode wangen, dommelden half in. Berry Hersbach dacht: een gericht schot in de nek en er lopen weer twee moffen minder op de wereld rond. Maar hij kende de gevolgen.

Bij het afscheid maakten ze een buiging en zeiden: 'Danke schön, Herr HerZZbach.'

De angst voor represailles nam in de herfst van 1944 snel toe en groeide rond maart 1945 uit tot een collectieve psychose.

Aan de overkant van de rivier lag het spiegelbeeld van Rhoon. Zelfde kerk vanbuiten, zelfde type boerderijen, zelfde lintbebouwing, zelfde smalle dijken. Hetzelfde soort rivierdorp met dezelfde protestantse mentaliteit, ook bij de enkele katholiek die er woonde.

Langs Heinenoord liep een provinciale weg vergelijkbaar met de Groene Kruisweg bij Rhoon, een tweebaansweg met een breed fietspad erlangs, gescheiden door een even brede groenstrook. Op dat fietspad schoot een verzetsgroep op zaterdag 17 februari 1945 de NSB-burgemeester dood.

De burgemeester was sinds kort in functie. Hij had direct de mouwen opgestroopt en een razzia georganiseerd die vijfenzeventig mannen voor de dwangarbeid in Duitsland had opgeleverd. Moest die fanaticus om zeep worden geholpen om een volgende razzia te voorkomen? De Knokploeg Zinkweg uit de

Hoekse Waard stemde erover en concludeerde unaniem dat zo snel mogelijk tot liquidatie moest worden overgegaan. Een paar dagen later schoten vier leden van de knokploeg de burgemeester neer.

Nog geen half etmaal later werden in alle vroegte tien gevangenen uit de strafgevangenis van Scheveningen gehaald en overgebracht naar de bewuste plek aan de provinciale weg. Op zondagmorgen om negen uur werden ze gefusilleerd.

Tobias de Regt vertelde me over de doden van Heinenoord. In zijn herinnering waren het er dertig. De hele streek was hels. Voor Tobi kon je zonder enige overdrijving zeggen dat deze mensen door de ondergrondse waren vermoord. Kort door de bocht weliswaar, maar zo werd gedacht.

In de Hoekse Waard was de reactie van de bevolking zo negatief dat de vier leden van de Knokploeg Zinkweg zich niet bekend durfden te maken na de oorlog. Tien, twintig, dertig, veertig, vijftig jaar later durfden ze dat nog steeds niet. We mogen aannemen dat ze hun geheim hebben meegenomen in hun graf: de liquidatie is door geen enkele verzetsstrijder opgeëist.

De executie op Het Sluisje was nog een graadje erger, in die zin dat zeven dorpelingen waren opgepakt en zonder enige vorm van proces voor het vuurpeloton waren gezet. De slachtoffers van Heinenoord waren althans nog betrokken bij een verzetsdaad en uit de strafgevangenis van Scheveningen gehaald.

Aan de overkant van de Oude Maas voltrok de vergelding zich zoals Herbert Wölk, de leider van de Sicherheitsdienst in Rotterdam, het ook op Het Sluisje had gewenst: de dood van de NSB-burgemeester werd afgestraft met de terechtstelling van tien Todeskandidaten. Een van hen was Emanuel Hamburger, leraar aan de hbs in Dordrecht, drieënveertig jaar, Jood, samensteller en drukker van illegale bladen. Hij had ondergedoken gezeten en was verraden door een oud-leerling die voor de SD werkte. Na dagenlange verhoren was hij ter dood veroordeeld en naar Scheveningen overgebracht. Emanuel Hamburger stierf in Heinenoord, maar hij had ook op 12 maart 1945 op de Pleinweg in Rotterdam-Zuid de kogel kunnen krijgen, ter vergelding van de aanslag op een Duitse beambte van de Sicherheitsdienst en een Nederlandse ss'er, waarbij twintig ter dood veroordeelden werden gefusilleerd. Of op het Hofplein. Op dezelfde dag – 12 maart – werden op het Hofplein in Rotterdam twintig andere Todeskandidaten doodgeschoten, weer na een liquidatie van de ondergrondse.

Veertig op één dag kon de bevolking niet meer aan. De Rotterdamse afdeling van de Landelijke Knokploeg zag zich genoodzaakt een verklaring uit te geven om de burgers te vragen niet te snel te oordelen over de toelaatbaarheid van deze daden. 'Een buitenstaander,' schreef de LKP, 'kan de factoren niet altijd begrijpen of althans overzien die een bepaalde daad noodzakelijk maken.' De leiding van de knokploeg vroeg de Rotterdammers zich van al te gemakkelijk oordelen te onthouden, ook al 'valt in brede lagen van de bevolking een stemming waar te nemen die zich tegen de illegaliteit richt'.

Het verzet had zijn goodwill verspeeld. Desondanks liet de volgende actie niet lang op zich wachten, met weer een represaille als gevolg, op 1 april aan de Oostzeedijk.

De lijst is lang als je 'represailles Tweede Wereldoorlog in Nederland' op internet intikt. Volgens de laagste raming kwamen 2133 mensen door vergeldingsacties om het leven en volgens de hoogste 4000. In de laatste twaalf oorlogsmaanden stierven alleen al in Rotterdam-Zuid 111 mensen voor het vuurpeloton, waarbij de zeven doden van Het Sluisje niet zijn meegeteld. Die doden ontbreken in alle statistieken en lijsten van slachtoffers, door de geïsoleerde ligging van de buurtschap en de vraag of Het Sluisje bij Rhoon hoorde of bij Rotterdam. En door de onduidelijkheid over de opdrachtgever: de Kriegsmarine, de Wehrmacht of toch de Gestapo en de Sicherheitsdienst?

Direct na de executies op Het Sluisje haastten de verzetsorgani-saties in de regio zich te verklaren dat de breuk van de hoog-spanningskabel een ongeluk was en geen sabotagedaad. De eer-ste organisatie die een onderzoek instelde naar het gebeurde was de Rhoonse illegaliteit. De lokale verzetsstrijders wilden snel handelen om geruchten en verdachtmakingen voor te zijn. Het onderzoek moest tevens duidelijk maken dat het georgani-seerde verzet niets met Het Sluisje te maken had.

Ik schrijf hier nadrukkelijk 'georganiseerde' verzet. Na Dolle Dinsdag doken overal in de streek wilde knokploegen op die er een eigen strategie op na hielden. Vaak ook namen individuen het recht in eigen hand, waarbij de scheidslijn tussen politiek verzet en persoonlijke revanche vervaagde. Het georganiseerde verzet deed er alles aan om zich van onnozele of juist doortrapte waaghalzen te distantiëren.

Wout Wachtman woonde aan de Nieuweweg, een smal weg-getje naar de Rijsdijk. Vanaf 1941 werkte Wout bij Wilton-Fij-enoord aan de overkant van de Nieuwe Maas en fietste iedere dag naar Pernis, waar hij het pontje naar de scheepswerf nam. Hij kwam dan langs de vlasfabriek en Het Sluisje.

Met verzetsactiviteiten was Wout al in 1940 begonnen. Eind '43 zette hij samen met zijn onafscheidelijke maat Bas Jongbloed de gewapende tak van de LO in Rhoon op. De knok-ploeg deed zulk voortreffelijk werk dat de LO Wout en Bas uit-leende aan de Knokploeg Rotterdam-Zuid, die door verraad en arrestaties ernstig was uitgedund. Na bewezen doeltref-fendheid deelde de Knokploeg Rotterdam-Zuid Wout en Bas bij de Haven Sabotageploeg in, de eliteploeg van het Rotter-damse gewapende verzet en een onderdeel van de Knokploeg Zuid.

De Duitse legerleiding wilde voorkomen dat in Rotterdam hetzelfde zou gebeuren als in Antwerpen, waar de haven in sep-tember 1944 puntgaaf in handen van de geallieerden was geval-len. Geen kade of kraan vernield, de installaties waren volledig intact. De geallieerde schepen konden af en aan varen om de troepen te bevoorraden – een zware slag voor de nazi's.

Om de haven van Rotterdam onbruikbaar te maken begon de Duitse marine op de Nieuwe Waterweg en de Nieuwe Maas blokkades op te werpen door schepen tot zinken te brengen. Het verzet probeerde, in opdracht van de regering in Londen, de Duitsers voor te zijn en zelf schepen onklaar te maken terwijl ze nog aan de kade lagen of bij een scheepswerf. Tot zinken gebrachte schepen konden niet meer versleept worden naar het midden van de Nieuwe Waterweg of de Nieuwe Maas.

Wachtman was bij minstens negen acties van de Haven Sabotageploeg betrokken. Met een kano of een roeiboot voer hij naar de schepen, hij dook in het ijskoude water en bracht onder de waterlijn magnetische kleefmijnen op de scheepswand aan. Over het water streken de zoeklichten, op de kade patrouilleerden bewakers van de Kriegsmarine en agenten van de Sicherheitsdienst; het was levensgevaarlijk werk.

Wout kende geen angst; hij had er werkelijk geen idee van wat het betekende bang te zijn. Vijf jaar voor het uitbreken van de oorlog was hij afgekeurd voor militaire dienst vanwege zijn geringe lengte; sindsdien was de schrikknop in zijn hoofd uitgeschakeld. De Knokploeg Zuid kon hem alles vragen, hij deinsde nergens voor terug.

Op 10 oktober 1944 ging de Haven Sabotageploeg weer tot actie over, een actie waarvoor de leden van de verzetsgroep in de jaren zestig een lintje zouden krijgen. Wout bedankte voor déze eer. Hij schreef een brief dat hij inderdaad bij vele acties betrokken was geweest, maar níét bij die van de tiende oktober: toen had hij in de namiddag de laatste eer bewezen aan de opa van zijn verloofde.

Opmerkelijk dat hij zo nadrukkelijk schreef dat hij in de namiddag was wezen condoleren in Rotterdam-Charlois.

Na rouwbeklag, koffie en een hartversterkertje, dat was gebruikelijk. Nee, koffie was er niet meer, maar jenever nog wel, al dan niet illegaal gestookt. Misschien in een overmoedige stemming naar huis teruggekeerd via de Reedijk en de Rijsdijk. Onderweg de moffen en de meiden tegengekomen; bij de vlasfabriek de draad...

Wout zou ertoe in staat zijn geweest. In diezelfde periode belde hij bij een portiekflat aan de Oranjeboomstraat in Rotterdam-Zuid aan, liep de trap op naar de bovenwoning en schoot een NSB'er neer die had dienst genomen bij de Nederlandse ss en zojuist was teruggekeerd van het front in Rusland. Een eenmansactie waarvan onduidelijk bleef wie de opdrachtgever was. De liquidatie mislukte, de oostfrontstrijder stuiterde van de trap af en bleek slechts aan de schouder gewond te zijn. Hij stopte de zaak zelf in de doofpot door geen aangifte bij de politie te doen en zich evenmin bij de bezetter te beklagen.

Wout Wachtman was tot roekeloze eenmansacties in staat. Misschien had het georganiseerde verzet hem op het oog toen het besloot een onderzoek in te stellen naar het drama van Het Sluisje. Hij was moeilijk plaatsbaar: door de Knokploeg Rhoon uitgeleend aan de KP Rotterdam-Zuid, werkend voor de Haven Sabotageploeg en andere Rotterdamse verzetsgroepen. Niemand wist meer onder wiens commando hij viel.

Veertig jaar na de oorlog wilde Wachtman uit de doeken doen hoe het allemaal precies zat met zijn verzetsdaden. Hij begon zijn herinneringen aan de oorlog op schrift te zetten. Zijn pen stokte in het jaar 1944, ergens in de zomer, een maand of vier voor de gebeurtenissen op Het Sluisje.

De ondergrondse wenste nadrukkelijk aan te tonen dat hen geen enkele blaam trof. Storm was de oorzaak van de kabelbreuk, luidde de conclusie van het rapport. Die verklaring namen de dorpelingen maar al te graag over. Als storm de oorzaak was, kon je alleen de hemel iets verwijten.

Lenie Osseweijer woonde in het Veerhuis op Het Sluisje. In haar herinnering stormde het op de tiende oktober zwaar. 'Bar en boos' was het toen geweest, met 'verschrikkelijke regenbuien'. Geen wonder dat de kabel door dat natuurgeweld was losgeraakt.

Volgens het archief van het KNMI viel op 10 oktober 1944 geen spatje regen en bedroeg de windsnelheid 3 op de schaal van Beaufort. Over windkracht 3 zeiden ze bij ons in de polders: nog geen zuchtje wind. Fietsers trokken op die dag geen overjas aan, zulk mooi weer was het.

Stel dat het plaatselijk iets harder had gewaaid. Dan was de kabel nog te dik om te breken. Berry Hersbach wist zeker dat het om een 16-kwadraatkabel ging. Die kun je bijna niet doorknippen met een tang – je moet er in ieder geval forse spierballen voor hebben. Berry Hersbach gelooft dan ook eerder dat de kabel door kortsluiting is doorgebrand. Hij moest wel eerlijk toegeven dat zoiets in zijn vijftigjarige loopbaan als elektricien nooit was voorgekomen.

Kabelbreuk maakte Berry Hersbach één keer mee: in de nacht van 31 januari op 1 februari 1953, tijdens de ramp die drie dorpelingen het leven kostte en alle polders buiten de dorpskern onder water zette. Toen brak bij windkracht 12 een elektriciteitsdraad op de Tijsjesdijk. De stroom stond er nog op en naast de draad lag een dode hond. In die nacht spookte het werkelijk en spoelde het water bij veertig boerderijen en honderd huizen naar binnen. Op de morgen na de watersnoodramp haalde Berry, in dienst van de vrijwillige brandweer, de stroom van de kabel. Bij het zien van de geëlektrocuteerde hond moest hij even aan de Duitse soldaat denken. Stroom geeft een lelijke dood. Van de hond waren de poten stijf als jeneverkruiken.

De storm bleef een hardnekkige mythe. Ook Arie van den Akker herinnerde zich noodweer, vertelde hij zijn zoon. Hij was vijfenveertig jaar in 1944, had een behoorlijk grote boerderij aan de Rijsdijk waar tien Duitse militairen ingekwartierd waren. De oogst stond nog op schelven die met zeil waren afgedekt. Op 9 of 10 oktober vroeg hij hulp aan de Duitse soldaten om betonblokken op de randen van de zeilen te leggen. Arie wist nog goed dat zijn vrouw tegen hem zei: 'Aai, ons eten waait weg.' Mooi beeld: met de oogst woei de opbrengst weg. Alleen: vlas en graan worden, afhankelijk van de weersgesteldheid, tussen medio augustus en medio september geoogst. In de tweede week van oktober was de oogst allang binnen. Had hij zich niet een maand vergist?

Een goede bron zijn de politierapporten. Kwamen er tijdens die weken meldingen binnen van stormschade? Jawel, na de zware storm die op 7 september over Zuid-Holland raasde, op de kop af tweeëndertig dagen voor matroos Ernst Lange tegen de draad liep.

De illegaliteit in haar rapport: 'Van de vlasfabriek loopt een draad voor het leveren van de bedrijfsstroom naar een paal aan de overkant van de weg. Op deze draad staat 500 volt spanning. Deze draad is met de bekende storm op een middag eind september gebroken. Doch op een der isolatoren blijven hangen en niet gerepareerd, waarschijnlijk omdat hij nog wel contact maakte. Wie hiervoor verantwoordelijk is, is niet bekend.'

De septemberstorm was volgens de illegaliteit de oorzaak. Alleen hielden de anonieme opstellers van het rapport een verkeerde datum aan: *eind* september in plaats van 7 september.

Door de storm waren bomen langs de Jachtdijk en de Slotsedijk tegen de vlakte gegaan, waren telefoon- en elektriciteitspalen omvergewaaid en was er op de Rijsdijk bij de vlasfabriek een draad los op de dijk blijven liggen die volgens het rapport om onbekende reden niet was gerepareerd.

Als je tussen de regels leest, zie je de onzekerheid in het rapport. Met impliciet de vraag waarom die draad in de daaropvolgende dagen (een dag of tien volgens de illegaliteit, tweeëndertig dagen in werkelijkheid) niet is gerepareerd. Wie daarvoor verantwoordelijk was, lieten de opstellers van het rapport liever buiten beschouwing. Ik vermoed dat ze de machinist van het gemaal, Wijnand Wagenmeester, op het oog hadden. Wijnand droeg echter geen enkele verantwoordelijkheid voor de elektriciteitskabels op Het Sluisje. De reparatie had door het Elektriciteitsbedrijf Rotterdam moeten worden uitgevoerd (Het Sluisje viel onder het districtskantoor Den Briel) of door een door het EBR erkend elektricien. Voor kleinere calamiteiten en onderhoudswerkzaamheden schakelde het energiebedrijf elektricien Roobol uit Pernis in.

Onmogelijk dat de draad een volle maand los op de dijk heeft gelegen. Bij de vlasfabriek werkten zestig arbeiders van 07.00 tot 18.00 uur; op Het Sluisje woonden zeventig volwassenen en kinderen; iedere dag kwamen tientallen dorpelingen langs de plek. Door die losliggende draad, waarop continu spanning stond, zouden ernstige ongelukken zijn gebeurd.

De illegaliteit had het mis. Door de storm was alleen de aansluiting van de draad beschadigd, waardoor het stukken makkelijker was de draad naar beneden te trekken.

Direct na de oorlog begon het onderzoek naar de handelwijze van de burgemeester van Rhoon, Jan Hendrik Groeneboom. In het geval van Het Sluisje viel hem niets te verwijten, het gebied behoorde sinds 1934 tot de gemeente Rotterdam.

Tijdens de hoorzitting van de Adviescommissie Zuivering Burgemeesters Zuid-Holland werd terloops gesproken over gebeurtenissen 'naar aanleiding van de brand nabij de vlasfabriek'.

Toen Groeneboom de notulen van die hoorzitting ter goedkeuring voorgelegd kreeg, vroeg hij schriftelijk om verandering. Hij was een secure man, 'naar aanleiding van de brand' moest veranderd worden in 'naar aanleiding van de gepleegde sabotage bij de vlasfabriek'.

Voor burgemeester Groeneboom stond het buiten kijf dat er sabotage was gepleegd.

De adviescommissie oordeelde overigens dat de burgemeester in functie kon blijven, ondanks de belastende verklaringen van vijf leden van het Rhoonse verzet, onder wie Berry Hersbach, Hendrik Kwist en dominee J.J. Kloosterziel.

Als het sabotage was, zoals de burgemeester verzekerde, waarom wilden dan zo weinig mensen weten wat er precies gebeurd was?

Ik vermoed dat de meeste dorpelingen extreem heftige reacties vreesden als een schuldige kon worden aangewezen. Het dorp was geschokt, het dorp was ziedend. Op maandag 16 oktober 1944, toen de slachtoffers werden begraven, hingen bij driekwart van de woningen in Rhoon witte lakens voor de ramen of zwarte doeken die normaal voor de verduistering werden gebruikt. De dorpelingen mochten van Oberleutnant Schmitz de begrafenissen niet bijwonen, maar deelden in het verdriet door witte lakens op te hangen – het traditionele teken van rouw in het dorp – of protesteerden door alle ramen zwart te maken. Bijna niemand ging naar zijn werk op die dag, de winkels bleven gesloten. De volgende dag besloot luitenant Schmitz bootsman Loos naar Hoogvliet over te plaatsen. Een verstandig besluit, vanuit Duits oogpunt althans: Loos zou gelyncht zijn als hij op de Rijsdijk ingekwartierd was gebleven. Ook voor de bevolking was het een juist besluit: op de dood van Loos zouden nog veel verschrikkelijker represailles zijn gevolgd. Escalatie lag op de loer.

Aan have en goed hechten agrariërs nog veel meer waarde dan stedelingen. Dat de Duitsers de huizen van de slachtoffers in brand hadden gestoken, compleet met inboedel, waardoor de weduwen met lege handen achterbleven, stelden Bijbelvaste Rhoonaren gelijk aan de komst van de apocalyptische ruiters. Meer verderf hadden de moffen niet kunnen zaaien in het dorp.

De weduwe Pijnacker kon met haar kinderen bij een zwager intrekken. Een week later huurde ze een huis, waar ze een jaar wachtte tot haar nieuwe woning aan de Molendijk gereed was, een sober maar ruim pand naast het huis van de burgemeester.

Voor de weduwe Wagenmeester was het moeilijker. Het huis dat ze uiteindelijk met haar kinderen betrok kon ze alleen verkrijgen door de hulp, bemiddeling en financiële steun van de broers van vader Wagenmeester. De weduwe De Kooning en de weduwe Marcelis moesten bedelen om een huis. De weduwe De Kooning was er in 1946 en 1947 nog mee bezig en schreef uiteindelijk een smartelijke brief aan de burgemeester van Rotterdam.

Pijnlijk allemaal, vernederend, beschamend. Ik zal niet zeggen dat er een opstand dreigde, protestanten zijn van nature antirevolutionair, maar langs de Rijsdijk waren ze over een afstand van zes kilometer furieus. Bij de haven van Rhoon begon drie weken na de represaille een schietcursus in een loods, georganiseerd door de ondergrondse. Voor de eerste les meldden zich elf mannen. Aan de buitentraining in de grienden namen twintig mannen deel. Tegelijkertijd vroegen veel dorpelingen zich af of het verstandig was zo fel op de executies te reageren. Zou er niet nog meer bloed gaan vloeien?

Vanaf de gereformeerde kansel maande dominee Kloosterziel tot kalmte. Hij, de strateeg van het verzet in Rhoon, vreesde domme acties. Die zouden er uiteindelijk toch komen, maar later.

De bewoners van Het Sluisje en De Tol wisten uit eigen waarneming dat het geen oude versleten elektriciteitskabel was die bij de vlasfabriek was losgeraakt. De huizen van Het Sluisje waren pas tijdens de oorlog op het elektriciteitsnet aangesloten. Tot 1943 zorgden door gas verhitte gaasjes voor de verlichting. Een jaar voor de oorlog was een dikke bovengrondse elektriciteitskabel naar de vlasfabriek getrokken. De reefmachines zopen stroom. Door de komst van nieuwe machines en de toename van de productie moest eind 1940 een tweede elektriciteitskabel naar de fabriek worden getrokken. Het energiebedrijf van de gemeente Rotterdam koos voor een ondergrondse leiding, maar liet de bovengrondse kabel intact. Zo kon de fabriek door twee kabels gevoed worden. De bovengrondse fungeerde als reserve-kabel en bleef onder spanning staan zodat hij in noodgevallen direct dienst kon doen. De werkelijke reden om de leiding te handhaven was het koper: dat moest bij de Duitsers ingeleverd worden en het energiebedrijf probeerde dat met een overtui-gend excuus te verhinderen.

De draad die boven de Rijsdijk hing was dus een vrij nieuwe, dikke kabel. Die kon in uitzonderlijke gevallen losraken bij storm, maar het was onwaarschijnlijk dat dat gebeurde op de beschutte plek aan de muur van de vlasfabriek. Bij storm was de vijf meter hoge paal aan de overkant van de dijk het zwakke punt. Daar bleef de draad keurig vastzitten, ook tijdens de storm van 7 september. Wel brak tijdens de storm het porselei-nen isoleerpotje aan de kant van de vlasfabriek. Het was vanaf dat moment vrij eenvoudig de kabel naar beneden te trekken. Door de kortsluiting die daarbij ontstond, brandde de draad door. Niet nodig dus de draad door te knippen; iedereen met een beetje lef, boosheid of baldadigheid was ertoe in staat.

Het meest opmerkelijke blijft toch dat op dinsdag 10 oktober niemand om zes uur in de avond een kabel scheef heeft zien han-gen bij de vlasfabriek. Niet om zes uur, niet om zeven uur, noch om tien minuten voor acht toen de militairen Loos, Lange, Wil-lems en de meisjes De Regt over de dijk langs de vlasfabriek lie-pen. Een kleine twee uur later hing die hoogspanningskabel schuin over de weg. Je hoeft niet overal complotten te zien op-doemen om dat verdacht te vinden. Uiterst verdacht zelfs.

Burgemeester Groeneboom had gelijk: het was natúúrlijk sa-botage. Maar dan rijst de vraag die de dorpelingen zesenzestig jaar lang hebben ingeslikt: wie heeft die sabotage gepleegd?

Rie Alderlieste-van den Bussche woonde tijdens de oorlog op De Tol. Vader Van den Bussche was Belg van geboorte. Een ka-tholiek gezin, veertien kinderen, zeven jongens, zeven meisjes.

Rie was in oktober 1944 achttien jaar oud. Voor haar bestond er geen enkel mysterie: jongemannen die tegen spertijd altijd op de dijk stonden nabij de boerderij van Aalbert de Kooning hadden de kabel losgerukt en op de weg gelegd. De Duitsers die ze wilden doden, gingen bij een Nederlandse vrouw op bezoek. Die jongens waren kwaad, de Duitsers gingen elke dag naar die vrouw.

Haar naam krijgt mevrouw Alderlieste ook zestig jaar later nog niet over de lippen. Een verontschuldigende glimlach. Nee, liever niet, je moet je dorpsgenoten te vriend houden, zeker wanneer je een Alderlieste bent van het gelijknamige benzine-tankstation aan de Groene Kruisweg in Rhoon. Anders rijden ze door naar het volgende tankstation, in het centrum van het dorp. Mevrouw Alderlieste doelde natuurlijk op Dirkje Veth-de Ruyter: naar haar waren de Duitsers op weg.

Het was een vast patroon, in de herinnering van onderduiker Klaas Pikaar. Iedere avond om tien voor acht kwamen twee, drie of vier soldaten met het geweer aan de linkerschouder en een meid aan de rechterarm langslopen. Je kon er je horloge op gelijkzetten.

Die soldaten waren om de zoveel weken ándere soldaten, de meisjes bleven dezelfde Rhoonse meisjes. Als de ene groep naar het front in Rusland of Normandië werd gestuurd, gaven ze aan de volgende groep door welke meisjes en vrouwen beschikbaar waren. Soms lagen de soldaten twee of drie dagen na aankomst al met een Rhoonse in bed.

Klaas Pikaar kwam niet van het dorp, hem liet het siberisch wat de meiden van de Rijsdijk uitspookten. Maar de jongens van de Rijsdijk konden het niet meer aanzien: die vatten het als een permanente provocatie op, of als een vernedering.

Mart en Bo Robbemond waren openlijk het felste tegen de Duitse militairen. Mart weigerde opzij te gaan wanneer ze op de fiets kwamen aanrijden en schold ze uit op de dijk: 'Rotmof met je gestolen rotfiets.' De beide broers waren in de zomer van

1944 al een keer opgepakt vanwege agressie tegen de bezetter en hadden een nacht in de kelder in Hoogvliet moeten doorbrengen, onder de burelen van Oberleutnant Schmitz.

Mart en Bo kregen vaak gezelschap van Tijmen Wagenmeester. Ook een felle, volgens Arie den Buizerd, die naast Dirkje de Ruyter woonde. Maar hij was weer een mak schaap vergeleken bij Job de Kooning, een lange knul met rossig haar en een gezicht dat bij een beetje zon al gloeide.

Job was een resolute twintiger die indruk maakte op Klaas Pikaar: hij had een revolver en kon er goed mee overweg. Zijn broer Darius stond ook vaak bij het hek als de Duitse soldaten langskwamen. Darius was het tegendeel van zijn broer, hij hield zijn mond of mompelde maar wat. Iedereen op Het Sluisje vond hem 'een zijen zak', wat mede door zijn ogen kwam. Net als zijn broer had hij ogen van een verschillende kleur, maar anders dan bij Job, die een staalblauw en een vossenbruin oog had, waren de kleuren bij Darius waziger, bijna troebel. Hij draaide vaak het hoofd van het licht af en maakte een schuwe indruk.

Alie van Steggelen, de vrouw van de geëxecuteerde Dries Marcelis, zocht de kiem van het drama op het erf van De Kooning. De broers Job en Darius namen veel te veel risico's en zetten levens van hardwerkende mannen op het spel, zoals dat van haar echtgenoot Dries.

In 1946 zei Alie tegen rechercheurs van de Politieke Opsporingsdienst: 'Job de Kooning was de grootste belhamel uit de buurt. Als er één de kogel heeft verdiend, dan is hij dat geweest. Hij was steeds de soldaten aan het dreinen en werd De Commandant van Het Sluisje genoemd.'

Van die verklaring nam ze zestig jaar later geen woord terug.

Tot op hoge leeftijd bleef Alie helder van geest. Zij was een van de weinigen die het geheim van Het Sluisje wel graag ontrafeld zagen, tot in de kleinste details zelfs. Alie was de eerste die de bijnaam van Job de Kooning noemde. Naderhand gaven andere bewoners van Het Sluisje schoorvoetend toe dat Job autoritaire trekken had en spottend met De Commandant van Het Sluisje werd aangeduid.

Toch geloofden lang niet alle vroegere bewoners van de buurtschap dat hij de draad had neergehaald. Allereerst had hij geen motief. De meisjes? Job had niets met meisjes. Met die grote mond van hem hield hij ze op een afstand. Hij bleef zijn hele leven ongetrouwd.

Klaas Pikaar, die tot tien jaar ná de oorlog contact met hem bleef houden, spreekt dat tegen. Job kocht in 1947 een motor, vooral om er indruk mee te maken op de meiden. Dat lukte hem aardig, tot hij Het Sluisje en de ouderlijke boerderij verlaten moest: toen werd hij van de ene op de andere dag een eenzelvige man die met niemand meer contact wilde. Maar tot het moment dat de hele geschiedenis rond Het Sluisje op hem begon te drukken, had hij niets tegen meiden, zeker niet tegen stevig gebouwde en uitdagende types, zoals Dien de Regt.

Arie van den Akker schudt beslist het hoofd als ik opper dat Job een oogje op haar had. Dien de Regt was een etter. Iedereen op de Rijsdijk deelde die mening, ook Job de Kooning.

Wat Nico Mantz, neef van de kastelein van cafébiljart De Tol, weer heftig tegenspreekt. Dien de Regt was een leuke meid, altijd opgewekt, altijd uitbundig. Net als haar zus Sandrien. Het probleem zat 'm juist daar: dat de leukste meiden met de moffen gingen.

Wil Nijboer-Droeze – de familie Droeze woonde aan het middelste deel van de Rijsdijk – hoorde in haar meisjesjaren herhaaldelijk zeggen dat vader De Regt de draad had losgemaakt om de Duitsers af te straffen die met zijn dochters vreeën. Hij had niet alleen een motief, zijn dubbelzinnigheid dreef hem tot die daad. Vader De Regt: de zachtmoedige die zijn dochters geen strobreed in de weg durfde te leggen. En de andere vader

De Regt: een stille man die zijn woede opkropte. Lopend naar zijn werk kwam hij iedere dag langs de vlasfabriek. Heel goed mogelijk dat hij na de storm van 7 september de draad los zag zitten en constateerde dat het porseleinen potje bij de aansluiting op de muur gebroken was. Heel goed mogelijk ook dat vader De Regt op 10 oktober achter zijn dochters is aan gelopen en na spertijd de draad met een pikhaak naar beneden heeft getrokken, boos en verdrietig omdat Dien wéér met die schoft van een Loos op stap ging en Sandrien wéér met die Ernst Lange.

Aan de theorie zit één levensgroot maar: als Zacheus de Regt dat gedaan zou hebben, had hij tegelijkertijd het leven van zijn dochters op het spel gezet. Dat lijkt me onwaarschijnlijk. Zach, volgens zijn zoon Tobi de meest liefdevolle vader op de dijk, kon zijn kinderen geen haar krenken.

Vader De Regt werd overigens wél onder druk gezet om zijn dochters in toom te houden. Ik vermoed dat Wil Droeze daar iets van opgevangen heeft; haar verdenking is niet uit de lucht gegrepen. De gereformeerde kerkenraad gaf Zacheus de Regt een berisping. In die dagen bemoeide de kerkenraad zich met alle lidmaten, de mannenbroeders hadden een ongebreidelde macht over het kerkvolk. Zacheus werd te verstaan gegeven dat hij 'onvoldoende tucht' op zijn gezin uitoefende. Als dat niet verbeteren zou, zou de kerkenraad 'stappen' tegen hem ondernemen. Zach dreigde zelfs geweerd te worden uit de kerk: voor de diepgelovige man die hij was een onverdraaglijke straf.

Maar de katholieke meisjes Mantz – Truus, Cobie, Jannie – geloofden niet dat Zach, onder druk gezet door de gereformeerde scherpslijpers, iets tegen zijn dochters had durven ondernemen, noch tegen de Duitse militairen die achter hun rokken aan zaten. Voor Truus, Cobie en Jannie Mantz was de beste man zo zachtaardig dat hij desnoods Ernst Lange als zijn schoonzoon in zijn armen had gesloten, wanneer zijn dochter het hem had gevraagd.

Vanaf het begin der tijden – en dat was in Rhoon vanaf de aanleg van de Rijsdijk in 1362 – heeft er om en nabij de sluis een familie Mantz gewoond, met een onderbreking van twee jaar. De vader van Wieger Mantz, kastelein van De Tol, bracht anderhalf jaar in Groesbeek door, in het oosten van het land. Hij vertrok in 1917 en was in 1918 op zijn geboortegrond terug. In cafébiljart De Tol, dat de familie ook al sinds mensenheugenis dreef, schilderde hij in schoonschrift boven de tap: 'Een kleiboer moet niet naar het zand.'

Zoon Nico was negenentwintig jaar in 1944. Een maand na de executies op de dijk werd hij opgepakt bij een razzia en naar Duitsland gestuurd. Hij kwam niet met warme gevoelens voor de Duitsers terug; het was daar over de grens nog erger dan op het zand in het oosten van ons land. Toch zegt Nico: 'Eén ding is zeker: ze hebben de verkeerde gepakt. Ernst Lange was een goeie, aardige jongen.'

Nico denkt dat ze het op de driftkikker Walter Loos hadden gemunt.

Dat vermoedde de vader van Jaap van der Vaart ook: ze wilden Loos pakken en misschien ook Jan Krijn Jabaaij. De groepsleider van de NSB in Rhoon liep vaak met Loos op en met de meisjes De Regt. Ze liepen naar Dirkje, maar Jabaaij vergezelde Loos ook vaak als hij zijn ronde op de dijk maakte. Jabaaij vond zichzelf steeds belangrijker – hij beschouwde zich als de gouwleider van de Rijsdijk.

Volgens Van der Vaart was het een uitzonderlijk toeval dat Jabaaij er die avond niet bij was; hij ontbrak bijna nooit. Door de actie zou hij zo geschrokken zijn, dat hij de volgende dag Job de Kooning was gaan vrijpleiten. Hij wist dat Job de grootste etter op Het Sluisje was, maar door hem vrij te pleiten hoopte hij zijn eigen hachje te redden. Deed hij dat niet, dan dacht hij bij een volgende aanslag om het leven te zullen komen. Want hij wist zeker dat ze het op hém hadden gemunt.

Het lijkt me een sluitende verklaring voor zijn wispelturig gedrag en voor de tegenstrijdige verklaringen die Jan Krijn Jabaaij naderhand aflegde. Maar echt gehaat was Jabaaij niet onder de dorpelingen. Niet voor hij Job de Kooning ging vrijkopen, althans.

Jilles Thomée was een geboren Rhoonaar maar toch ook een buitenstaander op Het Sluisje. Jilles groeide op aan de Tijsjesdijk, waar de huizen zo klein en laag waren dat de daken maar net boven het wegdek uit staken. Hij trouwde met zijn buurmeisje. Voor de huwelijksvoltrekking hoefden ze slechts honderd meter te lopen naar het einde naar de Tijsjesdijk: daar stond de katholieke kerk. Het gehele gebied rond de Havendam was het domein van de katholieken: het roomse parochiehuis deelde het plein met de roomse lagere school en het groen achter de roomse kerk ging over in dat van de roomse begraafplaats.

Jilles werkte eerst bij hervormden (op de tuinderij van de gebroeders Van der Vorm) en later bij gereformeerden (bij Jacques Pijnacker). Je zou het niet verwachten, grinnikte Jilles Thomée in 2009, maar de gereformeerden betaalden hem beter dan de hervormden. Heel veel meer zelfs, bij Van der Vorm kreeg hij zes gulden in de week en bij Pijnacker elf gulden. Bij de gebroeders Van der Vorm mocht hij bovendien niet meedrinken van hun koffie tijdens de ochtend- en middagpauze; hij mocht alleen een slok nemen uit de thermoskan thee die in de sloot koel werd gehouden. Thee was goedkoper dan koffie.

Pijnacker vroeg Jilles op de vlasfabriek te komen werken toen hij zeventien jaar was. Eerst moest hij kegels opzetten van het vlas dat uit de rootbakken kwam; twee jaar later, in 1937, werd hij voerman van een paardenspan dat het vlas van de haven aan de Oude Maas naar de vlasfabriek bracht. Bij de bochten in de dijk was dat centimeterwerk: één verkeerde stap van de paarden, en de hoog beladen wagen rolde van de dijk. De afstand tussen de haven en de fabriek bedroeg zeven kilometer en

Jilles weet nog precies hoeveel scherpe bochten hij moest nemen: vijf.

Kort na de Duitse inval pakten de moffen Jilles in de kraag en stuurden hem naar Duitsland. Even ten zuiden van Berlijn moest hij sleuven graven. Algauw kreeg hij de leiding over een groep van dertien Nederlandse arbeiders. Iedere avond gingen ze met honger naar bed omdat een van de bewakers voedsel stal. Jilles zag het zes weken aan; toen beklaagde hij zich bij de hoogste officier in rang. De bewaker werd twee dagen later standrechtelijk doodgeschoten. Vanaf dat moment keek Jilles met volwassen ogen naar de oorlog.

In 1941 wist hij met twee andere mannen te ontsnappen en naar Nederland terug te keren. Jacques Pijnacker nam hem direct weer in dienst.

Tot na de bevrijding bleef Jilles voor de vlasfabriek werken. Hij kende alle bewoners van Het Sluisje door zijn dagelijkse aanwezigheid en door de maanden dat hij verkering had gehad met een meisje Mantz – van kruidenier Mantz. Hij kwam ook vaak bij de andere Mantz, die van het café, om te biljarten.

Op twee momenten, vertelde Jilles Thomée, gingen jongens van Rhoon praten: als ze met een keu in de hand gebogen stonden over het groene laken, en als ze in een kring kippen zaten te plukken na de slacht. Het laatste gebeurde vaak achter het café van Wieger Mantz, na het kelen van de kippen dronken de jongens een jenevertje.

In de dagen vóór 10 oktober ging het gesprek telkens over de elektrische draad die bij de storm van begin september los was komen te zitten. Enkele jongens – Job en Darius de Kooning, Bo en Mart Robbemond en Tijmen Wagenmeester – speelden met de gedachte de draad over de dijk te spannen. Jilles hoorde meerdere malen zeggen wat het doel van hun actie was: Duitse soldaten af te straffen die het met Hollandse meiden hielden.

Jilles luisterde met meer dan normale belangstelling. Nadat het uit was gegaan met het meisje Mantz was hij verliefd geworden op zijn buurmeisje. Voorlopig kwam de liefde van één kant, Maaike had haar aandacht bij andere pleziertjes: ze was een van de moffenmeiden. Jilles vroeg zich af welke gevaren ze liep.

Ernstige, zou later blijken, ze werd na de bevrijding toegetakeld en afgestraft. Zoals de meeste moffenmeiden verliet ze halsoverkop het dorp en zocht de anonimiteit van de grote stad. Ze woonde veertien maanden in Amsterdam. Tot er in 1946 een brief kwam uit Rhoon, geschreven door haar buurjongen: of ze niet terug wilde komen. Jilles trouwde eerst voor de wet met haar en later in de rooms-katholieke kerk.

In de herfst van 1944 luisterde Jilles zo goed dat hij flarden van de gesprekken nog woordelijk in zijn geheugen heeft zitten.

'Naar beneden trekken...'

'Schuin over de dijk spannen...'

'Van 500 volt zullen ze opschrikken...'

In de dagen ná 11 oktober verzuimde Jilles op de vlasfabriek omdat hij geen trek had in een tweede verblijf in Duitsland. Hij vreesde razzia's en nieuwe represailles. Zeker twee weken hield hij zich schuil. Toen moest hij weer aan het werk omdat hij geen cent meer verdiende.

In de nieuwe maand pakte Jilles zijn oude leventje weer op. Hij mende de paarden en stuurde de hoog beladen wagen naar de vlasfabriek, hij biljartte op zondagmiddag in het café van Wieger Mantz en hij hielp bij het plukken van de kippen.

Als de hoofden bogen en de ogen zich naar beneden richtten om de bal te stoten of om de veren los te trekken, vroeg hij mompelend hoe het precies gegaan was op de tiende oktober en wie de draad over de dijk had gespannen.

De jongemannen schudden zwijgend het hoofd. Hun maat Tijm had het met de kogel moeten bekopen, hun maat Bo, hun maat Mart... Ze waren aangeslagen.

Jilles bleef het maar vragen in en achter het café. Op een dag zei iemand hem: 'Hou nou eindelijk eens je harses.'

Wie dat was kreeg Jilles Thomée niet over zijn lippen. Maar

ik ben er voor 99 procent zeker van dat die jongeman lang en mager was, een rossig uiterlijk had, ogen van een verschillende kleur en dat hij erg goed kon biljarten.

Job de Kooning, de zoon van Aalbert, zei in 1946 tegen de rechercheurs van de Politieke Opsporingsdienst: 'De draad waar die Duitser door gedood is, was zeker al drie maanden kapot. De jongens van Het Sluisje hebben de soldaten wel eens geplaagd. Het is juist dat men mij De Commandant van Het Sluisje noemde.'

Job wist dat die draad al vele maanden kapot was. Na de storm van 7 september was dat goed zichtbaar geworden vanaf de dijk. Job moet die draad voortdurend in de gaten hebben gehouden.

Nico Mantz kon zich nog alle keren herinneren dat Job de Kooning in het café van zijn vader rottigheid had met Duitsers. Telkens had hij gedacht dat de ruzie met een pistoolschot eindigen zou. Job had schijt aan de moffen en zei ze dat openlijk in het gezicht.

Klaas Pikaar: 'Met een houten pikhaak kon je die draad lostrekken.'

Heeft Job dat op de avond van 10 oktober gedaan? Samen met Bo Robbemond, met wie hij om kwart over tien 's avonds gearresteerd is terwijl ze zaten te klaverjassen?

Zeven buren denken van wel en vijf durven er hun hand voor in het vuur te steken.

Een half etmaal na die kwajongensstreek, die toch zo goed overdacht was en weken achtereen in het café was besproken, kwam Job de Kooning vrij dankzij twee varkens. Dat vonden ze wrang op de dijk. Hij, De Commandant van Het Sluisje, die volgens Alie Marcelis de kogel had verdiend, kon met twee vetgemeste varkens worden vrijgekocht.

Job mocht de vrijheid tegemoet gaan, Bo Robbemond moest

in de vrachtwagen klimmen die hem met de overgebleven arrestanten naar de plaats van executie zou rijden.

Zijn broer Mart zag geen gevaar opdoemen. Hij ging 's morgens naar zijn werk op de vlasfabriek. Na het middagmaal sprak Jaap den Buizerd met hem. Mart zei dat hij 'niets met de zaak te maken had' en daarom 'niets riskeerde'.

Vier uur later kwamen ze hem halen op de fabriek.

Niet toevallig: bootsman Loos wist precies wie hij hebben moest. Hij zag wie hem treiterde, en hij wist het van Dirkje Veth-de Ruyter, die zich verschrikkelijk begon te ergeren aan de vijandige houding die de mannen op de Rijsdijk tegen haar en haar kinderen aannamen.

Jan Kleinjan, de jongen van bijna negen jaar die van Oberleutnant Schmitz moest toekijken bij het geven van de genadeschoten, moest tien dagen na de executies van zijn vader aan de dochter van Dirkje vragen: 'Slaapt je moeder nog naast de Duitsers?' Magda, elf jaar, rende weg.

Magda heeft deze episode uit haar leven verdrongen. Haar geheugen pakt de draad weer op als ze het dorp verlaat. Volgens Ans, haar enige vriendin in Rhoon, kreeg ze de ene na de andere insinuerende opmerking naar het hoofd geslingerd. Lang niet alle keren vertelde ze dat aan haar moeder door. Als ze dat wel deed, ontplofte Dirkje.

Tegenover Loos beklaagde Dirkje zich over de raddraaiers en noemde ze bij naam. De bootsman vergiste zich niet toen hij ze arresteerde, met uitzondering van Job de Kooning Dzn. In zijn plaats had hij Darius de Kooning moeten oppakken, de oudste broer van Job. Hoewel niet op de voorgrond nam hij altijd aan de pesterijen deel. De zoon van Dimmen de Kooning was daarentegen een brave huisvader die met niemand ruzie wilde.

Dirkje moet ook de naam van Dries Marcelis hebben genoemd. Hij stond regelmatig met de broers De Kooning en de broers Robbemond te praten en hoorde dus – in de woorden van Dirkje – bij 'het zooitje van de vlasfabriek'.

Het zal niet Dirkjes bedoeling zijn geweest dat deze mensen voor het vuurpeloton zouden sterven. Als ze dat voorzien had, zou ze haar mond stijf dicht hebben gehouden. Ze wilde niemand verraden of aanklagen, maar ze was het getreiter zat. Haar dochters mochten niet de dupe worden van vunzige praatjes. Vooral om die reden luchtte ze haar hart bij Loos.

Blijft de vraag waarom vader Wagenmeester boeten moest. Alleen omdat hij op de avond van 10 oktober niet onmiddellijk begreep wat er aan de hand was en de elektrische draad niet onmiddellijk had doorgeknipt? Of fluisterde Dirkje ook zijn naam in Loos' oor?

Tijdens het eerste oorlogsjaar zag Dirkje in Wijnand Wagenmeester de enige man op Het Sluisje die haar helpen kon sinds haar eigen man op de boot naar Engeland was gestapt. Wijnand vatte dat verkeerd op en dacht dat Dirkje hem het hof wilde maken. Het misverstand hield lang aan.

Wijnand moest niks van Dirkje hebben en gedroeg zich korzelig tegenover haar. Dat kon Dirkje niet verdragen. Na een tijdje begon ze Wijnand te jennen. Ze gaf aan Walter Loos door dat hij een radio verstopt had in een voorraadschuur van de vlasfabriek. Loos schaarde hem daarom onder 'het zooitje van de vlasfabriek' dat de Duitsers het leven zuur maakte.

Arie van den Akker kwam voor de draad met dit verhaal. Het Sluisje telde dertien huizen, buurtschap De Tol zeven. Twintig huizen, twintig families die dicht op elkaar leefden. Die families wisten bijna alles van elkaar. Tegenover vreemden hielden ze het meeste geheim.

Voor Arie was ik als zoon van de dominee van Rhoon een halve vreemde. Slechts met een half woord en een paar onafgemaakte zinnen lichtte hij een tipje van de sluier op.

'Zij daagde Wijnand uit. Wagenmeester deed boos tegen haar.'

Dirkje de Ruyter gedroeg zich als een gewond dier dat van

zich afbijt. In die oktoberdagen deed ze dat steeds feller. Toch vond bijna iedereen op de Rijsdijk haar een 'lieve' vrouw, een 'leuk', 'opgewekt', 'vrolijk' mens, een 'vrijgevige', 'sympathieke' tante. Ik denk dat die positieve en ronduit vergoelijkende houding werd ingegeven door de situatie waarin Dirkje verkeerde sinds haar man haar had achtergelaten met twee dochters en een zwaar gehandicapt zoontje en zonder een cent spaargeld. Wie excuseerde zo'n vrouw niet?

Het kwaad stak dieper, verzuchtte Nico Mantz.

De man van Dirkje was volgens Nico voor de oorlog 'geen brave man'. Arend-Jan Veth nam wel eens een jonge meid mee naar een schuur aan de Schulpweg. Verschillende malen was die jonge meid Dien de Regt. Op de dijk vonden ze dat Dirkje het bijzonder slecht getroffen had met haar man.

Dien en Dirkje vreeën met moffen, beiden gedroegen zich in de ogen van de dorpelingen lichtzinnig. Dat schiep een band. Tegelijk konden ze elkaar niet uitstaan, om wat Dirkje bij geruchte had vernomen: haar man had staan zoenen met Dien in een loods.

In een oorlog kunnen die kleine smoezelige dingen uit het leven een verwoestende rol gaan spelen. Dirkje zag zich niet ten onrechte door vijanden en rivalen omringd.

De gevaarlijkste van die vijanden bleef voor haar Job de Kooning. Hij stookte iedereen tegen haar op. Hij bedreigde haar openlijk en zei dat ze 'tegen de draad' zou lopen.

Ik kreeg cola. Ik kreeg een zak chips. De caravan stond bij de eendenkooi in de polder Klein Profijt, schuin tegenover de veerkade. Het pontje naar het gehucht Goidschalxoord aan de overkant van de Oude Maas voer alleen nog op zaterdag en zondag. Een smal bootje voor voetgangers en fietsers die op weg waren naar de Hoekse Waard. Door de week was het uitgestorven in Klein Profijt. Niet stil, je hoorde de zwaar stampende motoren van de rijnaken op de rivier, maar het was er eenzaam, verschrikkelijk eenzaam. In de winter voer het pontje niet. Dan werd het luguber langs de rivier.

Job de Kooning ontliep zijn straf. Hij besloot toen zelf maar het leven van een gevangene te gaan leiden. Samen met zijn broer, wie het weinig schelen kon omdat hij zijn hele leven al had zitten suffen.

Een lange magere man was Job allang niet meer toen ik hem eens in het jaar in de caravan zag. Ik herinner me zijn gedrongen, gebogen gestalte. Veel haar had hij niet meer op zijn hoofd staan en of het rossig was durf ik niet te zeggen: hij droeg meestal een pet, ook als hij binnen zat. Over zijn gezicht lag ook geen rode gloed meer, het was rood dooraderd.

Job ontketende een tragedie. Een kind voelt vaak meer dan een volwassene – ik vermoedde iets vreselijks in zijn leven. Nu ik zestig jaar later weet wat er gebeurd is, ben ik ervan overtuigd dat Job nooit overzien heeft wat hij uiteindelijk aanrichten zou met zijn uit de hand gelopen pesterij. Hij gaf één steentje een duw. Toen rolden opeens zes, zeven, acht basaltkeien van het talud van de dijk. De gevolgen waren verpletterend.

NEGEN

De rest van zijn leven voelde Job de Kooning een vierdubbele verdenking op zich rusten. Hij, de grootste pestkop van Het Sluisje, had het klimaat geschapen waarin een sabotagedaad ondanks de angst voor represailles bijna onvermijdelijk was geworden. Dat die daad door Job zelf was uitgevoerd, stond voor veel buurtgenoten als een paal boven water. In hun stellige vermoeden had Job hulp gekregen van Bo Robbemond, die zelden van zijn zijde week en in café De Tol een even grote mond tegen de Duitsers opzette als hij. Beiden werden gearresteerd, Bo stierf voor het vuurpeloton, Job kwam in ruil voor twee varkens vrij. Voor Jobs bravoure moesten zeven mannen van de Rijsdijk met hun leven boeten.

Fas Kazemier, die op de hoek van de Rijsdijk en de Groene Kruisweg woonde, vat krachtig samen hoe ze op de dijk over de actie van Job en Bo dachten: baldadig kwajongenswerk, voor mannen van vijfentwintig en drieëntwintig jaar niet erg volwassen, onbezonnen en bovenal kortzichtig omdat de gevolgen voor lief werden genomen.

De zussen Tania en Martina Meeze, die aan de Havendam in een familie met dertien kinderen opgroeiden, trekken een parallel met de handelwijze van een Duitse militair. Hij kon niet meer tegen de oorlog, tegen het soldatenleven ver van huis en de vijandige houding van de Rhoonse bevolking. Deserteren wilde hij evenmin; hij pleegde zelfmoord. Maar niet dan nadat hij de juiste voorzorgsmaatregelen had genomen om te voorkomen dat zijn wanhoopsdaad voor andere doeleinden gebruikt zou worden. Toen hij zich in de grienden nabij de Havendam met zijn dienstwapen in de mond schoot, droeg hij een brief bij zich.

Ook op zijn kamer liet hij een handgeschreven mededeling achter dat hij willens en wetens uit het leven was gestapt. Niemand kon van zijn fatale schot een sabotagedaad maken.

Zo omzichtig was Job de Kooning niet te werk gegaan. Hij had een daad willen stellen en indruk willen maken op zijn biljartvrienden. Aan de gevolgen was hij schouderophalend voorbijgegaan – het zou zo'n vaart niet lopen. Dat hij geen represailles verwachtte, blijkt uit het feit dat hij na het lostrekken van de draad rustig met Bo ging klaverjassen bij hem thuis, aan de eetkamertafel, op nog geen honderd meter van de onheilsplek. Zoiets doe je niet als je beseft dat je een lont hebt aangestoken – dan neem je de benen. Job moet kortzichtig zijn geweest, of onverschillig.

Toen ik de feiten in deze volgorde had gerangschikt en het vorige hoofdstuk had geschreven, kon ik een paar nachten achtereen de slaap niet vatten. Met de ogen stijf dicht probeerde ik de blik van Job te vangen. De blik van de man die ik als kind had gekend, zonder hem echt te kennen. Veel vaker dan vijf, zes keer zal ik niet in zijn stacaravan zijn geweest. Ik kon me zijn stem niet meer herinneren, noch zijn gebaren. Zijn gezicht zou ik heel misschien op een groepsfoto kunnen aanwijzen, maar ik zou het niet kunnen uittekenen.

Nacht na nacht probeerde ik in mijn geheugen Job de Kooning op te sporen. Op een vroege morgen lukte me dat – even zag ik hem scherp voor me.

Een vermoeide blik. Ogen die van een hopeloze vereenzaming getuigden. Het linkeroog lichter dan het rechter, ofschoon dat bijna niet te zien was door de diepe ligging van de ogen onder de gezwollen leden.

Ineengedoken zat hij in een leunstoel in de donkerste hoek van de caravan. Met vingers die beefden van het kettingroken draaide hij een sjekkie; met een lucifer die denkbeeldige golfjes beschreef stak hij de brand in de tabak. Ik zag hem vooroverbuigen alsof hij alleen door te persen de rook uit zijn longen kon krijgen. Toen schudde hij langzaam het hoofd. Op hetzelfde moment zat ik rechtop in bed.

Jezus, wat was ik aan het doen?

Was ik niet bezig een onschuldige man aan het kruis te nagelen?

Job de Kooning had een motief om de draad door te knippen. Hij kon het moeilijk verkroppen dat zoveel meiden uit het dorp het gezelschap van de moffen zochten. De adoratie voor Duitse uniformen maakte hem nijdig. Jongedames van de dijk waren voorbestemd om met een gezonde Hollandse boerenknul te trouwen. Dat ze zich in het vierde oorlogsjaar plotseling zo zedeloos gingen gedragen, beschouwde hij als een besmettelijke ziekte die bedwongen moest worden. Of uitgeroeid.

Maar van morele verontwaardiging naar sabotagedaad is nog een hele stap. Je moet wel erg verbeten zijn om een paar Duitse militairen uit de weg te willen ruimen en dan de kans te lopen dat een Rhoons meisje van veertien en haar zus van drieentwintig jaar hetzelfde lot zullen ondergaan. Met de Duitsers had hij ook Dien en Sandrien om zeep kunnen helpen. Zeker op Dien was hij nogal verkikkerd. Hij had lang op een actie tegen de Duitsers gezonnen, hij had er aan het biljart over gepraat. Hij had in de loshangende elektrische draad het uitgelezen middel voor een afstraffing gezien. Maar op het beslissende moment had hij ervan afgezien. Om de meiden De Regt te sparen.

Mijn dossier besloeg inclusief de processtukken vierduizend pagina's. Het aantal vraaggesprekken met nabestaanden en vroegere buurtbewoners liep op tot boven de honderdvijftig. Hopen op nog weer andere getuigenissen die nieuwe feiten zouden aandragen was als zoeken naar een speld in de hooiberg.

Toch wilde ik nog één poging wagen de onderste steen boven te krijgen. Voor de derde keer die maand reed ik naar mijn dorp, ik at drie sliptongetjes in wat tegenwoordig Brasserie Het Wapen van Rhoon heet en ging in conclaaf met mijn researcher Bert Euser. Het idee om een oproep te plaatsen in het plaatselijke huis-aan-huisblad *De Schakel* kwam van Bert. 'Als jij de tekst schrijft!' Dat deed ik maar al te graag.

Was alles verteld? vroeg ik mijn vroegere dorpsgenoten. Of miste ik een belangrijk detail? Wie dacht meer te weten? Wie vermoedde dat één aspect opzettelijk in de schaduw werd gehouden? Niemand? Dan zou ik het onderzoek afsluiten en de balans opmaken.

Binnen enkele dagen kwamen zes reacties binnen. Twee met aanvullende informatie, zonder hemelschokkende feiten. Vier andere van voormalige bewoners van Het Sluisje. Een man die in de oorlog op de vlasfabriek werkte. Drie vrouwen – de oudste in de negentig, de jongste in de zeventig – die onafhankelijk van elkaar dezelfde persoon aanwezen als de dader van de sabotagedaad. Hun enige voorwaarde? De informatie anoniem te geven, om de indruk van 'roddelen' te vermijden.

Roddel was het beslist niet; daar waren de aanwijzingen te nauwkeurig voor. De man liet de eis van anonimiteit algauw varen. De vrouwen wilden vooral vermijden namen te noemen. Voor hun gevoel lag dat dicht bij verraad, bij mensen aangeven. Maar toen ze iemand naar voren brachten die recht tegenover de vlasfabriek woonde en die met een veel jongere vrouw was getrouwd, wist ik onmiddellijk over wie ze het hadden.

Ik kreeg de informatie op dezelfde dag binnen en voelde me alsof ik willens en wetens aan een rechterlijke dwaling had meegewerkt. Ik begon te begrijpen waarom rechercheurs tijdens een lang en moeizaam onderzoek een tunnelvisie ontwikkelen. Op een gegeven moment denk je alleen nog in de richting die je bij een mogelijke dader brengt, zonder over onomstotelijke bewijzen te beschikken. Je wens wordt de vader van de gedachte of eerder: de vader van de vergissing.

Tegelijk doemde de immense complexiteit van de werkelijkheid voor me op. Eén conclusie verwezen de informanten namelijk naar het rijk der fabelen: Job de Kooning had het NIET gedaan. De andere conclusie, die de vrouwen en de man alle vier 'het geheim van Het Sluisje' noemden, was er één die buiten ieder aannemelijk schema viel. De dader, dat wil zeggen: de man van wie minstens vier mensen op Het Sluisje het sterke vermoeden hadden dat hij de elektriciteitsdraad naar beneden had getrokken, kwam uit het pro-Duitse kamp.

Lid van de NSB was hij niet geweest. Hij komt althans niet voor op de ledenlijst van de beweging in Rhoon. Hij was evenmin geabonneerd op *Volk en Vaderland* – daar had hij het geld niet voor. Maar op Het Sluisje namen ze aan dat Kees Blekemolen met de nationaal-socialisten sympathiseerde uit wrok voor wat het grootkapitaal hem had aangedaan.

Kees werkte aanvankelijk in de Rotterdamse haven – schepen laden en lossen. In de jaren twintig leverde hem dat een flink loon op. Sjouwers kregen voor de avonduren dubbel betaald en ontvingen een gevarentoeslag. Door iedere week geld opzij te leggen kon Kees een motorfiets kopen. Dat deed hij kort voor de beurskrach van 1929.

Wanneer hij precies ontslagen werd, kon ik niet meer achterhalen: in het jaar dat Hitler aan de macht kwam of het jaar daarop, in 1934. Kees liep een paar jaar in de steun. Met twee kleine kinderen kon hij ook moeilijk anders, maar toen die kinderen groot waren, repte hij met geen woord over de werkloosheidsuitkering die hij ontvangen had. Hij vond steun meer dan verschrikkelijk, hij vond het een aanslag op zijn eigenwaarde.

Aan zijn twee dochters vertelde hij dat hij na zijn ontslag teruggekeerd was naar het land. Zijn hart had daar altijd gelegen. Later zouden ze hem 'een hobbyboer' noemen, maar zo gezellig zag de wereld er in de jaren dertig niet uit. Hij moest sappelen om zijn gezin te onderhouden. Dat hij op zijn achtendertigste, negenendertigste jaar opnieuw moest beginnen, viel hem niet mee.

Achter de vlasfabriek kon hij een stuk grasland pachten, achter zijn huis aan Het Sluisje een boomgaard. De vijf koeien, vier varkens en twaalf kippen kocht hij met geld dat hij tegen een woekerrente van Aalbert de Kooning had geleend. Van een bank als de Boerenleenbank verwachtte hij geen enkele steun. Hij was ervan overtuigd dat je uit een oud boerengeslacht moest stammen om op kredieten te kunnen rekenen. Kees beschouwde zichzelf als een man in de marge die geen recht had op hulp. De wereld was in zijn ogen slecht en snakte naar een sterke man die alles veranderen zou.

Om zijn schulden zo snel mogelijk weg te werken deed Kees na zijn werk klusjes op de vlasfabriek. Hij stond om vier uur in de morgen op, werkte tot een uur of vier in de middag op zijn land, molk de koeien, snoeide de fruitbomen, plukte de appelen, de peren, en verleende tot spertijd hand-en-spandiensten op de vlasfabriek. Ze hadden daar altijd wel een paar extra handen nodig om te laden of te lossen of om het afval bij de reefmachines weg te vegen. Hij kreeg er af en toe een grijpstuiver voor, of vlasvezels, die hij onder zijn koeien kon leggen. Na het klussen op de vlasfabriek was hij snel thuis – hij hoefde alleen de dijk over te steken.

Kees was meer een overlever dan een collaborateur. Hij nodigde Aalbert de Kooning geregeld op de koffie en dan scholden ze samen tegen het grootkapitaal of tegen politici als Colijn en De Geer, die niets van de noden van de boer begrepen.

Zijn vrouw Gertie was wel lid van de NSB. Ze schaamde zich er niet voor en droeg het speldje van de Nationaal-Socialistische Vrouwenorganisatie NSVO op de borst. Kees was voorzichtiger. Behoudens met Aalbert de Kooning en diens zonen Job en Darius bemoeide hij zich zo min mogelijk met de buren. Tegen de meeste mensen op de dijk zei hij weinig meer dan 'hoi'. Over de politiek hield hij zijn mond. Jacques Pijnacker, de directeur van de vlasfabriek, moest niets hebben van mensen die openlijk hun sympathie voor de NSB beleden – hij wees ze resoluut de poort.

Van Jacques mocht je katholiek wezen (Kees Blekemolen was rooms geworden toen hij met Gertie trouwde), maar daar lag wel ongeveer zijn grens.

Kees Blekemolen!

Ik was ervan uitgegaan dat een saboteur zich door ideologische motieven liet leiden. Ik denk dat de meeste Rhoonaren dat stilzwijgend aannamen, de Rhoonaren althans die betwijfelden dat storm de oorzaak van de kabelbreuk was geweest. Op Het Sluisje lag dat kennelijk anders. De mensen woonden daar zo dicht op elkaar dat ze bijna alles van elkaar wisten. Ze gingen af op wat ze met hun eigen ogen hadden gezien en met hun eigen oren hadden gehoord. Ook een sympathisant van de NSB kon rare sprongen maken als zijn vrouw met moffen rommelde.

In het voorlaatste oorlogsjaar was Kees zesenveertig en zag er tien jaar ouder uit. Het leek alsof zijn kromme rug vertellen wilde dat hij nog uit de vorige eeuw stamde: Kees was in 1898 geboren. Hij kwam uit een groot en arm gezin in Poortugaal. Dat was bijna een pleonasme: de meeste Poortugaalse gezinnen waren groot en arm. Voor een tuinderszoon had Kees nog mazzel: hij mocht de lagere school afmaken en de laatste klas twee keer doen, om de laatste onzekerheden bij het spellen weg te nemen en de beginselen van het boekhouden onder de knie te krijgen. Voor de tuinderij moest je oog voor de natuur hebben en voor de centen.

Kees koos werk dat beter betaalde. Toen hij naar de Waalhaven fietste met een schafttrommeltje onder de snelbinders, was hij nog een kind. Op zijn vijftiende jaar begon zijn rug al te krommen. Sjouwer was het zwaarste werk in de haven.

Het duurde tot zijn dertigste jaar voor hij trouwde, met de elf jaar jongere Gertie Wiessner, een springerige blonde meid uit Rotterdam. Haar vader was aan het einde van de negentiende eeuw vanuit Duitsland naar Rotterdam geëmigreerd. Met duizenden tegelijk kwamen ze toen naar de monding van de Maas.

Als de meeste geïmporteerde arbeidskrachten was Wiessner op Katendrecht gaan wonen tussen de Chinese families waarvan de mannen als stoker op de stoomschepen werkten. Havenarbeiders en lager scheepsvolk deelden de landtong met souteneurs en prostituees. Na zijn huwelijk met een Rotterdamse (die ook uit een Duitse familie stamde) en na de geboorte van zijn eerste kinderen verhuisde Wiessner naar een deel van Rotterdam-Charlois dat even armetierig was als de haven- en hoerenwijk, maar de portiekwoning aan de Gaasbeekstraat bood het gezin iets meer ruimte. Gertie was de derde van acht kinderen.

Kees leerde ze in bioscoop Harmonie kennen, op een paar pas afstand van haar ouderlijke woning. De bioscoop in de Gaasbeekstraat beschreef ik al eerder: Mart Robbemond bracht er alle zondagmiddagen door en vaak ook de zaterdagavond. Kees maakte indruk op Gertie met de motorfiets waarop hij vanuit Poortugaal naar de stad kwam rijden.

Een viercilinder Ariel. Een prachtmachine van Britse makelij met een koplamp die de grootte had van een zoeklicht. Volgens de Nederlandse importeur stonden de letters van ARIEL voor Altijd Rijden Is Een Lust. De ontwerpers van de in Birmingham geproduceerde motorfiets dachten eerder aan Shakespeare's Ariel, Spirit of the Air. In vergelijking met de Duitse kolossen zoefde de Ariel alsof hij boven de grond zweefde.

Gertie kreeg er achter op de duo-zit een kick van. Ze sloeg haar armen rond Kees' leren jack, en vanaf dat moment ging het feitelijk linea recta naar stadhuis en kerk.

Om in de kerk te trouwen moest Kees van geloof wisselen. Hij was hervormd opgevoed en nam het rooms-katholieke geloof van zijn vrouw aan. Een eerste aanwijzing dat Kees zich plooide naar de wensen en verlangens van Gertie's familie.

Na de bruiloft besloten Kees en Gertie weinig meer aan het geloof te doen en hun kinderen naar de openbare school te sturen. Gertie was trouwens al maanden in verwachting toen ze met Kees voor het altaar verscheen.

Hun eerste dochter werd in 1929 geboren, hun tweede in 1931, allebei in Rotterdam. In 1932 kon het gezin een huisje betrekken aan de Rijsdijk in Rhoon. De woning lag aan de voet van de dijk en was piepklein: één kamer beneden, links en rechts een bedstee, onder de kamer een kelder die als keuken dienstdeed en boven een zolder.

Afkomstig uit Katendrecht en Charlois – zo Duits was Gertie dus niet. Op Het Sluisje meenden ze niettemin een licht accent in haar stem te horen, vooral vanaf het moment dat mevrouw Blekemolen-Wiessner openlijk uitkwam voor haar lidmaatschap van de Nationaal-Socialistische Vrouwenorganisatie. Toen de eerste Duitse soldaten op de dijk verschenen, bleek ze zich ook nog eens gemakkelijk verstaanbaar te kunnen maken in het Duits. Voor de buren stond het toen vast dat ze even Duits was als de in Saksen geboren Gabi Fromme, de concubine van Bastiaan Schoonaart, de tweede man van de NSB in Rhoon en de rechterhand van Jan Krijn Jabaaij. Op de dijk beschouwden ze Gabi Fromme, Bastiaan Schoonaart en Gertie Blekemolen-Wiessner als één pot nat.

Over het opmerkelijke leeftijdsverschil tussen Kees en Gertie gingen ze in de oorlog grappen maken, zeker toen Gertie intiem werd met Duitse militairen en Kees deed alsof zijn neus bloedde. 'Onze Kees heeft geen puf meer in bed,' mompelden ze boven het biljart. 'Te moe om de huwelijkse plichten te vervullen,' gniffelden ze bij de waslijnen. Op het erf van de vlasfabriek, waar de omgangsvormen ruw waren, zeiden ze recht op de man af en zonder de geringste tact dat Kees een ouwe knar was die zijn loopse deerne niet meer in huis kon houden. Hij werd getreiterd, gesard.

Gertie was idolaat van Duitse uniformen. Toen bij haar op de dijk veertien Duitse militairen ingekwartierd werden en Dirkje de Ruyter van haar huis een feesttent maakte, besloot ze het ervan te nemen. Binnen enkele maanden werd ze weer de brutale

blondine uit Rotterdam die ze ooit geweest was en die Kees Blekemolen het hof had gemaakt omwille van zijn motor.

In de namen van Gerties dochters klonk niets Duits door: Coby
en Pleunie.

Coby kan nog net voor haar dood een paar vragen beantwoorden in een verpleegtehuis, Pleunie heeft haar tachtigste verjaardag achter de rug als ik haar in de laatste maand van 2011 op-
zoek.

Duits?

Beiden moeten erom lachen. Het enige accent dat hun moeder had was het onvervalste Rotterdamse, met een lichte invloed van de Zuid-Hollandse eilanden. Het accent van Katendrecht, Charlois, Feijenoord, de wijken ten zuiden van de Maas.

Opa?

Waar die geboren was, wisten ze niet. Oorspronkelijk kwam
de familie uit Duitsland. Maar hoe ver dat terugging, geen idee.
Hun opa heette Dirk Leendert. Misschien had hij die namen bij
zijn naturalisatie aangenomen, ze klonken bepaald niet Duits.
Aannemelijker was dat hun overgrootvader uit Duitsland kwam.

Katholiek?

Dat wel. Moeder eiste dat haar dochters in de Sint-Willibror-
dus-kerk in Rhoon zouden trouwen, ook al hadden ze allebei
op de openbare school gezeten.

Politieke overtuiging?

Geen idee.

Dat hun moeder lid was geweest van de NSVO wisten ze geen
van beiden. Lidmaatschapskaart en lidmaatschapsnummer
vormen een overtuigend bewijs. Noch de op sterven na dode
Coby noch de levenslustige Pleunie durf ik het te zeggen. Pleunie is met een Amsterdammer getrouwd die zelfs in de eenentwintigste eeuw nog niet door Duitsland wil reizen. Hij is nooit
vergeten dat zijn Joodse vriendjes op een morgen niet meer op

school waren verschenen – de jongen die naast hem zat in de schoolbank, de jongen die voor hem zat... Als hij Duits hoort praten, ziet hij de razzia's bij het Oosterpark voor zich en het is alsof die beelden met het ouder worden alleen maar sterker worden. Ik vrees dat hij, tweeëntachtig jaar oud, onmiddellijk de echtelijke woning zal verlaten als ik hem iets over het verleden van zijn schoonouders vertel. Hij omschrijft zijn schoonmoeder trouwens als een kenau.

Als Pleunies blik iets verraadt, dan is het, naast een zonnig humeur, het totale gebrek aan boze vermoedens. Haar moeder droeg het speldje van de NSVO, haar moeder prees de gezellige middagen van de NSVO. Pleunie weet van niks. Na mei '45 is thuis nooit meer met één woord gerept over de oorlog, door haar vader noch door haar moeder. Wat ze zich herinnert is de motor van haar vader.

Na de oorlog was het een brommer geworden. Voor Kees Blekemolen behoorde toen allang tot het verleden dat hij op zijn Ariel stapte en vrijwel onmiddellijk een schare bewonderaars om zich heen had. Op Het Sluisje had hij alleen concurrentie gekregen van Job de Kooning, die even verderop woonde. Job bezat een BMW. Niets vergeleken bij een Ariel natuurlijk, tot in de jaren zestig waren de Britse motorfietsen veel populairder dan de Duitse. Je zat niet lekker op een Duitse motorfiets, zo simpel was het. Toen Pleunie met haar man naar Amsterdam was verhuisd, kon Kees Blekemolen dat zelf constateren. Kees was zijn dochter en schoonzoon gaan opzoeken en was door Job de Kooning naar de hoofdstad gereden op de stug verende BMW. Hij was er met een houten kont vanaf gekomen.

Het rapport van de Rhoonse illegaliteit wijst Gertie Blekemolen-Wiessner aan als 'een van de dames die zeer veel met Duitse militairen omgingen'. Het rendez-vous-huis van Dirkje de Ruyter werd vanaf september 1944 in de gaten gehouden door leden van het verzet. Ze turfden wie daar kwamen en hoe vaak. In orde van frequentie waren dat: Annie de Leeuw, Dien de Regt, Linda de Bondt, Gertie Blekemolen-Wiessner, Riet van den Akker-Troost, Sandrien de Regt. Een vierde plaats voor Gertie, na Dien – de maîtresse van sergeant Walter Loos – en na Linda – de maîtresse van Jan Krijn Jabaaij, de groepsleider van de NSB in Rhoon. Voor de inlichtingendienst van het verzet verkeerde Gertie continu in slecht – of zoals dat toen heette: antivaderlands – gezelschap.

In Dirkjes huis had Gertie eindelijk de indruk te leven. Leven met een hoofdletter. Een gekrulde hoofdletter. Leven als tegenstelling van routineus zwoegen.

Kees Blekemolen zag het met lede ogen aan. Zijn jongste dochter omschrijft hem als een té lieve, té bescheiden en té trotse man. Te trots in die zin dat hij nooit naar een ander zou gaan om hulp te vragen. Of om zijn hart te luchten. Als iets hem ergerde, trok hij zich achter in zijn boomgaard terug. Je zag hem dan een paar uur niet, tot zijn boosheid was gezakt.

Ik herken in Kees de echte eilander. Gesloten, halsstarrig, aan de buitenkant zonder emoties. Die emoties waren er natuurlijk wel: eilanders kunnen buitengewoon verbolgen zijn en buitengewoon fanatiek. Kees wist zijn weerzin lang onder controle te houden, tot hij op een gegeven moment de pest kreeg aan de NSVO en ruzie met Gertie maakte over de 45 cent contributie die ze iedere maand moest betalen.

Tot halverwege de oorlog was Gertie een zorgzame moeder geweest. Het brutale en ondeugende had ze bij de geboorte van Coby verloren. Toen Pleunie twee jaar later ter wereld kwam, was ze in een huismus veranderd. Op de dijk onderhield ze alleen met vrouw De Kooning een contact dat ietsje verder ging dan praten over het weer.

Het meest trok Gertie met haar moeder op, die om de andere dag van Rotterdam-Zuid naar Het Sluisje kwam fietsen. In omgekeerde richting ging ze minstens drie keer per week koffie bij haar moeder drinken. Naarmate de oorlog vorderde, kreeg ze vaker bezoek van haar broers, zussen, zwagers en schoonzussen. Het voedsel werd schaars in de stad, terwijl je in de Rhoonse polders tot de Hongerwinter nog goed kon bunkeren. Gertie besefte tijdens de zaterdagse en zondagse maaltijden dat ze graag veel mensen om zich heen had. Kees, die de kilo's aardappelen en vlees moest aanslepen, durfde niemand van zijn schoonfamilie de deur te wijzen.

Toen Dirkje de Ruyter Duitse militairen begon te ontvangen, kwam het vermaak voor Gertie op tweehonderd meter van haar huis te liggen. Haar dochters raadde ze aan vroeg naar bed te gaan. Om acht uur begon spertijd, en trouwens, de uren die je voor acht uur sliep, telden dubbel.

Die wet gold ontegenzeggelijk voor kleuters, niet voor meisjes van vijftien – Coby was in 1944 vijftien – en evenmin voor meisjes van dertien – de leeftijd van Pleunie. Beiden herinneren zich dat ze in de oorlogsjaren 'ontzettend' vroeg naar bed gingen en meestal onder zachte dwang van hun moeder. Vader kluste tot spertijd op de vlasfabriek; zodra de kinderen in bed lagen, kon Gertie naar het huis van Dirkje.

Opmaken en zich uitdossen deed ze daar. Dirkje was gul met lippenstift en wilde ook best een jurkje of een paar spannende kousen lenen. De kousen bestelde ze bij de officieren van de Luftwaffe. Die moesten regelmatig voor stafoverleg naar Rotterdam, Den Haag of Utrecht. Naarmate Dirkje de officieren beter leerde kennen, maakte ze haar bestellijstjes langer. Uit de stad namen de Duitsers parfum mee, schnaps, witte Elzaswijn (waar Gertie verzot op was), sigaretten, kleine sigaartjes (die Riet graag rookte) en chocola.

Meer nog dan van de luxe genoot Gertie van de aandacht. De Duitsers keken haar aan, lachten haar toe, spraken met haar alsof ze elkaar al jaren kenden. Kees zocht nooit iemands blik op – dat deden boeren van de eilanden niet. Praten deed hij alleen met zijn varkens, kippen en koeien. Ze had Kees nog nooit een verhaal horen vertellen, laat staan een grap. Hij was een bovenste beste man, maar een droogkloot.

In het najaar van 1944 moet Gertie vaak tegen zichzelf hebben gezegd dat de oorlog niet eeuwig zou duren en dat de komende maanden de laatste behaaglijke zouden zijn in haar bestaan. Ook voor haar begonnen de jaren immers te tellen: ze was vijfendertig.

Gertie luisterde naar minnekozende stemmen. Nipte van de wijn. Lachte op een manier die dicht bij schateren lag en die ze alleen uit de films kende die ze alweer lang geleden in de Rotterdamse buurtbioscoop had gezien. Gertie ging zozeer in de wereld van de militairen op dat ze hun ideeën klakkeloos overnam en zelfs hun fanatisme.

Twee van mijn informanten zeggen er absoluut zeker van te zijn dat niet Dirkje de Ruyter aan de Duitsers verried waar vader Wagenmeester zijn radio verstopt had (onder het vlas bij de vlasfabriek) maar Gertie Blekemolen. Gertie noemde de militairen 'mijn Duitse vrienden'.

Het heerlijkst vond Gertie bij Dirkje thuis het dansen. Ze werd er een andere vrouw door, of de vrouw die ze altijd had willen zijn. Ze had de indruk dat ze in Wenen was of in Berlijn of dat ze de ster was in een zoete Duitse film. Dansen, dansen, met één man die het echt heel goed kon, een jongeman in uniform, een twintigjarige met een kaarsrechte rug en een koelbloedig gezicht, een jongeman die het, zo anders dan de boeren, nooit te warm had, nooit een rooie kop kreeg of een zweterige hals.

Hij heette Heinz Willems.

Huib Lodder werkte in de grootste loods van de vlasfabriek aan de zwingelmachines, recht tegenover het huis van Kees Blekemolen. Hij zag hoe zijn vrouw Gertie op de koffie en in de middag Duitse militairen ontving. Vooral de soldaat die tegen de elektriciteitsdraad opliep en wiens geweer zo warm liep van de

500 volt dat het zijn handen verbrandde. Heette hij niet Heinz?

Tijdens de schaft zaten de arbeiders van de vlasfabriek in de berm van de Rijsdijk hun brood op te eten. Tussen de middag kwam Kees Blekemolen van zijn land naar huis om te eten. Hij luisterde naar Radio Oranje. De arbeiders wisten dat en voor ze naar de fabriek terugkeerden klopten ze op het raam en vroegen Kees naar de laatste berichten.

Misschien wilde Kees iedere verdenking van collaboratie wegnemen. Of misschien wilde hij dwars doen tegen zijn vrouw. Vooral de jongeren onder de arbeiders vonden hem een zielige man en hadden met hem te doen. Tussen de middag at hij trouwens vaak alleen. Zijn vrouw deed dan aan 'liefdadigheid' voor de Duitse militairen.

Op een dag moet het Kees te veel zijn geworden. Kees die nooit zijn stem verhief, nooit zijn afkeuring liet blijken, die zijn vrouw haar gang liet gaan en van zijn dochters weinig meer vroeg dan dat ze hem om beurten hielpen bij het melken, 's morgens om vijf uur.

Kees mocht dan een goedzak zijn, hij was niet gek. Als zijn vrouw ver na spertijd thuiskwam, hoefde hij zich in bed maar half om te draaien om parfum te ruiken en de zurige geur van wijn die haar adem verspreidde. Wijn hoorde voor Kees bij een andere wereld, net als parfum. Zelfs de vrouw van de burgemeester gebruikte geen parfum, hooguit eau de cologne. Parfum hoorde voor Kees bij de ergste verdorvenheid. Toch stelde hij zijn vrouw niet verantwoordelijk voor de smerigheden die ze ongetwijfeld beging. Hij rekende die de oorlog aan. En de Duitsers.

Van een weloverwogen daad zal geen sprake zijn geweest. Op de dag dat het Kees te veel werd – 10 oktober 1944 – leenden de omstandigheden zich toevallig het beste voor een snelle actie. Voor de avond had Kees heel andere plannen. Kort voor middernacht zou hij samen met een buurman illegaal een varken slachten in de schuur achter in zijn boomgaard. Zo hadden ze het afgesproken en het grote aantal Duitse militairen op de dijk bracht hen niet op andere gedachten. Anderhalf uur na de dood van soldaat Lange slachtten ze dat varken, alsof er buiten niets aan de hand was.

Nee, het idee moet in een flits bij Kees zijn opgekomen. Net toen hij na een klusje op de vlasfabriek de dijk wilde oversteken, waren een paar Duitse militairen langsgekomen. Met aan hun arm een uitdagende Dien de Regt en een giechelende Sandrien de Regt. Op een van die militairen hadden ze hem op de vlasfabriek al een paar keer gewezen: Heinz. 'Een jongen die van wanten weet,' hadden ze op de vlasfabriek gelachen. 'Een jongen met kloten in zijn uniformbroek.'

Dien, Sandrien en de militairen waren op weg naar het huis waar zijn vrouw de laatste tijd zo vaak de avonden doorbracht. Dat had hem een steek in de nek gegeven. Of – niemand kon me dit tot in de details navertellen – een scheut in de zij.

Kees was zijn huis binnengegaan om zich ervan te vergewissen dat Gertie nog bij de kinderen was. Hij had haar gevraagd of ze niet uitging. Ze had het hoofd geschud, nee, vanavond niet. Hij was zich gaan wassen.

Misschien kwam het idee toen bij hem op. Of was het een halfuur later geweest, toen hij in de schuur achter in de boomgaard alles in gereedheid bracht om het varken te slachten en hij onbegrijpelijk lang naar het mes bleef staren?

Hoe dan ook, toen hij terugliep naar de dijk hield hij een pikhaak in de hand en voor hij zijn huis binnenging, had hij, met die pikhaak, de loshangende elektriciteitsdraad bij de vlasfabriek naar beneden getrokken. Bijna als in een reflex.

Zo moet het gegaan zijn.

Of lijd ik nu weer aan een tunnelvisie?

Dat die draad niet goed vastzat, had Kees vele malen gezien als hij de dijk overstak en naar de vlasfabriek liep. Boven het biljart had hij Job de Kooning, de broers Robbemond en de jonge Tijm Wagenmeester over het losmaken of 'het laten zakken' van die elektriciteitskabel horen praten. Hij kwam niet vaak in het café, eigenlijk alleen op zondagmiddag om een potje te biljarten, langzamerhand zijn enige pleziertje in het harde arbeidzame leven dat hij leidde. Twee, drie, vier zondagen achtereen hoorde hij de jongens opscheppen dat ze de draad zouden 'laten zakken'.

Een bewuste beslissing zal het niet geweest zijn, maar in zijn onderbewuste moet Kees hebben laten meetellen dat de verdenking niet op hém zou vallen wanneer hij de draad naar beneden trok. Iedereen op Het Sluisje zou Job de Kooning verdenken, of de jongens Robbemond, of Tijmen Wagenmeester. Je zou bijna denken dat het een ingenieus plan was en dat Kees Blekemolen slim dacht te profiteren van Jobs grootspraak in het café over woeste acties tegen moffen en moffenhoeren.

Het was geen plan; ik denk althans dat het geen plan was. Maar de verdenking kwam wel automatisch op Job de Kooning te rusten, en op zijn kompaan Bo Robbemond. Niet op Kees.

De vraag is of Gertie iets gemerkt heeft van de wraakactie van haar man. Want wraak was het, wraak op 'de Duitse vrienden' van Gertie, wraak op Heinz Willems en wraak op de meiden die Gertie in het huis van Dirkje de Ruyter met wijn en parfum het hoofd op hol brachten. Veel sterker dan Job of Bo had Kees een motief.

Heeft Gertie door het zolderraam of door het raam van de woonkamer haar man de draad zien lostrekken? In dat geval wordt een scène die ik eerder beschreef begrijpelijker.

Soldaat Lange trapt op de draad, roept, schreeuwt, gilt. Dien en Sandrien vluchten weg. Paniek bij bootsman Loos en soldaat Willems. Ze bellen bij het dichtstbijzijnde huis aan. Dat is toevallig het huis van Kees en Gertie Blekemolen. Kees denkt 'foute boel' en verschuilt zich achter in het huis. Sluipt misschien al naar buiten, de boomgaard in. Gertie loopt naar de deur, doet open en draait zich half naar het licht toe *zodat het insigne van de NSVO op haar truitje duidelijk zichtbaar wordt.*

Vraag: loopt een vrouw van vijfendertig 's avonds om tien uur thuis met een speldje van de Nationaal-Socialistische Vrouwenorganisatie op haar trui? Alleen – denk ik – als ze verwacht dat ieder moment Duitse soldaten bij haar kunnen aanbellen omdat haar man een stommiteit heeft begaan.

Gertie moet Kees aan die draad hebben zien knoeien en ontzettend bang zijn geworden voor de gevolgen. Niet alleen haar gedrag van die avond maar ook dat van de volgende dag bevestigt die indruk. Ze vreesde dat Kees gepakt en doodgeschoten zou worden en dat hun huis in brand zou worden gestoken. Van het ene op het andere moment was de vaste, veilige, vertrouwde grond onder haar voeten weggetrokken.

Acht maanden na de bevrijding wordt Gertie Wiessner, echtgenote van C. Blekemolen, in Rotterdam verhoord door twee rechercheurs van de Politieke Opsporingsdienst. Kees blijft buiten schot, alleen Gertie moet een verklaring afleggen, vanwege haar lidmaatschap van de NSVO en haar veelvuldige contacten met Duitse militairen waarvan het rapport van de illegaliteit melding heeft gemaakt. De rechercheurs van de Politieke Opsporingsdienst vermoeden dat haar rol op Het Sluisje dubieus is geweest en voelen haar op 16 januari 1946 aan de tand.

De verklaring van Gertie klopt van geen kant.

Gertie: 'Tussen 9.30 uur en 10 uur in de avond van 10 oktober 1944 hoorde mijn man buiten rumoer. Mijn man en ik liepen naar zolder en zagen door het zolderraam dat buiten Duitse militairen liepen, waarvan er één een handdynamo had, die mannen ophaalden. Die avond zijn wij niet buiten geweest. De Duitsers zijn niet aan ons huis geweest.'

De buren van Het Sluisje weten beter. De eerste woning waar Loos en Willems aanbelden, was die van de familie Blekemolen.

De eerste persoon aan wie Loos en Willems om hulp vroegen was Gertie Blekemolen, die de Duitsers vriendelijk doorverwees naar de buren.

Gertie verdraaide de waarheid en bleef dat doen. Maar één ding verzon ze niet: dat zijzelf verschrikkelijk bang was geweest en dat haar even bange man de volgende morgen wegvluchtte.

Ik verplaats me even in de rol van de rechercheurs. Mijn vraag zou dan geweest zijn: 'Waarom, mevrouw? U was toch lid van een NSB-organisatie? U sympathiseerde met de bezetter, onderhield warme relaties met Duitse militairen? U mocht de sergeant, de korporaals en de soldaten die bij u in de buurt waren ingekwartierd met Heinz, Walter, Leo en Willie aanspreken. Wat had u dan voor vreselijks te vrezen?'

Niets van dat al. De rechercheurs luisterden – of zelfs dat niet? – en lieten uittypen wat Gertie aan hele leugens en halve waarheden te berde bracht.

De volgende morgen om vier uur, vervolgde ze haar relaas, kwam buurvrouw Bets de Kooning, de vrouw van Job de Kooning Dzn, haar vertellen dat alle mannen van Het Sluisje door de Duitsers waren weggehaald. Bets dacht dat ze wel weer gauw terug zouden komen. Gertie: 'Mijn man was die morgen vroeg weggegaan naar het land, omdat hij bang was dat er nog meer mannen gepakt zouden worden. Hij had niet over de dijk durven wegvluchten, voor ons huis. *Op de plek van het ongeluk* was de hele dag een schildwacht blijven staan *die ik niet kende.*'

Met de cursivering wil ik benadrukken dat Gertie hardnekkig over 'een ongeluk' bleef spreken en ook in vredestijd het woord 'sabotage' vermeed. Wat haar angst vergrootte was dat er op de dijk Duitse militairen verschenen die ze niet kende en op wie ze geen enkele invloed kon uitoefenen.

Wat Gertie niet vertelde was dat Kees op zijn knieën over de akkers was weggevlucht en grote stukken kruipend door blubbersloten had afgelegd. Hij was niet een beetje bang, hij was er als een haas vandoor gegaan. Een halve dag later was hij zwart van de modder in Poortugaal aangekomen, waar hij bij familie onderdook.

Gertie: 'Om tien uur 's morgens kwam mijn moeder uit Rotterdam op bezoek. Zij wist niet wat er aan de hand was. Gedurende dien dag heb ik met de buren staan praten, onder andere met Aalbert de Kooning. Met Jabaaij heb ik dien dag in het geheel niet gesproken. Wel is mijn moeder even na halfvijf naar het huis van Jabaaij gegaan.'

Faliekant in strijd met andere getuigenissen. Om tien uur was Gertie op de fiets gestapt om haar moeder te waarschuwen. Ze reed over de Schulpweg naar haar moeders huis aan de Gaasbeekstraat. Halverwege de Schulpweg stapte ze af bij de loods waar Jabaaij werkte. Volgens zíjn verklaring was dat om halfelf. Gertie informeerde wat hij wist over ophanden zijnde vergeldingsmaatregelen en wilde vermoedelijk vooral weten of er enige verdenking op haar man rustte. Had iemand een glimp van hem opgevangen? En wist de SD, die in alle vroegte aan het onderzoek op de dijk was begonnen, daarvan? Uit de verklaring van Jabaaij blijkt dat hij verwonderd was dat Gertie naar zijn werk was komen fietsen en dat hij haar een beetje op een afstand hield. Ik begrijp nu waarom. De leider van de NSB in Rhoon voelde nattigheid. Samen met haar moeder is ze naar huis teruggefietst. En inderdaad, halverwege de middag heeft ze haar moeder op Jabaaij afgestuurd. Gertie was er nog steeds niet gerust op.

Ik citeer haar nu weer letterlijk: 'Jabaaij had blijkbaar flink gedronken en rook naar de jenever. Hij zeide tegen mijn moeder dat hij van mening was dat er met mijn huis niets zou gebeuren. Wanneer ik het echter niet vertrouwde, dan moest ik maar weggaan. Hij zei nog dat we vóór vijf uur dien middag meer zouden weten. Mijn moeder en ik zijn toen snel naar huis gelopen om de distributiebescheiden en andere papieren te halen. Plotseling zag ik dat het op de Rijsdijk zwart van de Duitse militairen zag.

We zijn toen vlug het huis uit gelopen met de bedoeling naar Rotterdam te gaan. Onderweg heb ik mijn man nog gewaarschuwd. [...] Terwijl ik de vlasfabriek passeerde zag ik twee Duitse militairen zekeren Pijnacker uit de vlasfabriek naar buiten brengen en bij het hek plaatsen. Toen ik ongeveer vijf minuten van de vlasfabriek af gelopen had, hoorde ik achter mij schieten en kort daarop zag ik vlammen en rook opstijgen. De nacht daarop ben ik in Rotterdam gebleven en 's morgens vroeg weer teruggegaan naar Rhoon. Waar ik zag dat mijn huis niet had gebrand.'

Einde verklaring, die ze na voorlezing en volharding tekent, over het hoofd ziend dat ze door de verbalisant tien jaar jonger is gemaakt. Als geboortejaar vermeldt hij 1919 in plaats van 1909. Een compliment voor Gertie: ze moet er zo kort na de oorlog meer als een jongedame van achter in de twintig hebben uitgezien dan als een boerenvrouw die tegen de veertig loopt.

Vreemder is dat haar kinderen niet in de verklaring voorkomen. Alsof ze er niet bij waren in die oktoberdagen van 1944. Alsof de wereld toen louter om haarzelf draaide.

De herinnering van haar oudste dochter Coby is een halve eeuw later een stuk nauwkeuriger. Coby zag niet alleen Jacques Pijnacker maar alle zeven mannen de dijk op komen en door de Duitsers naar de plek voor het hek worden gedirigeerd. Vlak voor de executie sprong ze met haar moeder, haar oma en haar jongste zus op een boerenkar van Kranenburg en vluchtte weg. Coby wist ook nog precies waarom haar moeder tot tweemaal toe contact met Jabaaij had gezocht. Haar moeder verkeerde in de stellige overtuiging dat Jan Krijn Jabaaij zijn oordeel diende te geven over welke mannen wél en welke mannen níét opgepakt zouden moeten worden. Gertie was die hele dag slechts met één ding bezig: haar man uit het zicht te houden.

Ook Pleunie herinnert zich het paard en de wagen van Kranenburg die de vluchtelingen in galop naar Rotterdam reed. Alleen voor hij de Groene Kruisweg op draaide hield de voerman even halt. Haar moeder gaf aan iemand uit Poortugaal een boodschap mee voor haar vader: hij moest zich schuilhouden tot zij het sein veilig gaf. Pleunie keek naar de brede rookkolommen die de hemel in kropen en vroeg zich af of haar zolderkamer al verkoold was door het vuur.

De volgende dag waren Gertie en haar dochters Coby en Pleunie op de Rijsdijk terug. Hun huis was niet in brand gestoken.

Kees voegde zich drie dagen later bij zijn gezin. Bij het binnenkomen knikte hij zijn vrouw en dochters toe. Na dat korte knikje werd er volgens zijn beide dochters met geen woord meer over de gebeurtenissen van 10 en 11 oktober gesproken.

Na de oorlog kregen Kees en Gertie Blekemolen op een wel buitengewoon sardonische wijze een straf opgelegd voor hun stilzwijgen. Pal voor hun huis kwam het gedenkteken voor de geexecuteerden te staan. Een withouten kruis met vier woorden in zwarte letters: 'Voor hen die vielen'.

Vanaf 1946 vond ieder jaar voor hun deur de Rhoonse dodenherdenking plaats, met een kranslegging, een gebed en twee minuten stilte. Gevolgd door het gezamenlijk uitspreken van het Onzevader en het zingen van het volkslied. Gevolgd door het leggen van bloemen door nabestaanden, familieleden, vrienden, kennissen en dorpelingen.

Kees en Gertie Blekemolen zagen ieder jaar hoe de Rhoonaren zich voor hun huis verzamelden. Op het laatste moment voegden ze zich bij de honderden deelnemers aan de plechtigheid. Om kwart over acht gingen ze hun huis weer binnen. Kees zei dan steevast: 'Die stomme boeren. Altijd blijven ze met hun pet op staan.'

Dat was zijn enige commentaar.

Toen de kinderen het huis uit waren, verhuisden Kees en Gertie naar een wit huis verderop aan de Rijsdijk, een huis met een boomgaard. In 1967 werd het onteigend voor de aanleg van een rotonde die zou aansluiten op een achtbaansautoweg. Ze verhuisden toen naar een woning met een erker aan de Molendijk.

Alle jaren dat ze op Het Sluisje tegen de dijk aankeken, hadden Kees en Gertie op een huis met een ruim uitzicht gehoopt. Maar toen ze hun ideaal bereikt hadden, was Kees op. Hij overleed een jaar na de verhuizing aan een hartinfarct, op zeventigjarige leeftijd.

In 1968 was ik negentien jaar. Ik moet Kees vaak zijn tegengekomen, bij de kapper, de bakker, de sigarettenboer. Ik kan me hem niet voor de geest halen. Net zomin als Gertie, die tot in de jaren negentig op de Molendijk bleef wonen.

Volgens haar dochters leidde ze een teruggetrokken leven. Ze overleed in 1996, zonder ooit een woord te hebben gezegd over haar flirt met het nationaal-socialisme en het jaar 1944, het opwindendste en tegelijk het angstigste uit haar bestaan. Als ze enige voldoening zal hebben gevoeld, dan zal het vanwege haar dochters zijn geweest, die ze buiten deze hele geschiedenis heeft weten te houden. Een knappe prestatie, want Gertie moest zich twee keer voor de justitiële autoriteiten verantwoorden en werd in 1947 voor tien jaar uit haar burgerrechten ontzet. Het kiesrecht werd haar ontnomen, het recht om zich verkiesbaar te stellen en het recht om een ambt te bekleden. Maar haar kinderen weten van niets.

Dat was dus het geheim van Het Sluisje: niet Job de Kooning maar Kees Blekemolen had in een opwelling de draad naar beneden getrokken en de represaille van de Duitsers ontketend.

Of nagel ik nu opnieuw een onschuldige aan de schandpaal?

De oudste van mijn informanten was een buurvrouw van de Blekemolens. Ze woonde in het Veerhuis, waar vijf families naast elkaar leefden. Ik kreeg het sterke vermoeden dat ze Kees aan de draad had zien knoeien. Ze wilde dat bevestigen noch ontkennen. Door haar streng gereformeerde opvoeding zag ze de hel opdoemen als ze loog: in twijfelgevallen zweeg ze liever. Bovendien voelde ze er weinig voor mijn kroongetuige te worden.

Als gereformeerde had ze geen hoge dunk van Blekemolen, die omwille van zijn vrouw in de katholieke kerk was getrouwd. Nog minder was ze over Gertie te spreken, die door een speldje overduidelijk uitdroeg dat ze aan de kant van de moffen stond. Zoiets doe je niet als moeder van twee dochters. Ze respecteerde dominee Kloosterziel, die vanaf de kansel met goedgekozen Bijbelteksten opriep het verzet te steunen. Ten aanzien van katholieken was ze sterk bevooroordeeld: die waren volgens haar nóóit principieel.

Ze maakte er overigens geen enkel bezwaar tegen dat haar dochters op vriendschappelijke voet met de meisjes Blekemolen omgingen. Op Het Sluisje, luidde haar stelregel, woonden hervormd, gereformeerd en rooms door elkaar. Als dat je niet beviel, moest je naar een ander deel van het dorp verhuizen. Ook je politieke overtuiging werd gerespecteerd; de ramen van NSB'ers bleven heel op Het Sluisje. Iets anders was natuurlijk dat Gertie Blekemolen met de bezetter heulde en op een vertrouwelijke manier met Duitse militairen omging. Dat vond ze verwerpelijk.

Haar versie van de gebeurtenissen wordt beaamd door twee voormalige bewoonsters van Het Sluisje die in de oorlog een jaar of zeven, acht waren. En door de gezusters Meeze, die van hun broer Walt hadden vernomen dat de dader van de sabotagedaad 'in de NSB-hoek gezocht moest worden' en dat het motief 'jaloezie' was geweest. Walt Meeze, telg uit de grootste katholieke familie van het dorp, speelde vanaf januari 1945 een belangrijke rol bij de plaatselijke afdeling van de Binnenlandse Strijdkrachten. Vanwege zijn integriteit genoot hij de voorkeur boven de gereformeerde Hendrik Kwist. Voor sommige protestanten in mijn dorp was het moeilijk te geloven, maar ook katholieken konden principieel zijn.

Ik verdenk Kees Blekemolen meer dan Job de Kooning. Maar ik moet eerlijk toegeven dat ik over geen enkel doorslaggevend bewijs beschik. Kees heeft geen geschreven bekentenis nagelaten, Gertie heeft, na de verklaringen die ze in 1946 en in 1949 tijdens het gerechtelijk onderzoek tegen Oberleutnant Karl Schmitz aflegde, haar licht niet meer over de gebeurtenissen laten schijnen. Niemand van Het Sluisje heeft onder ede verklaard Kees Blekemolen op de avond van 10 oktober aan de hoogspanningskabel te hebben zien trekken. Niemand heeft dat ook over Job de Kooning verklaard. Zodat er geen schuldigen zijn en alleen twee serieuze verdachten.

Of drie?

Tien dagen na de oproep in het huis-aan-huisblad *De Schakel* komt er nog een interessante tip binnen.

Wils de Munt had een tuinderij aan de Achterdijk, niet ver van Het Sluisje. In de hulp aan onderduikers was hij een van de drijvende krachten. Na de oorlog gaf hij daar nooit hoog van op. Toen een paar voormalige onderduikers het verzetskruis voor hem wilden aanvragen, mompelde hij: 'Liever niet, we zijn niet zo'n sensatiefamilie.'

Zijn kinderen hoorden pas op zijn begrafenis dat Wils in de oorlog voor het eten van tweehonderd onderduikers had gezorgd. Hij vroeg om groenten bij collega-tuinders. Als ze dat niet wilden geven, oefende hij zachte druk uit. Een enkele keer stuurde hij een wilde knokploeg op een onwillige tuinder af en die nam dan twaalf kistjes spruiten in beslag of veertien kistjes bloemkool.

De groenten en het fruit werden in de loods achter Wils' huis verzameld en van daaruit naar de kosthuizen van de onderduikers gebracht. Een deel werd als wintervoorraad opgeslagen in de grienden of op het onbewoonde eilandje De Beer, midden in de Oude Maas ter hoogte van de Rhoonse haven.

De vrouw van Wils kwam uit een oude Rhoonse familie.

Stien hielp hem bij de hulp aan onderduikers. Tijdens het laatste oorlogsjaar namen Wils en Stien verzetsmensen in huis.

In de herfst van 1944 werd er op een avond aangebeld. Stien deed open. Ze schrok: op de stoep stond een Duitse militair in uniform. Had iemand Wils verlinkt? De man deed een stap naar voren en zei: 'Herken je me niet?'

Nu hij het zei... ja: het was Wout Wachtman. De kleine man die grote schepen tot zinken bracht. De *lone wolf* die graag zelf acties bedacht en uitvoerde. Wout was weer eens in z'n eentje op oorlogspad geweest en zag eruit alsof hij ieder moment in de kraag kon worden gegrepen.

'Als je me helpen kunt, graag. Ze zitten me op de hielen. Ik heb dringend een onderduikadres nodig. Ik hoef je niet op de gevaren te wijzen, die ken je.'

Stien liet hem binnen.

Wils kon altijd op Wachtmans hulp rekenen, hij deed de gevaarlijke klussen voor de LO. Voor wat hoort wat. Maar toen Wils hem in het veldgrauwe uniform van de Kriegsmarine voor zich zag staan, dacht hij toch even: dit is geen kleine jongen, die heeft bloed aan zijn vingers.

Wout Wachtman bleef een paar dagen ondergedoken aan de Achterdijk. Hij liet zich nog geen minuut buiten zien, hij dacht werkelijk dat ze hem in de smiezen hadden en dat hij ieder moment gepakt kon worden. Het Duitse uniform besprenkelde hij met petroleum en verbrandde hij in de loods. Hij vertelde niet waarom hij het aangetrokken had. Wils drong niet aan. Onder verzetsstrijders luidde de stelregel: hoe minder je van elkaar weet, hoe minder je over elkaar kunt verraden.

Wanneer in de herfst van 1944 vond dit voorval plaats? Vrijwel zeker in oktober. Maar wanneer in oktober? Op de avond van de tiende? Kwam Wout van Het Sluisje, waar hij een elektrische draad over de weg had gelegd? Had hij vanaf een afstand de gevolgen van zijn daad afgewacht? Had hij Ernst Lange horen gillen? Hij vluchtte in ieder geval de goede kant op: naar de

Achterdijk. Van de andere kant kwamen de door Walter Loos opgeroepen versterkingen.

Wils en Stien leven niet meer. Ik opper tegen mijn informant dat Wout weliswaar menige wilde actie tegen de bezetter ondernam maar dat hij niet erg betrokken was bij het leven op Het Sluisje. Hij woonde een stuk verderop aan de Rijsdijk en was pas op zijn zestiende jaar naar Rhoon gekomen. Wout kende de verhoudingen op Het Sluisje niet en wist niet precies wat daar onderhuids speelde.

Het verrassende weerwoord luidde: 'Dan vergis je je mooi.'

Wout Wachtman had verkering gehad met de oudste dochter van Wijnand Wagenmeester. Aaf moest het uitmaken van haar moeder omdat Wout te laag van afkomst was. Wout, zoon van een landarbeider, koesterde een diepe wrok tegen de bewoners van Het Sluisje, wie hij het aanrekende dat ze de zijde van de Wagenmeesters hadden gekozen. Ze vonden hem te min op Het Sluisje. Dat bleef de kleine Wachtman de hele oorlog dwarszitten – hij had toch al een minderwaardigheidscomplex.

Ik geloof dat allemaal best, maar een Duitse soldaat doden in de hoop dat een represaille zal volgen die de mensen van Het Sluisje treft en bij voorkeur één of meerdere Wagenmeesters, gaat erg ver. Wout Wachtman moet in dat geval een buitengewoon scherpe en zuiver machiavellistische geest hebben gehad.

Dat is overigens niet onmogelijk. Een buurtgenoot – Stijnie – herinnert zich Wout Wachtman als 'een gemene vent' die tot alles in staat was. Ze dacht zelfs dat hij haar broer Bas aan de Arbeitseinsatz verraden had, louter en alleen omdat de jongeman niet aan het verzet wilde deelnemen. In een ander onderzoek bleek dat niet waar te zijn, de collaborerende herenboer Markus van den Oever zou Bas verraden hebben. De Duitse soldaat die hem kwam arresteren liep de trap op, de moeder van Bas ging met haar volle gewicht aan zijn benen hangen en trok hem naar beneden. Bas kon door het zolderraam ontsnappen. Hij vluchtte weg en beëindigde zijn exodus zeven maanden later in Noorwegen.

Maar het zegt wel iets dat Wout Wachtman van het verraad werd verdacht. Hij was in de ogen van de meeste dorpelingen op een gevaarlijke manier fanaat. Wout had een missie, wilde alle nazi's uit de weg ruimen. Of alle lafaards die mooi weer speelden met de nazi's.

Ik bedankte Stijnie, ik bedankte mijn andere informant.

Nee, ik wist niet dat Wout verkering had gehad met Aaf Wagenmeester, laat staan dat hij door de familie als huwelijkskandidaat was afgewezen. Zulke hoogmoed ervaren ze in dorpen als een geselslag.

Vergeet de *lone wolf* niet, wilden de tipgevers me duidelijk maken. Dat zou ik niet doen, ik hield Wout in mijn achterhoofd. Maar voorlopig bleef ik aan twee verdachten vasthouden in plaats van drie.

TIEN

Voor Dien de Regt deed het er niet toe wie het had gedaan. De draad was met slechts één bedoeling losgetrokken: om haar en haar Duitse vrijer te straffen. De dader zou wel nooit bekend worden, zei ze ferm tijdens het enige gesprek dat ze over de gebeurtenissen van 10 oktober 1944 wilde voeren, een telefoongesprek van vijfenveertig minuten. De dader had zijn geheim ongetwijfeld meegenomen in zijn graf. Wat deed het er verder nog toe? Hij was mooi niet in zijn opzet geslaagd.

In haar stem – een verrassend jonge stem voor een negentigjarige – klonk nog altijd recalcitrantie door. De dwarsheid die haar ook in de armen van bootsman Loos moet hebben gedreven.

De zeven doden leken Dien niet te deren. Ook het in brand steken van de vijf woningen scheen haar koud te laten. Dat vier vrouwen weduwe waren geworden en vijftien kinderen vaderloos, weerhield haar er niet van tot aan het einde van de oorlog met Walter Loos te blijven omgaan, ook al moest ze daarvoor een halfuur heen en een halfuur terug fietsen in een venijnige wind die met de week kouder werd.

De dag na de executies was Loos door zijn superieuren naar Hoogvliet teruggeroepen. Oberleutnant Schmitz vreesde dat hij door het boerenvolk van Rhoon gelyncht zou worden. Het was immers Loos die het merendeel van de slachtoffers had aangewezen, en hij had zich hoofdzakelijk door persoonlijke rancunes laten leiden. Hij was de jongens De Kooning en Robbemond allang zat vanwege hun gesar, hij had het land gehad aan vader en zoon Wagenmeester (waarbij meespeelde dat hij de jonge Tijm, die een beetje lijzig sprak en met zijn hoofd schudde, voor een halve debiel hield) en hij had de zelfverzekerde Jacques Pijnacker mores willen leren omdat hij, naar Loos vermoedde, het brein achter het plaatselijke verzet was. Allen stierven voor het vuurpeloton. Als één iemand gehaat werd door de dorpelingen, dan was het Loos.

De sergeant vorderde een paard-en-wagen, liet zijn uitrusting en zijn persoonlijke bezittingen door twee ondergeschikten naar buiten dragen, nam afscheid van zijn hospes Jan Krijn Jabaaij, ging tussen zijn spullen zitten en droeg een jongen van twintig op hem naar Hoogvliet te rijden. Hij verliet het dorp als een krijgsheer die een veldslag had gewonnen. Acties van de bevolking vreesde hij allerminst: wat hem na de executies het meeste plezier had bezorgd was de panische angst die hij in de ogen van de dorpelingen had gezien.

Als het aan hem had gelegen waren tussen de twintig en vijftig mannen doodgeschoten en was het hele Sluisje met de grond gelijkgemaakt. De tactiek van de verschroeide aarde. Oorlog was voor Loos angst en verderf zaaien op een zo groot mogelijke schaal. Wie daar het best in slaagde won. Misschien was hij daarin harder dan sommigen van zijn strijdmakkers. Als Sudeten-Duitser had hij van jongs af aan voor lijf en goed moeten opkomen. Toen hij na de executies op de Rijsdijk bij sommigen van zijn ondergeschikten tranen in de ogen zag, werd hij razend. Janken deden ze maar in hun bed, zodat niemand het zou zien.

Arie van den Akker vertelde een halve eeuw later dat sommigen van de soldaten dat ook inderdaad gedaan hadden. In zijn ouderlijk huis waren tien Duitse militairen ingekwartierd. Arie was vierenhalf jaar in oktober 1944. Hij hoorde – en dat was een van zijn eerste herinneringen – Duitse soldaten snikken. Dat gesnotter werd algauw overstemd door het gezang van andere soldaten, die na de executies nazi-liederen bruilden tijdens het wassen onder de pomp. Sommigen zwolgen in hun stoerheid na het bloedbad.

Loos kreeg een ander inkwartieradres maar behield de verantwoordelijkheid voor het gebied rond de Waalhaven. Met zijn eenheid bleef hij te voet of op de fiets op de Rijsdijk patrouilleren. Hij bleef ook zijn afspraakjes met Dien maken op zijn nieuwe inkwartieradres in Hoogvliet. Zelfs Dirkje de Ruyter kon dat niet meer bevatten.

'Ik begrijp niet dat jij zo'n vent nog nafietst!' zei ze Dien recht in het gezicht, wat Dien in hoongelach deed uitbarsten.

'Mag ik je er even aan herinneren?'

Dien moest je niet boos maken, dan werd ze een kwaaie. De dominee mocht haar gedrag immoreel noemen, maar Dirkje had geen recht van spreken. Die had in de winter van 1943-1944 al omgang met drie Duitse militairen die ze nauwelijks uit elkaar kon houden en aanduidde met de blonde, de bruine en de schele. Begin '44 kreeg ze een verhouding met de Obergefreiter Willie Liers van de Luftwaffe. Hij werd naar Rusland gestuurd om tegen de rooien te vechten. Nauwelijks had ze hem uitgezwaaid of ze wierp zich in de armen van bootsman Leo Seist van de Kriegsmarine. Na drie, vier maanden ging de verhouding stuk. Dien wist dat zo precies, omdat ze vervolgens zelf met Leo in bed was gedoken, in het zolderkamertje dat Dirkje speciaal daarvoor had ingericht. Die Leo beviel haar even slecht als Dirkje: een brulaap die als een dronkeman tekeerging, die petste en sloeg. Terwijl Dirkje met drie, vier, vijf andere Duitsers aanpapte, kreeg Dien een korte verhouding met Joes Hoffmann, onderofficier van de infanterie. Hij werd overgeplaatst naar Normandië. Toen kwam Walter Loos op de proppen, de eerste man in haar leven voor wie ze als een blok viel. Ondertussen had Dirkje alweer sjans met een Oberfeldwebel van de Kriegsmarine. Dus wie had nu het recht het gedrag van de ander aan de kaak te stellen?

Dirkje snoof.

'Ik heb in ieder geval besloten niet meer voor de Duitsers te wassen.'

Dat was een moedig besluit.

Of begon ze te beseffen dat ze als een kat in het nauw rare sprongen had gemaakt?

Op de morgen van 11 oktober was het bij Dirkje een komen en gaan van Duitse officieren en onderofficieren. Dirkje had algauw begrepen dat er gewelddadige represailles in het verschiet lagen.

Kort na het middaguur week ze naar Pernis uit en ging ze, zoals ze tijdens de naoorlogse verhoren zei, 'bij haar moeder op visite'. Tegen zessen fietste ze terug naar huis. Iemand die ze niet kende riep: 'Rijdt u maar vlug door, juffrouw, de Rijsdijk staat in brand.' Haar huis, zag ze een honderd meter verderop, was gespaard gebleven, maar voor hoe lang? Ze rende de trap op, griste wat kledingstukken bij elkaar, propte die in een tas en een koffer en haastte zich naar haar schoonzuster aan de Dorpsdijk in Rhoon.

Onderweg kwam ze Cor Osseweijer tegen, arbeider op de vlasfabriek. Voor in de dertig, gereformeerd hoewel hij er niets meer aan deed, getrouwd. Ze kende de familie – doorgaans rustige mensen. Hij beet haar toe: 'Wij zullen jou ook nog eens verbranden.' Ze schrok. Kreeg zij ineens de schuld van het hele drama in de schoenen geschoven!

Huilend en volslagen over haar toeren kwam ze omstreeks zeven uur het huis van haar schoonzus Aardje binnen. Behalve haar schoonzus trof ze daar haar nichtje Tilly aan, de twintigjarige dochter van Aardje. Volgens Tilly vroeg ze: 'Mag ik vannacht bij jullie blijven want ik ben zo bang.' Aardje vroeg waarvoor. 'De Duitsers steken de hele Rijsdijk in brand.'

Iets later op de avond kregen Aardje en Tilly gezelschap van een Duitse militair. Dirkje vertelde dat ze door Cor Osseweijer was bedreigd. Niet alleen bedreigd maar ook geslagen en bijna verkracht. De militair zei dat ze een klacht bij de Ortskommandant moest indienen.

Hij drong aan – ze moest het er niet bij laten zitten. De volgende morgen vergezelde hij haar naar Villa Johanna. Dirkje kreeg de plaatsvervangend Ortskommandant te spreken. Hij stelde haar gerust: 'Het komt wel in orde, ik zal een paar soldaten naar Cor Osseweijer sturen.' Ze keerde naar het huis van haar schoonzus terug en zei tegen Aardje: 'Van hem zal ik geen last meer hebben.'

Inderdaad: Cor Osseweijer dook onder. Door haar klacht bij de plaatsvervangend Ortskommandant kreeg Dirkje plotseling van veel mensen last. Dat ze met Duitsers aanpapte om haar kinderen te eten te kunnen geven, was voor sommigen tot daaraan toe, maar door bij de Ortskommandant te klagen speelde Dirkje, zoals een van de dorpelingen het later voor de rechter uitdrukte, 'een vuile vieze verradersrol'.

Dirkje mocht vooralsnog van geluk spreken. De gevolgen bleven tijdens de oktobermaand beperkt. In tegenstelling tot Oberleutnant Schmitz was de plaatsvervangend Ortskommandant van Rhoon een kalme, bedaagde man. Op de foto die soldaat Koch van hem maakte, wekt Heinrich Täffner zelfs een goedmoedige indruk. Getuige het insigne op zijn uniformjasje behoorde hij tot de Luftwaffe. Zijn meerdere, Ortskommandant Schultze, die Koch eveneens zittend achter zijn bureau portretteerde, schat ik fanatieker in. Heinrich Täffner zal de klachten van Dirkje hebben aangehoord, een sigaret hebben opgestoken (op alle foto's rookt hij) en gezegd hebben: 'Mal sehen, was wir für Sie tun können.'

Cor Osseweijer hield zich veertien dagen schuil. Toen vroegen zijn vrouw en zijn buurman audiëntie aan bij de ondercommandant. Ze vertelden Täffner dat Dirkje de Ruyter een onbetrouwbare vrouw was en dat Osseweijer haar bedreigd noch geslagen had.

Dat was slechts half waar. Bedreigd had hij haar wel degelijk. Naderhand probeerde Cor een andere uitleg aan zijn woorden te geven – hij had Dirkje alleen willen zeggen dat ook haar woning kans liep in brand te worden gestoken. Een slap verweer. Cor bedoelde wel degelijk dat Dirkje in de vlammen zou omkomen, na een wraakactie van de dorpelingen. Van de manier waarop hij haar tegemoet trad, ging bovendien dreiging uit.

Täffner koos geen partij. De verhoudingen in het dorp stonden al voldoende op scherp; hij wilde de zaak sussen.

'Cor Osseweijer kan naar huis komen,' zei hij. 'Er zal hem niets gebeuren.'

Op 24 oktober kwam Cor voor de dag. Hij meldde zich in Villa Johanna, wat de plaatsvervangend Ortskommandant op prijs stelde. Na dat bezoek werd hij met rust gelaten.

Dirkje bleef een paar dagen bij haar schoonzus in huis.

Nogal wiedes, zeiden ze in het dorp: soort zoekt soort.

Aardje de Ruyter-Roetman stond nog slechter aangeschreven dan Dirkje. Een *lustige Witwe*. Haar man, een havenarbeider in dienst van de Steenkolen Handelsvereniging in Rotterdam, was in 1941 aan long-tbc overleden. De toen veertigjarige Aardje was voor de Luftwaffe-officieren in het Kasteel gaan werken om dezelfde redenen als Dirkje: om aan eten te komen voor haar twee dochters. Het weduwepensioen stelde in die jaren niet veel voor, temeer daar haar man al in 1933 arbeidsongeschikt was verklaard. Aardje ontving zeven gulden vijftig in de week. Dertig gulden in de maand, daar kon je in 1943 een huisje van huren en het gas en het licht van betalen. Voor eten en het verdere levensonderhoud bleef geen geld over.

Aardje was zeker niet de enige weduwe in het dorp die van een schijntje moest rondkomen. Die vrouwen gingen niet allemaal voor de Duitsers werken. Aardje was belijdend lidmaat van de Nederlands Hervormde Kerk; ze had hulp van de diaconie kunnen krijgen, als ze erom had gevraagd. Dat gold trouwens ook voor Dirkje. Volgens een jaaropgaaf van de Nederlands Hervormde Gemeente in Rhoon ontvingen in het voorlaatste oorlogsjaar 53 huishoudens een bijdrage van de diaconie.

Aardje ging nog een stapje verder dan haar schoonzus. Op aandringen van haar oudste dochter Tilly werd ze in 1943 sympathiserend lid en in 1944 gewoon lid van de NSB. Tilly vertrok in 1942 naar Duitsland om er vrijwillig te werken en verschoonde een jaar later het linnen van het ss-lazaret in Laag-Soeren. Ze kreeg daar een verhouding met een Duitse soldaat en raakte zwanger. Voor de bevalling keerde ze naar huis terug. Het meisje, Antoinette Yvonne Louise, werd in de Nederlands Hervormde kerk van Rhoon gedoopt. De Franse namen waren door haar vader bedacht, Oberjäger Hans Erben, die een tijdje in Parijs gelegerd was, voor hij naar Nederland werd gedirigeerd.

In 1944 trad Tilly als naaister in dienst van de Luftwaffe op het Kasteel van Rhoon. 'Een totaal verdorven meisje', volgens een rapport van de reclassering uit 1947, 'dat zich in ernstige mate misdroeg.' Tijdens de laatste maanden van de oorlog werkte ze voor de Kriegsmarine in Hellevoetsluis en Rockanje.

Tilly, die al in 1941 lid was geworden van de NSB, oefende een sterke invloed op haar moeder uit. Voor haar moeder gold, volgens een ander reclasseringsrapport, 'haar overgrote domheid als excuus'. Tilly bracht ook haar zus Lies in contact met Duitse soldaten. Liesje was in 1944 nog geen zestien jaar.

Na de begrafenis van de zeven geëxecuteerden keerde Dirkje naar haar woning aan de Rijsdijk terug. De dag daarop ontving ze alweer Duitse militairen. Dat zou niemand in het dorp haar vergeven.

Dirkje was wel zo verstandig haar dochters uit de buurt te houden en te voorkomen dat de agressie van de buren zich op Magda en Winnie zou ontladen. Het kan ook geweest zijn dat Dirkje geschrokken was van de hoge officier van de Luftwaffe die Magda – toen toch al elf jaar – op de knie had genomen en haar foto's had laten zien van zijn vrouw en zijn drie dochters, die zo treurig alleen in de *Heimat* waren achtergebleven terwijl *Vati* voor het vaderland vocht. Even later was hij met Dirkje naar zolder verdwenen. Dat had een rotindruk gemaakt op Magda.

De meisjes zagen en hoorden te veel. Dirkje bracht ze naar opa en opoe en plaatste ze op de Ds. W. van den Bijtelschool in Pernis. Magda en Winnie zouden nooit meer een stap in Rhoon zetten.

De enige van de moffenmeiden die zich met enige vertraging de moorden en de branden aantrok was Sandrien. Dat beeld rijst althans op als ik een paar stukjes van de legpuzzel in elkaar schuif. Op de avond van 10 oktober vluchtte Sandrien weg. Thuis in bed trok ze demonstratief laken en dekens over haar hoofd alsof ze niets te maken had met het gebeurde. Sandrien had evenzeer onder 500 volt spanning gestaan als haar geliefde Ernst Friedrich Lange, ze verkeerde de hele nacht in shock. De volgende middag hoorde ze in de verte schoten en zag de gloed van vuur. Ook dat deed haar hoegenaamd niets. Maar toen ze op maandag de begrafenisstoeten zag langskomen – om het halfuur één – begon ze de feiten onder ogen te zien. Die nacht hoorde ze in haar droom Ernst schreeuwen. In de daaropvolgende nachten kwam dat hoge gegil steeds sterker terug.

Sandrien had geen zin meer in de feesten bij Dirkje thuis. Voorlopig althans niet. Ze was bang dat ze het gegil van Ernst weer zou horen als ze naar de trap keek die naar de zolder leidde.

Of was het anders? Was ze bang dat ze door iets onschuldigs – een nummer van The Ramblers op de radio bijvoorbeeld – even hard zou gaan gillen als Ernst?

Ergens diep in haar lichaam zat die gil gevangen. Hij zou zomaar ineens uit haar keel kunnen schieten. Op hetzelfde moment zou ze knotsknettergek zijn. Echt krankzinnig, als de patiënten van het Maasoord die ze in de zomer rare bekken zag trekken en tegen zichzelf hoorde praten, wanneer ze ging zwemmen in bad Maasoord, dat naast het gekkenhuis lag.

Aan het begin van wat algauw de Hongerwinter ging heten, eiste een andere gebeurtenis Sandriens aandacht op.

Een vrouw kwam aan de deur bij haar zus Aleida, die een paar huizen verderop aan de Rijsdijk woonde.

'Hier heb je mijn kind,' zei de vrouw. 'Ik kan het niet meer te eten geven.'

Ze duwde Aleida de baby in de armen. Voor ze goed en wel kon reageren, was de vrouw verdwenen.

Aleida was het sterke Rotterdamse accent van de vrouw opgevallen, de ziekelijk bleke teint van haar gezicht en de huiveringwekkende magerte van haar armen en benen. Ze geloofde toen onmiddellijk wat ze een dag eerder nog voor een sterk overdreven gerucht had gehouden: dat de mensen in de stad als ratten stierven van de honger.

Het kindje was nog magerder dan de moeder, als een lucifer. Een naam was snel gevonden: Stokkie.

In de zomer van 1944 was Aleida van haar derde kind bevallen, een zoon. Aan het begin van de Hongerwinter gaf ze twee kinderen de borst.

Sandrien moest bijspringen om de twee baby's te verzorgen. Iedere morgen trof ze haar zus in de keuken aan, met aan de ene borst Siem en aan de andere borst Stokkie.

Na de bevrijding bleef Aleida wachten op de moeder van Stokkie. In 1946 had ze zich nog altijd niet gemeld. Waarschijnlijk was het Zweedse wittebrood, dat in maart en april door geallieerde vliegtuigen boven de akkers en de weilanden rond Rotterdam was afgeworpen, voor haar te laat gekomen.

Aleida vroeg Sandrien de papieren in te vullen. Ze adopteerde Stokkie in de zomer van 1946 en zou nooit enig onderscheid maken tussen haar eigen kinderen en de vondeling.

Oorlog haalt niet alleen het slechtste en het beste in de mens naar boven, het laat ook op een wonderlijke manier goed en kwaad door elkaar lopen. Oorlog is een permanente uitzondering op voorspelbaarheden. Uitgerekend de familie De Regt, een van de armste en een van de kinderrijkste families van de Rijsdijk, een familie die door het gedrag van de dochters Dien en Sandrien als immoreel stond aangeschreven en volgens de gereformeerde ouderlingen in vergadering bijeen 'niet leefden naar de richtsnoer van de Heilige Schrift', redde een baby van de hongerdood en nam het meisje uit de stad als eigen kind in huis op.

Aleida: 'Wat had ik anders moeten doen? Dat mormel laten sterven?'

Het hoge vet- en kalkgehalte van haar moedermelk sleepte twee baby's door de Hongerwinter. Aleida was sterk van geest en sterk van lichaam. Ze had nooit aan de Engelse ziekte geleden, zoals de meesten van haar broers en zusters.

Met ontferming bewogen, zoals het in de gelijkenis van de barmhartige Samaritaan heet. De actie van de familie De Regt is des te opmerkelijker omdat een van de elf kinderen een gehandicapte jongen was die om veel zorg en aandacht vroeg. Geen excuus om hulp te weigeren, vond de familie, die uitgemergelde baby kon er nog wel bij.

In 1950, toen Stokkie naar de eerste klas van de lagere school ging, wist bijna niemand meer in het dorp hoe ze aan haar wonderlijke voornaam was gekomen.

In Rotterdam stierven in februari achthonderd mensen van de honger, in maart bijna duizend. Toch gingen de meeste voedseltochten aan Rhoon voorbij. De stedelingen wisten dat er weinig voedsel te halen viel omdat een groot deel van de akkers onder water stond. Ze trokken naar de Hoekse Waard of de Alblasserwaard.

Alleen voor het regentenhuis op de hoek van de Kleidijk en de Rijsdijk stonden op een middag vijfenvijftig uitgehongerde Rotterdammers. Van de bewoners, twintig evacués uit het geïnundeerde Zuidland die in het vervallen huis waren ondergebracht, kregen ze een kom soep.

Het Sluisje lag dichter bij de stad en werd geregeld door uitgehongerde jongelui bezocht. De bakkerij van Jan Peter Opperdoes was in de kelder en het onderhuis van een woning aan de Rijsdijk gevestigd. Bakker Opperdoes moest veel voor de Duitsers bakken: hij leverde het brood aan de Luftwaffe in het Kasteel. In de Hongerwinter bakte hij de broden een fractie kleiner, zodat hij twee broden overhield. Van januari tot april kwam twee keer in de week een groep van zeven kinderen onder begeleiding van twee nonnen vanuit Rotterdam naar de bakkerij lopen. Van de broden die de bakker overhield kregen de kinderen één dikke boterham besmeerd met schapenvet en bietenstroop. Die stevige hap konden ze wegspoelen met een glas melk; ondertussen warmden ze zich bij de broodoven.

De grootste van de jongens droeg onveranderlijk een ijsmuts, een bonte ijsmuts. Na de oorlog emigreerde bakker Opperdoes met zijn gezin naar Zuid-Afrika. Het beviel hem daar niet en zeven jaar later was hij in Rhoon terug. Hij betrok een huis in de eerste naoorlogse nieuwbouwwijk. In 1956 belde in de Waalstraat een knul aan. 'Ik ben IJsmuts,' zei hij. 'Hier, een doos sigaren voor de bakker.'

Heel veel meer merkten ze in Rhoon niet van de erbarmelijke toestanden in de stad. De Hongerwinter werd voor de meeste dorpelingen een van de moeilijkste winters vanwege de schaarste aan voedsel en brandstof en tegelijk een van de fijnste die ze mochten beleven. Een ouderwetse winter, een winter als op de schilderijen uit de zeventiende eeuw. De geïnundeerde polders vroren dicht zodat een gigantische ijsbaan ontstond die honderden hectares groot was. Uit de stallen van de herenboerderijen kwamen arrensleden tevoorschijn die in de negentiende eeuw voor het laatst waren gebruikt, de smid aan de Dorpsdijk besloeg de paarden met hoeven die van kleine spijkertjes waren voorzien, zodat de paarden niet uitgleden op het ijs. De arrensleden werden niet alleen voor pleziertochten gebruikt, ze vervoerden ook kreupelhout uit de grienden. Hout werd de voornaamste brandstof in het dorp, zelfs de eeuwenoude eik voor de hervormde kerk werd omgezaagd. Op zonnige dagen vermaakten honderden schaatsers zich op de ijsvlaktes tussen de Rijsdijk, de Essendijk en de hoge rivierdijk. Ze moesten alleen oppassen voor de Rommelasperges, de palen die een landing van geallieerde watervliegtuigen onmogelijk maakten. Een wat oudere man brak een arm toen hij in volle vaart tegen zo'n paal botste.

Ook de onderduikers begaven zich massaal op het ijs. Ze hadden niets meer te vrezen. Duitse soldaten konden niet schaatsen en in hun uitrusting zaten geen ijzers om onder de soldatenkistjes te binden. Ze konden alleen vanaf de Rijsdijk toekijken en aangezien ze zich volslagen machteloos voelden, lieten ze dat algauw na.

Tot de fanatieke schaatsers behoorden de sterk met het verzet sympathiserende kapelaan Chrispijn en Walt Meeze, een van de drijvende krachten van de Binnenlandse Strijdkrachten. Op het ijs konden ze hun plannen smeden, zonder bang te hoeven zijn afgeluisterd te worden. Af en toe kregen ze gezelschap van de gereformeerde dominee Kloosterziel of van de hervormde domineeszoon Reinbert van Marken, die de hulp aan de onderduikers coördineerde. Op het ijs deden de religieuze geschillen er niet meer toe of werden spontaan weggeschoven alsof het ribbeltjes stuifsneeuw waren. Dat ze na het invallen van de dooi weer even heftig zouden terugkeren, geloofde niemand.

Tijdens de Hongerwinter verloren de Duitsers de greep op de Rhoonse buitengebieden. In januari 1945 besloot het Duitse militaire gezag de 20ste Schiffstammabteilung alleen nog in te zetten voor de verdediging van de kust. De in Rhoon en Hoogvliet gelegerde eenheden werden overgeplaatst naar de marinehaven Hellevoetsluis en de badplaatsen Rockanje en Oostvoorne.

Dien de Regt moest toen nog verder fietsen om bootsman Loos in de armen te sluiten: negenentwintig kilometer vanaf de Rijsdijk in Rhoon. Bij de Spijkenissebrug moest ze de Duitsers bovendien iedere keer om een vergunning vragen.

Na een paar moeilijke tochten besloot Dien naar Hellevoetsluis te verhuizen. Tot aan het einde van de oorlog bleef ze in het kustplaatsje op kamers wonen. In haar liefde voor Walter Loos liet Dien zich door niets weerhouden.

In Hellevoetsluis kreeg Dien gezelschap van Dirkje de Ruyter. Ze was daar in de keuken van de Wehrmacht gaan werken, ook vanwege haar geliefde.

Op een door de Duitsers georganiseerde feestavond in het Kasteel van Rhoon had Dirkje in maart 1945 kennis gekregen aan een Oberfeldwebel van de Kriegsmarine die in Hellevoetsluis was gelegerd. In april bleek ze in verwachting te zijn. Eerst ondernam ze eens in de week de tocht naar Hellevoetsluis om Oberfeldwebel Sep Eeberts op te zoeken, maar algauw besloot ze om net als Dien voorlopig in Hellevoetsluis te blijven. Door in de keuken van de Wehrmacht te werken kon ze gratis eten.

In maart vierden de Duitsers dus nog feest op het Kasteel. De meeste Duitse steden lagen in puin, het Rode Leger was Berlijn tot op een paar kilometer genaderd, Hitler had zich met zijn generaals en met Eva Braun in een bunker verschanst, Limburg, Noord-Brabant en Zeeuws-Vlaanderen waren bevrijd, de Canadezen en zo'n duizend Nederlanders van de Prinses Irene Brigade, onder wie Arend-Jan Veth, vochten in Walcheren, en in het Kasteel van Rhoon zopen de moffen sekt, dansten met de dorpsmeiden, verwekten zoals Oberfeldwebel Sep Eeberts een kind, alsof er buiten het lentezonnetje om helemaal niets aan de hand was en de oorlog nog minstens zeven jaar zou duren in plaats van zeven weken.

Dirkje had tussen november 1943 en maart 1945 seksueel contact met 'een veelheid aan Duitse militairen', zoals ze zelf uitdrukte tijdens de naoorlogse verhoren. Gedurende die periode van zeventien maanden zal ze haar voorzorgsmaatregelen hebben genomen. Van Sep raakte ze in verwachting.

Een ongelukje? Of begon Dirkje aan de toekomst te denken en overwoog ze met de Duitse officier weg te vluchten? Dat laatste zou kunnen verklaren waarom ze het kind niet weg liet maken – zelfs in april 1945 waren daar in bezet Nederland mogelijkheden voor.

Sep heeft haar misschien beloften gedaan. Tot de oorlog in mei voorbij was en hij opeens naar vrouw en kinderen in Duitsland wilde terugkeren. Met Oberleutnant Schmitz, bootsman Loos en de hele eenheid van de 20ste Schiffstammabteilung maakte Oberfeldwebel Eeberts zich op 3 mei uit de voeten, een zwangere Dirkje achterlatend.

Het kind, een meisje, Andrea, werd op eerste kerstdag 1945 geboren.

ELF

De bevrijding werd een nachtmerrie in Rhoon. Of zoals de oude mevrouw Baars zei: 'Het ergste van de oorlog was voor ons de bevrijding.'

Dorpelingen konden me met droge ogen over 10 en 11 oktober 1944 vertellen en over de begrafenis van de geëxecuteerden vijf dagen later, maar mannen begonnen te stotteren en vrouwen konden hun tranen niet bedwingen als de avond van de achtste mei ter sprake kwam.

Het was alsof toen alle opgekropte woede naar buiten kwam, woede over de onschuldige slachtoffers die gevallen waren, woede over de materiële schade die in het dorp was aangericht, maar bovenal woede over de vrouwen en meisjes die van de oorlog een festijn hadden gemaakt en van de vijand vriendjes in bed.

Dirkje voelde de furie aankomen. Toen Wehrmacht en Kriegsmarine uit Hellevoetsluis waren vertrokken, keerde ze naar huis terug. Ze zal zich niet veilig hebben gevoeld in haar eentje aan de Rijsdijk. Op 5 mei fietste ze naar de kosterswoning van haar ouders in Pernis, waar haar dochters sinds oktober verbleven. Met haar kinderen als beschermend schild waande ze zich daar veilig. Het bleek een verkeerde inschatting.

Op 8 mei werd Dirkje opgepakt, kaalgeknipt, op een kar gezet en door de straten van Pernis gereden. Haar hoofd werd met carbolineum ingesmeerd. Soms stopte de kar, dan trok een uitzinnige menigte haar naar beneden, bespuugde haar, stompte haar, kneep haar in de borsten en de billen of trapte haar in de buik. Dat ze zwanger was, viel nog niet te zien; ze kon alleen schreeuwen: 'Pas op, pas op', en dat hielp weinig.

Toen het volksgericht voorbij was, zag haar oudste dochter Magda hoe ze het huis werd binnengedragen. Ze was gruwelijk mishandeld.

Toen Dirkje op de kar werd gezet, kwam Magda's vader in een grote witte Amerikaanse slee, volgeladen met eten en cadeautjes, naar Pernis gereden. Arend-Jan Veth had zijn vrouw en dochters eerst thuis gezocht. Op de Rijsdijk was hij verschillende malen aangehouden door Rhoonaren. Volgens de één reed hij in een Chevrolet Master, volgens de ander in een open legerjeep. Hoe dan ook, volgens beide bronnen was hem toegeschreeuwd: 'Ga maar in Pernis kijken.' Hij begreep de grimmigheid niet goed, hij droeg het uniform en de baret van de Prinses Irene Brigade en dacht als een held ontvangen te zullen worden door zijn vroegere dorpsgenoten.

Op de Vondelingenweg was hij opnieuw tegengehouden, ditmaal door enkele Pernissers die riepen dat hij niet meer naar de kosterswoning aan de Tijkeweg hoefde te gaan: zijn vrouw was een moffenhoer met wie juist op dit moment werd afgerekend. Hij keerde de auto, reed een paar kilometer terug, wachtte een uur of twee, rookte een pakje sigaretten leeg, startte de motor, reed met een rotgang naar Pernis, liet de cadeautjes en het eten op de achterbank liggen, belde bij zijn schoonouders aan, liep naar binnen zonder hen te groeten, greep Magda bij de arm, tilde Winnie op, en nam zijn dochters mee in de auto. Dirkje, die nog half in coma en met het gezicht onder de kompressen in de slaapkamer lag, keurde hij geen blik waardig.

Arend-Jan Veth nam zijn dochters mee naar zijn ouders in Barendrecht. Een week later reed hij met zijn vader en zijn broer naar de Rijsdijk, haalde de hele inboedel uit huis, ook de poppen van zijn dochters, stapelde achter op het land tafels, stoelen, kasten, bedden, dekens, lakens, kussens tot een metershoge belt opeen, besprenkelde die met benzine en hield er een lucifer bij. Alles uit het huis ging in vlammen op, inclusief de rokken, kousen, jurken, onderjurken, bloesjes, hoedjes en mantels van Dirkje, de fotoalbums en de trouwfoto's, waarvan er een op het buffet had gestaan en de andere aan de wand van de slaapkamer had gehangen. Toen stapte Veth weer in de auto.

Hij zou nooit meer terugkeren in het dorp en diende een aanvraag in om naar Zuid-Afrika te emigreren.

In Rhoon was kort voor het einde van de oorlog een lijst aangelegd van vrouwen en meisjes die op de dag van de bevrijding gearresteerd moesten worden. Van wie het initiatief was uitgegaan is onduidelijk. Niet door het plaatselijke commando van de Binnenlandse Strijdkrachten: de regering in Londen had het georganiseerde verzet via Radio Oranje nadrukkelijk gewaarschuwd voor wilde vergeldingsacties en een klemmend appèl gedaan dit soort afrekeningen te voorkomen. Evenmin door de LKP of een aan de knokploeg verwante groepering. Toch moet het initiatief genomen zijn met althans de oogluikende toestemming van het georganiseerde verzet, want de mannen die de vrouwen en meisjes uit hun huis haalden, droegen een band van de BS om de arm, kregen hulp van de wachtmeester van de Koninklijke Marechaussee Augustijn Noole en van enkele andere politieagenten, die bij het binnengaan van de huizen hun wapen trokken. De mannen gingen op pad met een uitgetypte lijst, een nog overtuigender bewijs dat het een geplande actie was. Op de lijst stonden dertig vrouwen en meisjes vermeld.

Dertig? In mijn dorp?

Toen ik in 2005 aan het onderzoek begon en dit aantal voor het eerst hoorde, dacht ik dat het om een vergissing ging of een overdrijving. Zoveel vrouwen in een diepchristelijk dorp dat om en nabij tweeduizend inwoners telde, dat kon niet waar zijn. Ik wilde het pas geloven toen ik een kopie van de lijst onder ogen kreeg.

De lijst was op een geniepige manier samengesteld. Bovenaan stonden de vrouwen en meisjes uit gezinnen die op de maatschappelijke ladder onderaan bungelden. Dochters van landarbeiders, van tuinders met slechts een lapje grond, van keuterboertjes of van arbeiders in de Rotterdamse haven. In de volgende groep vielen de dochters van middenstanders op en de vrouwen en dochters van NSB'ers. Vanaf nummer 15 sprong de sociale status omhoog naar de dochters van notabelen en herenboeren.

Niet toevallig kwam aan de vergeldingsactie een abrupt eind toen nummer 15 aan de beurt was. Tot schrik van de wachtcommandant van de marechaussee en van een ambtenaar der secretarie die namens de Binnenlandse Strijdkrachten bij de arrestaties aanwezig was, stond achter dat nummer: Trude Groeneboom, de dochter van de burgemeester. De tocht naar de ambtswoning aan de Molendijk hoefde niet eens door politieagenten te worden afgebroken: de dorpelingen deinsden uit zichzelf terug, bang dat de afrekening zou omslaan in een regelrechte revolte tegen de lokale regenten. Of zoals een van de deelnemers later zei: 'Toen was de lol eraf.'

De man die de meiden kaalknipte was nog een jongen. Elf dagen na de vergeldingsactie zou hij zeventien worden.

Hij had zijn naam niet mee: Huub Droogscheerder. Hij liep moeizaam. In 1943 volgde Huub de opleiding tot machinist aan de ambachtsschool in Den Briel. Op weg naar school kreeg hij een ongeluk dat hem zijn rechterbeen kostte. Wachtend op het loom schommelende maar schril fluitende trammetje van de Rotterdamsche Tramweg Maatschappij speelde hij bij het station van Rhoon op een bietenwagon, die op een zijspoor stond. Net toen de stoomlocomotief eraan kwam, viel hij van de wagon. Een groot deel van zijn been moest geamputeerd worden. Zijn beide handen konden door operatief ingrijpen behouden worden.

Met een houten been en vingers die lange tijd stram bleven kon Huub geen machinist worden. Kapper was een betere optie: hij leerde ervoor in Rotterdam.

Huub Droogscheerder woonde op nog geen vijftig meter van

me vandaan. Een paar jaar na de oorlog begon hij een kapsalon aan de C.A. Dekkerstraat. Ik was een beetje bang van hem. Hij knipte mijn dikke blonde haren op de kappersstoel in de achterkamer van zijn ouderlijk huis. De stoel, van naturel mahoniehout, stond op een stalen standaard, die Huub een meter omhoog draaide zodat hij zich niet hoefde te bukken om een jochie te knippen. Als hij met zijn schaar om me heen liep en mijn dubbele kruin kortwiekte, hoorde ik zijn houten been tikken. Ik vond dat als jongetje van vijf, zes, zeven jaar eng en vroeg mijn vader mee te gaan. Hij vergezelde me alle keren dat ik naar de kapper moest, en rookte de ene na de andere sigaret in de rieten stoel bij het raam. Ik kan me niet herinneren dat hij met Huub meer dan tien woorden wisselde. Later, toen Huub ging varen, werd Nol van Bokkum onze kapper. Met hem voerde mijn vader lange gesprekken en lachte zo vaak dat hij er buikkramp van kreeg en riep: 'Schei uit, Nol, schei uit.'

Of mijn vader iets wist van de rol die Huub op 8 mei 1945 heeft gespeeld, waag ik betwijfelen. Als dominee hoorde hij veel over het dorp, vooral als hij aan een sterfbed zat en oud hartzeer om begrip of vergiffenis vroeg, maar boven de laatste oorlogsdagen hing naderhand een sluier van schaamte, geheimzinnigheid en ontkenning. Zeker als het om de oorlog ging, werd mijn vader als een hele of een halve buitenstaander gezien, omdat hij pas in 1952 naar Rhoon was gekomen en zijn oorlog een compleet andere was geweest: hij had die achter het prikkeldraad van een jappenkamp doorgebracht op het Indische eiland Celebes.

Mijn vader zag de gevolgen van de bezettingsjaren in het dorp, maar naar de juiste toedracht moest hij gissen. 8 mei 1945 werd een collectief geheim. Dat Huub na ruim een halve eeuw zelf het stilzwijgen doorbrak, maakte mijn vader niet meer mee: hij was toen allang overleden.

Huub was een in zichzelf gekeerde man. In de late jaren vijftig voer hij als kapper op de Rijndam, een van de passagiersschepen

van de Holland-Amerika Lijn die de lijndienst met Canada onderhield. Terug aan wal werd hij kapper bij de Opel-garage van
Han Wagenmeester, de broer van de gefusilleerde Wijnand Wagenmeester. Een paar jaar later trad hij in dienst van de Bloed-
bank als chauffeur op een ambulance.

Huub trouwde met een van mijn fijnste juffen op de lagere
school, Hannie van der Pol. Mijn vader zegende het huwelijk in.
Toen het paar de kerk verliet, vormden leerlingen en oud-leerlingen de erehaag. Hannie reageerde met verlegen voornaam-
heid op ons gezang: ze gaf ons in het voorbijgaan één voor één
een knipoog. Ik was de oudste oud-leerling in de haag.

Vele dorpelingen vroegen zich af hoe een manke kapper die
niet eens het diploma van de ambachtsschool had behaald een
goed opgeleide onderwijzeres aan de haak had geslagen die ook
nog eens acht jaar jonger was dan hij. Ik denk dat het zijn uiterlijk was: Huub had een mooi gezicht, expressieve donkere ogen,
een verlegen, innemende glimlach en gitzwarte haren die altijd
glansden van de Brylcreem. Door het varen op de Rijndam had
hij bovendien een bronzig bruine gelaatskleur gekregen. Hij
was slank, zat altijd goed in het pak.

Of was het zijn warme baritonstem?

Bij de mannen van het kerkkoor stond Huub vooraan. Ook
daaraan bewaar ik een herinnering. Begeleid door de piano spe-
lende dirigent en het zacht neuriënde koor moest ik tijdens de
kerstdienst met mijn heldere jongenssopraan een solo zingen. Ik
was erg nerveus. Huub zei dat ik recht voor hem moest gaan
staan en dat hij me er wel doorheen zou helpen. Vlak voor de
solo legde hij zijn hand op mijn schouder en gaf me een bemoe-
digend kneepje. Ik hield de wijs en zong als een lijster.

Op de vroege morgen van 4 mei ontdekten de Rhoonaren dat de
Duitsers met stille trom waren vertrokken. Voor het Kasteel, de
Ortskommandantur en de lagere school waren de nazi-vlaggen
gestreken. De militairen hadden zich in grote haast en met ach-

terlating van het grootste deel van hun wapenrusting uit de voeten gemaakt.

Toen hun vertrek definitief bleek, barstte het feest los. De harmonie toog naar de muziektent op de hoek van de Rijsdijk en de Dorpsdijk. Tot laat in de avond dansten de dorpelingen. Zelfs dominee Kloosterziel liet zich hierbij niet onbetuigd. De gereformeerde predikant nam eerst nog aarzelend aan de polonaise deel maar ontpopte zich algauw als een vurige foxtrotdanser. Niemand vroeg zich af waar hij dat had geleerd; zelfs roddel en achterklap leken tot het verleden te behoren.

De vooroorlogse Koninginnedagen verbleekten bij het spetterende vreugdefeest. Zo hadden de dorpelingen zich de bevrijding voorgesteld: als het einde van jaren kommer en kwel en het begin van een opgewekte periode die in het teken van de verzoening zou staan.

Op de radio hoorden ze de volgende dag dat de onderhandelingen over de Duitse capitulatie in hotel De Wereld in Wageningen begonnen waren. Het definitieve document werd op zondag 6 mei om halfvijf in de middag ondertekend in de aula van de Landbouwhogeschool in Wageningen. Pas op dat moment wilde de Kampfkommandant van Rotterdam, Generalmajor Kistner, de Duitse militairen binnen de kazernes halen en het gezag overdragen aan de Nederlandse Binnenlandse Strijdkrachten. Niet alle troepen gaven daar gehoor aan. Om zeven uur 's avonds stuitte een groep van twaalf bs'ers in de wijk Charlois op een eenheid van de Kriegsmarine die in de Boergoensestraat ter hoogte van het Karel de Stouteplein het vuur had geopend op een samenscholing van burgers. Een vuurgevecht volgde, waarbij aan beide zijden twee doden vielen en zeven burgers zwaargewond raakten. Pas halverwege de avond konden de leden van de Kriegsmarine overmeesterd worden.

De omstandigheden bleven chaotisch in Rotterdam-Zuid. Op 7 mei ruimden de Duitsers in Charlois het veld, een paar uur voor leden van de Binnenlandse Strijdkrachten het gezag overnamen. De bevolking begon op grote schaal te plunderen. Ook hier werden moffenmeiden aangevallen en mishandeld. Toen de geüniformeerde bs'ers zich eindelijk over de wijk verspreidden, voorzagen ze de vrouwen van handgranaten om een volksgericht te voorkomen. Het hielp, de menigte bleef op een afstand.

De onoverzichtelijke situatie ontstond doordat de geallieerden veel later in Rotterdam arriveerden dan in andere delen van het land en in de andere grote steden. Pas op 8 mei reden de eerste Canadese jeeps Rotterdam binnen. In Kralingen en Overschie wisten veel meisjes en vrouwen aan mishandeling te ontsnappen door direct het gezelschap van Canadese militairen te zoeken.

De achtste mei werd 'de dag der dagen', schreef *Het Vrije Volk* in zijn eerste editie van na de bevrijding. Toch voegde de krant er direct aan toe dat 'de overgang van donker naar licht te geleidelijk was gegaan'.

De berichten over de zegetocht van de Canadezen in Rotterdam en de spontane volksfeesten die erop volgden, bereikten Rhoon in de voormiddag van 8 mei. Maar gefeest was er al afdoende in Rhoon; het uur van de wraak was aangebroken. Onmiddellijk deden geruchten de ronde over een ophanden zijnde vergeldingsactie.

Huub Droogscheerder liet zich opfokken door een jonge aannemer die op een rel uit was maar geen klanten wilde verliezen, en door een schapenboer. De laatste voorzag hem van een grote schapenschaar. Huub werd nog door zijn vader gewaarschuwd niet mee te doen aan de afrekening. 'Je zult er later spijt van krijgen,' riep hij zijn zoon toe. Maar Huub kon voor zijn gevoel al niet meer terug; hij had stoer gedaan in het dorp en moest laten zien dat hij zijn mannetje stond.

Aan het einde van de middag werden de eerste meisjes opgepakt. De zussen Ans en Babs Verhulst – hun vader dreef een winkeltje op de stoep van de Dorpsdijk, vlak bij de hervormde kerk. De zusjes Neeltje en Mira Varewijck. De zusjes Moons, die ook op de Dorpsdijk woonden – zij hadden het voorbeeld van hun moeder gevolgd, die het met de Duitsers hield maar die om onverklaarbare reden zelf buiten schot bleef. Het oudste meisje Van der Laak – haar zusje werd gewaarschuwd door boer Cats en kon zich schuilhouden. Ook de arrestatie van Jannie, dochter van bakker Fop Wils, mislukte. Bob van Zessen, die slechts zijdelings betrokken was geweest bij het verzet, wilde het huis binnengaan en deinsde op het laatste moment terug: achter de deur zwaaide vader Wils met een mokerhamer.

Kort na het invallen van de duisternis verscheen Huub onder luid gejuich in zijn witte kappersjas op het plein voor de openbare school op de hoek van de Dorpsdijk en de Rijsdijk. Op de T-kruising had tot halverwege de negentiende eeuw de schandpaal gestaan. Aan het begin van de twintigste eeuw was er een imposante lantaarn geplaatst die de dorpelingen de Kroonlamp noemden. In het licht van die lantaarn knipte Huub de lokken van de meisjes af met de schapenschaar. Met een kleine schaar knipte hij ze kaal.

Aangemoedigd door een menigte van minstens tachtig dorpelingen nam hij de meiden een voor een onderhanden. De kaalgeknipte meisjes werden naar de muziektent tegenover de openbare school gebracht. Daar kregen ze, weer onder luid gejoel, met carbolineum een hakenkruis op het hoofd geschilderd.

Jongens gingen ondertussen met de pet rond om Huub voor zijn werk te belonen. Met tientallen guldens aan collectegeld kon hij die avond naar huis terugkeren. Van zijn vader mocht Huub het geld niet houden. 'Ik wil geen judaspenningen in mijn huis.'

Negen meisjes werden kaalgeknipt en met koolteer van een hakenkruis voorzien, onder wie Mina Droogscheerder, een nichtje van Huub. De meisjes werden op een door vele handen getrokken wagen gezet en in het dorp rondgereden.

'Meisjes met wie ik op de kleuterschool en de lagere school had gezeten,' vertelde Rieke Baars zestig jaar later. 'Meisjes met wie ik gespeeld had in het bos achter het Kasteel en met wie ik kindergeheimen had gedeeld. Meisjes met wie ik op catechisatie had gezeten. Het was afschuwelijk om aan te zien, het was om misselijk van te worden. Vriendinnen die onder de Kroonlamp werden mishandeld. Het zou me mijn hele verdere leven blijven achtervolgen. Niemand greep in.'

Geen van de gezagsdragers althans. De burgemeester, de commandant van de BS, de leiders van de LO en de LKP, de wachtcommandant van de rijkspolitie en de brigadiers hielden zich afzijdig. De tweede ambtenaar der secretarie, Ad Breeman, was er wel bij aanwezig. 'De losgebroken volkshartstochten verbijsterden mij,' noteerde hij in zijn oorlogsmemoires. 'Van deze gevoelens heb ik ook dien avond aan menige omstander blijk gegeven. Moed of lust om er een einde aan te maken had ik toen echter niet.'

Pas toen de roep om nieuwe meisjes klonk – er stonden immers dertig namen op de lijst – trad een kleine man met groot gezag naar voren. Dokter Monteyn maakte een einde aan de wraakactie. De arts die zowel de dood van Ernst Friedrich Lange had geconstateerd als de dood van de zeven zwaar verminkte geëxecuteerden. En de arts die het rechterbeen van Huub Droogscheerder had geamputeerd toen hij onder de stoomlocomotief terecht was gekomen. Hij rukte Huub de schaar uit de handen en riep: 'Schaam je je niet? Jij zou toch beter moeten weten!'

Maar de kar met de meisjes erop rolde toen al door het dorp, getrokken en voortgeduwd door joelende jongens die dokter Monteyn niet meer tot bedaren kon brengen.

Theo Vos, zoon van de oprichter van het grondboorbedrijf Vos, had een camera. Na de oorlog groeide Vos Grondmechanica uit tot een internationaal bedrijf. Het hoofdkantoor bleef gevestigd aan de Kleidijk in Rhoon, waar de oude Vos achter de schuur van de tuinderij zijn eerste experimenten met boren en meten had uitgevoerd. Zoon Theo deelde zijn affiniteit met de nieuwste technische snufjes. Hij filmde veel en graag.

Met zijn 8 mm-camera deed hij dat ook op de late middag en de vroege avond van 8 mei 1945. Het kaalknippen van negen meiden door Huub Droogscheerder en de hysterische reacties van de toeschouwers legde hij op een reportageachtige manier vast in een film van veertien minuten. Een week later deponeerde hij die film op het gemeentehuis, in ruil voor een door de burgemeester getekend reçu. Theo veronderstelde dat de actie van wat hij het Rhoonse gepeupel noemde, een justitieel vervolg zou krijgen. De filmbeelden zouden als bewijsmateriaal kunnen dienen.

Tot een aanklacht of een proces kwam het niet. De film bleef in het gemeentearchief achter. Tenminste, dat veronderstelde Theo Vos; toen hij er later navraag naar deed, bleek het document verdwenen. Burgemeester Groeneboom was toen al jaren dood.

In de handgeschreven memoires van de gemeentesecretaris kwam de aap uit de mouw. Bij Ad Breeman las ik: 'Wat de film betreft, die de heer Vos opgenomen heeft, deze zal door de Burgemeester in beslag genomen worden, opdat er in de toekomst aan deze onverkwikkelijke gebeurtenis geen onnodige aandacht meer geschonken kan worden.'

Het deponeren van de film had de burgemeester opgevat als de wens om het document zo snel mogelijk te vernietigen.

Niets mocht meer herinneren aan 8 mei. De volgende dag hingen de broers Jan en Pim Jongepier, die beiden een belangrijke rol in het verzet hadden gespeeld, naast de ingang van het gemeentehuis een plakkaat op waarin elke betrokkenheid van de Nederlandse Binnenlandse Strijdkrachten werd ontkend. Later heette het dat leden van de BS 'op persoonlijke titel' aan de wraakactie hadden deelgenomen.

Huub Droogscheerder kreeg de volgende dag al vreselijke

spijt van het gebeuren. Hij bracht het collectegeld dat voor hem was opgehaald naar de schapenboer die hem de grote schaar in de handen had geduwd. Toen ging hij bij de kaalgeschoren meisjes en hun ouders langs om zijn excuses aan te bieden. Geen dorpeling heeft hem er nadien meer op aangesproken. Ook zelf sprak hij met geen woord over het gebeurde, tot hij in 2005 in een Rotterdams ziekenhuis op sterven lag.

Zo ontdekte ik ten slotte wat er op 8 mei was gebeurd.

Ik was voor een paar dagen terug in het dorp. Op het plein voor de hervormde kerk hield Kars de Jong, de verslaggever en fotograaf van het plaatselijke huis-aan-huisblad *De Schakel*, me aan.

'Heb je het al gehoord?'

Ik moest erom glimlachen. Hele decennia waren voorbijgegaan sinds mijn jeugd, en nog altijd werd een roddel of een dorpsnieuwtje ingeleid met dezelfde woorden.

'Heb je het al gehoord? Huub Droogscheerder ligt te brullen en te kermen in het ziekenhuis. Uit schaamte en angst. De ergste angst... voor het laatste oordeel, hè.'

Ik vroeg wat hij op zijn geweten had. Toen kwam het hele verhaal eruit. De grote en de kleine schaar. De lijst met dertig namen.

'Lijkt me sterk,' zei ik.

'Op de Rijsdijk was zelfs een huis waar die meiden hun gang konden gaan. Even voorbij Het Sluisje.'

Kars de Jong zette me op het spoor.

Met het brullen en schreeuwen van Huub bleek het naderhand mee te vallen: hij had dat slechts tijdens het bezoek van een oude vriend gedaan. Toch moet hij wel degelijk in de ban zijn geweest van heftige angsten. Als tekst voor zijn rouwkaart koos hij Matteus 14:27: 'Houdt moed, Ik ben het, weest niet bevreesd!'

Jan en Pim Jongepier, zonen van het hoofd van de openbare school in Rhoon, een kleine school met een sterk liberale inslag, hingen het plakkaat op dat de plaatselijke NBS verschoonde van iedere verantwoordelijkheid voor of zeggenschap over de gebeurtenissen op de avond van 8 mei. Het communiqué was door hun vader geschreven, in opdracht van het plaatselijke commando van de Nederlandse Binnenlandse Strijdkrachten. Jan Jongepier had actief deelgenomen aan het gewapende verzet, met volle toestemming van zijn vader. De rol die de Jongepiers speelden, raakte na de oorlog onderbelicht, mogelijkerwijs omdat ze niet tot de harde gereformeerde kern van de illegaliteit behoorden en ook omdat ze het dorp algauw verlieten; Jan woonde zijn hele verdere leven in Den Haag.

Met het plakkaat wilden ze voorkomen dat de excessen zich zouden voortzetten – twintig meisjes waren immers nog niet aan de beurt gekomen.

'Aan de Nederlandsche Binnenlandsche Strijdkrachten hier ter plaatse,' luidde de tekst, 'is de order gegeven streng op te treden tegen al degenen die een herhaling beogen van de bedoelde gebeurtenissen. Aan bovengenoemde order zal streng de hand worden gehouden en er zal niet geschroomd worden, indien noodzakelijk, van de vuurwapenen gebruik te maken.'

Laat, te laat, besloot het commando van de NBS kordaat op te treden. De tekst eindigde met de oproep tot een ander soort vergelding: de gerechtelijke. De plaatselijke leiders van de Binnenlandse Strijdkrachten wezen erop 'dat ook ten opzichte van de vrouwen en meisjes, welke omgang met de Duitsche militairen hadden en die gisteravond niet aanwezig waren, te zijner tijd verantwoording van haar daden zal worden gevraagd en een gerechte straf zal worden opgelegd'.

Met die vrouwen en meisjes doelden ze in de eerste plaats op Dien en Sandrien de Regt, die door onverwachte hulp de dans ontsprongen.

Dien was vier dagen eerder teruggekeerd uit Hellevoetsluis. Tot haar verbijstering hadden Walter Loos, Karl Schmitz en de gehele eenheid van de 20ste Stiffstammabteilung hun onderkomen in het holst van de nacht verlaten. In Rhoon hield Dien zich schuil op de zolderkamer van haar ouderlijk huis. Zij kreeg daar bescherming van haar zwager Wiebrand, een lange, smalle maar uitzonderlijk sterke kerel. Tegen drie, vier buurtgenoten kon hij het echter niet opnemen. Hij schreeuwde: 'Als jullie een stap in het huis zetten, neem ik jullie dochters te grazen.' Dat hielp.

Ook Sandrien ontsnapte. Cor Osseweijer wilde haar oppakken en naar de Kroonlamp brengen. De Cor Osseweijer die Dirkje de Ruyter had bedreigd ('we zullen jou ook wel eens verbranden') en dat met een klacht bij de Ortskommandant had moeten bekopen. Hij ging in z'n eentje op weg naar de Rijsdijk om Sandrien op te halen en, naar hij hoopte, ook Dien. Vlak voor het huis van de familie De Regt werd hij tegengehouden door Joop van der Vaart, een voormalige havenarbeider die bij de Shell-raffinaderij was gaan werken. Joop had geen enkele sympathie voor de meisjes De Regt maar vond het laaghartig ze kaal te knippen en in het geval van de minderjarige Sandrien zelfs crimineel. Een grote en beresterke kerel als Cor Osseweijer die een meisje van vijftien te grazen wilde nemen – Van der Vaart had er geen woorden voor. Hij gebood Cor rechtsomkeert te maken, en toen die dat weigerde, verkocht hij hem een dreun. Door zijn jarenlange werk in de haven was Joop nog net een tikkie sterker dan Cor de vlasarbeider. Sandrien mocht hem dankbaar zijn. Zeker zij, het liefje van de geëlektrocuteerde Duitse soldaat, zou het hard te verduren hebben gekregen.

Op de lijst met dertig namen stond Dirkje de Ruyter vreemd genoeg op de 21ste plaats, Dien de Regt op de 23ste en Sandrien de Regt op de 24ste plaats. Naast de sociale hiërarchie hielden de samenstellers namelijk nog een andere volgorde aan: de geografische. De vrouwen en meisjes die in de dorpskern woonden, stonden bovenaan, domweg omdat ze het snelste en makkelijkste opgepakt konden worden. Gertie Blekemolen-Wiessner ontbrak op de lijst, net als twee andere vrouwen die regelmatig bij Dirkje thuis kwamen en door de illegaliteit gesignaleerd waren. Het aantal vrouwen dat met Duitse militairen omging, moet nog groter zijn geweest dan dertig.

Het commando van de plaatselijke Binnenlandse Strijdkrachten nam zijn intrek in Villa Hendrina, de grootste en de mooiste villa in het dorp, die aan het begin van de Rijsdijk lag. Op woensdag 9 mei kwam daar per ordonnans een bericht binnen van de waarnemend commandant in Pernis. 'Hedenmorgen ontving ik rapport dat Dirkje de Ruyter, U welbekend, thans verblijf houdt alhier. In overleg met de heer Kwist, verzoek ik u per zelfde ordonnans ons mede te delen of er reden is tot onmiddellijke arrestatie en speciaal de gronden daartoe ons mede te delen, opdat wij handelen kunnen.' Hendrik Kwist was de leider van het verzet in Rhoon geweest, tot de BS in april 1945 het commando over alle verzetsgroeperingen overnam. Het bericht vervolgt: 'Genoemde dame stond, menen wij, in relatie met de Duitser die deze winter te Rhoon is omgekomen, en naar aanleiding waarvan zeven Rhoonse ingezetenen gefusilleerd werden.'

Om vier uur in de middag stuurde ondercommandant Noole een boodschap terug. 'Uw bericht van 12.20 ontvangen. Dirkje de Ruyter, echtgenote Veth, moet onmiddellijk gearresteerd worden. De gronden door u in rapport genoemd zijn inderdaad juist. Ze heeft daarbij de kinderen verwaarloosd, met verschillende Duitsers gewerkt en is de aanleidende oorzaak geweest dat zeven Rhoonse burgers door de Duitsers zijn vermoord.'

'De aanleidende oorzaak': Dirkje hing. Zij – en zij alleen – kreeg de schuld van de executies op Het Sluisje in de schoenen geschoven.

Op 9 mei werd Dirkje de Ruyter in Pernis gearresteerd en overgebracht naar het politiebureau Charloisse Kerksingel in Rotterdam. Op 13 mei namen Augustijn Noole, wachtmeester der Koninklijke Marechaussee, en Piet Touwslager, hoofd van de Gemeentelijke Inlichtingen Centrale District Rhoon, haar het eerste verhoor af.

Dirkje bekende dat ze door de nare omstandigheden waarin ze verkeerde 'van het rechte pad' was geraakt maar gaf nadrukkelijk aan dat zij 'nimmer een geldelijke beloning' van Duitse militairen had ontvangen, alleen eten voor de kinderen. Haar ondervragers kwamen algauw tot de conclusie dat verdachte De Ruyter tijdens de laatste oorlogsjaren 'een liederlijk leven' had geleid en dat ze haar huis had opengesteld voor andere vrouwen en meisjes die zich 'op beschamende wijze' met de vijand hadden vermaakt.

Op dezelfde dag werden Dien de Regt en Cor Osseweijer verhoord. Zij legden belastende verklaringen af over Dirkje. Dat Cor dat deed viel te verwachten. Dien vertelde de feiten, zonder opsmuk en zonder overdrijving, in de hoop er zelf zonder kleerscheuren vanaf te komen.

Tien dagen na haar arrestatie vroeg Arend-Jan Veth echtscheiding aan van Dirkje. Zijn advocaten stuurden een brief naar de Politieke Opsporingsdienst in Rotterdam met de mededeling dat Veth zo snel mogelijk naar Zuid-Afrika wilde vertrekken. Voor de emigratieaanvraag moesten ze de officiële verblijfplaats van Dirkje weten. 'Van zijn vrouw, wonende te Rhoon, heeft Veth tijdens de oorlog niets gehoord. Thans thuiskomend, moet hij vernemen, dat zij zich heeft afgegeven met Duitse soldaten en zelfs de oorzaak is geweest, dat zeven burgers door de Duitsers gefusilleerd zijn.' Ook Veth twijfelde niet meer aan haar reusachtige deel in de schuld.

Van het snelle vertrek uit Nederland dat Arend-Jan voor ogen stond kwam niets terecht. Zijn emigratieaanvraag verdween in een la. Hij liet het er toen maar bij zitten. Arend-Jan verwachtte dat iedereen hem met open armen zou ontvangen. Na de zegetocht van de Prinses Irene Brigade door Den Haag zag hij zichzelf als de onbetwiste held die vijf jaar van zijn leven had gegeven voor de bevrijding van Europa. Zijn ontgoocheling was immens.

Op 27 oktober wees het Militair Gezag hem een woning toe aan de Borgesiusstraat in Rotterdam. Op 1 november bekrachtigde de rechtbank de scheiding van tafel en bed van Arend-Jan Veth en Dirkje de Ruyter, op 14 november kreeg Arend-Jan een beter huis toegewezen aan de Nieuwe Kerkstraat. In diezelfde maand ontving hij het Oorlogsherinneringskruis met diverse gespen, op 17 november werd hij met demobilisatieverlof gestuurd. Bij de uitreiking van de onderscheidingen was niemand van zijn gezin aanwezig. Hij zou er de rest van zijn leven over doen om die bittere pil weg te slikken.

Waar de hoogzwangere Dirkje tot december '45 verbleef, staat in geen enkel dossier van de Politieke Opsporingsdienst vermeld. Vermoedelijk in een Rotterdams Huis van Bewaring of in een van de haastig ingerichte hulpgevangenissen.

Vanaf 25 december komt ze weer in beeld. Op die dag beviel Dirkje in de gevangenenbarak van het Bergwegziekenhuis in Rotterdam van haar derde dochter. Zij wenste Andrea haar meisjesfamilienaam De Ruyter te geven. De burgerlijke autoriteiten stonden dat niet toe, terwijl de scheiding van Arend-Jan een maand eerder was uitgesproken. Andrea zou door onwil van de ambtenaar van de burgerlijke stand Andrea Veth blijven heten.

De gezondheidstoestand van Dirkje verslechterde snel. Haar rechterbeen was een web aan gesprongen spataderen. Ze kon nauwelijks meer lopen. Volgens een doktersattest van 19 februari 1946 kreeg ze trombose in datzelfde been. Op 21 februari werd ze opgenomen in de gevangenenbarak van het Bergwegziekenhuis. Op dezelfde dag werd ze in Barak D verhoord. De D stond voor delinquenten.

Ofschoon doodziek beet ze toen vinniger van zich af dan tijdens eerdere verhoren. 'Ik ben mij ervan bewust,' zei ze tegen de onbezoldigde Rotterdamse veldwachter Van Laren, 'dat ik mij schromelijk heb misdragen, door mijn werken bij en voor de Duitse Wehrmacht én mijn verhouding met Duitse militairen. Maar tegen verraad en andere aantijgingen moet ik mij ten zeerste verzetten.'

Arend-Jan Veth deed ondertussen een nieuwe poging naar een ander continent uit te wijken. Met zijn beide dochters ditmaal – mogelijk had hij Magda en Winnie niet in zijn eerste emigratieverzoek betrokken. Hij wilde nu naar Canada en vertelde zijn dochters dat ze met hem mee zouden reizen per schip.

Acht maanden lang had hij niet naar Magda en Winnie omgekeken. Hij had een baantje gevonden als beambte bij de PTT en kwam regelmatig in Pernis, waar Magda en later ook Winnie bij hun grootouders verbleven, maar zijn dochters bestonden niet meer voor hem. Tot hij de meisjes opeens wilde meenemen naar Canada.

Op 21 maart 1946 trad hij plotseling in het huwelijk met de vijfentwintigjarige Berthe van der Horst uit Den Haag. Dat vereiste een nieuwe aanvraag, maar hij had geen zin om al die papieren nog een keer in te vullen. Het kan ook zijn dat Berthe weinig voor Canada voelde. Toen ze met Arend-Jan het stadhuis binnenging deed ze zich als een hartelijke meid voor, toen ze een uur later naar buiten stapte bleek ze een stuurse dame te zijn die geen tegenspraak duldde.

Drie weken na Arend-Jan's huwelijk werd zijn ex-vrouw Dirkje uit het Bergwegziekenhuis ontslagen en naar Kamp Wezep in Overijssel overgebracht, een van de vele interneringskampen voor collaborateurs en NSB'ers. Ze bleef er vier maanden. Het ergste van haar straf vond ze dat ze tussen verraders zat. Dat ze met de vijand had aangepapt, erkende ze tijdens alle verhoren. Dat ze met vele Duitse militairen 'vleselijke gemeenschap' had gehad eveneens. Maar naar haar stellige overtuiging had ze niemand verraden. Het akkefietje met Cor Osseweijer rekende ze kennelijk tot een andere categorie.

Wel gaf Dirkje tijdens de verhoren verscheidene malen aan dat ze door haar schoonzuster Aardje de Ruyter-Roetman 'tot verkeerde dingen was verleid'.

Aardje werd op 14 mei 1945 aangehouden en in de hulpgevangenis Hillevliet opgesloten. Op 17 mei volgde de arrestatie van haar dochter Tilly. Beiden werd lidmaatschap van de NSB ten laste gelegd.

Na twee jaar internering van Aardje en anderhalf jaar van Tilly kwam de rapporteur van de reclassering echter tot de conclusie dat moeder en dochter 'zonder politiek beginsel' hadden geleefd en alleen aan de kant hadden gestaan 'van de partij die het meeste voordeel bood'. Aardje en Tilly werden vrijgelaten, met ontzegging van de burgerrechten voor tien jaar.

Beiden keerden naar Rhoon terug. Aardje zou daar haar hele verdere leven blijven wonen, eerst nog in haar vroegere woning aan de Dorpsdijk en later in de nieuwbouwwijk waar Tilly een huis had gevonden. Tilly trouwde in 1954 met een ambtenaar, beviel een jaar later van een dochter en verliet het dorp. Haar moeder zocht hulp, kracht en troost in het geloof. Ze bad vier keer per dag, las de Heilige Schrift en sloeg geen kerkdienst over. Ik moet haar vaak in de Nederlands Hervormde kerk hebben gezien, maar ik kan me haar gezicht niet meer voor de geest halen.

Aardje overleed in 1994. Op de rouwkaart stond dat ze haar liefde en wijsheid had doorgegeven vanuit haar bewogenheid om degenen die haar na stonden.

Zo vredig verliepen de naoorlogse jaren voor Dirkje niet.

Op 22 augustus 1946 kon ze Kamp Wezep verlaten op voorwaardelijke buitenvervolgingstelling en tien jaar ontzegging van de burgerrechten. Ze mocht geen ambten bekleden, geen stem uitbrengen bij verkiezingen en zich niet verkiesbaar stellen.

Dirkje ging op een boomkwekerij in Boskoop werken. Snoeien, scheren, knotten, binden, griffelen, oculeren. Beweging en buitenlucht deden haar goed. Haar benen wilden haar weer dragen; de grauwheid verdween van haar gezicht. Ze werd weer mooi, maar anders dan vroeger: haar ogen straalden een brutale onverschrokkenheid uit.

Toen de boomkweker haar ten huwelijk vroeg, nam ze ontslag. Zonder één grijze haar vond ze zichzelf nog te aantrekkelijk voor een boer die nooit aan de vrouw was gekomen. In Kamp Wezep had ze een man leren kennen die haar beter beviel.

Op 16 september werd Dirkje definitief buiten vervolging gesteld, op voorwaarde dat zij onder toezicht zou blijven staan van de Stichting Politieke Delinquenten voor een proeftijd van drie jaar. In september 1949 verviel die voorwaarde, omdat ze zich volgens het reclasseringsrapport maatschappelijk had aangepast. In hetzelfde jaar trouwde Dirkje met slager Riekes Bierman en betrok de woning boven diens slagerij aan de Van der Takstraat op het Noordereiland in Rotterdam.

Bierman had in Kamp Wezep gezeten vanwege zwarte handel en afpersing waaraan hij zich in het Gelderse Ede had bezondigd. Hij was vijf jaar jonger dan Dirkje. Door te vertellen dat hij naar een normaal gezinsleven snakte, had hij haar ingepalmd. Dirkje raakte algauw zwanger en beviel van een zoon, die naar zijn vader werd vernoemd.

Maar ook na de oorlog bleef Dirkje op verkeerde mannen vallen. De slager bleek een bruut, de echtelijke ruzies volgden elkaar snel op. Dirkje vroeg de rechter om ontbinding van het huwelijk. Bierman stemde in met de echtscheiding, zette er zelfs haast achter, verliet Nederland en trouwde in Eaubonne met een Française.

Dirkje verhuisde naar Hoogvliet en nam een baan aan als werkster. Ze trouwde voor de derde maal, met een goedige man ditmaal. Te goedig in haar ogen; algauw vond ze hem een sufferd. Ook dat huwelijk eindigde in een scheiding.

In de jaren zeventig woonde ze nog verschillende malen samen. De trouwzaal van het gemeentehuis had ze voldoende gezien; de ambtenaar van de burgerlijke stand hoefde er voor haar niet meer aan te pas te komen.

Tot aan haar pensioen bleef ze werken.

Haar enige vreugd was aan het einde van haar leven de aanschaf van een stacaravan, die een plaats kreeg op een camping in Maarn, pal naast de stacaravan van haar oudste dochter.

Dirkje overleed in 1988 op negenenzestigjarige leeftijd. Ze werd in Hoogvliet begraven, niet ver van de voormalige Ortskommandantur.

Direct na haar arrestatie was Dirkje uit de ouderlijke macht ontzet. Arend-Jan Veth bracht zijn kinderen aanvankelijk bij zijn ouders in Barendrecht onder, maar na zijn huwelijk met de jonge Berthe nam hij Magda en Winnie in huis. Ze werden door hun stiefmoeder geslagen en getrapt.

Op de dag dat ze van de trap werd gesmeten, nam Magda de benen. Ze vluchtte naar een tante in Charlois, die haar naar haar grootouders in Pernis bracht. Nauwelijks binnen moest ze haar jas weer aantrekken. Opa De Ruyter stond erop dat de huisarts haar direct van top tot teen zou onderzoeken. Dokter Zeewaldt constateerde dat Magda 'dierlijk mishandeld' was en stelde een rapport op dat hij naar de Kinderbescherming stuurde. Magda mocht bij haar grootouders blijven.

Winnie had minder geluk. Ze liep vele malen van huis weg, maar omdat ze net als haar zus naar haar grootouders in Pernis wilde, nam ze keer op keer de autotunnel onder de Maas, waar haar vader tunnelwachter was. Het was Arend-Jans eerste baantje na de oorlog, dat hem uit erkentelijkheid voor zijn vijf jaren bij de Prinses Irene Brigade door het Militair Gezag was bezorgd. In de buizen van de Maastunnel, de eerste verkeerstunnel van Nederland, die in 1942 gereed kwam, was naast de dubbele rijbaan een smal verhoogd looppad aangebracht, waarop de tunnelwachters patrouilleerden. Winnie nam dat pad en werd telkens door haar vader opgepakt.

Na een nieuwe ontsnapping, met een andere en langere vlucht-route die haar deed verdwalen, greep de Kinderbescherming in. Winnie werd in een kindertehuis in de Rotterdamse wijk Hillegersberg geplaatst. Vanaf dat moment keek Arend-Jan Veth niet meer naar zijn dochters om. Hij kreeg een ander baantje bij de PTT en leegde dagelijks de brievenbussen in Pernis. Nooit kwam het bij hem op Magda even gedag te zeggen.

Uiteindelijk werd Arend-Jan net als Dirkje uit de ouderlijke macht ontzet. Zijn dochters hadden geen enkel contact meer met hem. Arend-Jan was alleen nog met zijn gezondheid bezig, die door alle naoorlogse verwikkelingen een knauw had gekregen. Hij overleed op tweeënvijftigjarige leeftijd.

Na haar proeftijd van drie jaar en na haar huwelijk met de slager nam Dirkje haar dochters weer in huis. Magda ging naar de industrieschool in Rotterdam en moest meewerken in de slagerij van haar stiefvader. Ze kreeg daarvoor geen loon, wel liet de slager jurken en rokken voor haar maken bij de kleermaker om de hoek. Magda en Winnie accepteerden dat ze er een broertje bij kregen en bouwden een goed contact op met Riekes.

Met hun moeder verhuisden ze naar Hoogvliet, maar Magda bracht alle zaterdagen en zondagen bij opa en opoe door in Pernis. Al jong kreeg ze verkering met een dorpsjongen.

In Rotterdam was ze een echt stadsmeisje geworden: ze lakte haar nagels en stiftte haar lippen. De dorpelingen vonden haar een delletje en zeiden: 'Je bent net als je moeder.' Fons zei: 'Je bent gewoon mooi.'

Ze trouwde met hem voor ze goed en wel volwassen was en woonde de eerste acht maanden van haar huwelijk met Fons in bij opa en opoe.

Haar zus Winnie zou de doorstane angsten niet te boven komen. Drie jaar voor haar dood nam ze contact op met de kosteres van de Nederlands Hervormde Kerk in Rhoon en vroeg wat haar bekend was van het oorlogsverleden van haar moeder. Vreemd genoeg stelde ze die vraag niet aan haar oudste zus, die haar open en eerlijk geantwoord zou hebben.

Magda ontwikkelde zich tot een rustige, evenwichtige vrouw die zich niet liet neerdrukken door de ellendige ervaringen uit haar jeugd. Ze was gelukkig met Fons, kreeg twee zoons, een dochter en zes kleinkinderen. Slechts één keer huilde ze een avond en een nacht lang en dacht naar eigen zeggen de rest van haar leven ontroostbaar te zullen blijven.

Fons speelde al meer dan vijftig jaar tenorsax in de muziekvereniging Oefening Baart Kunst. Magda liep vaak met hem mee als de OBK door het dorp paradeerde. Hoewel grijs, gerimpeld en gekromd herkende een voorbijganger haar. Tijdens een rondgang in 2005 hield hij haar staande en riep zo hard dat iedereen het boven de muziek uit kon horen: 'O, jij bent de dochter van die moffenhoer.'

Magda holde naar huis, rende de trap op en brulde in de slaapkamer: 'Die rotoorlog gaat nooit voorbij.'

TWAALF

De nabestaanden van de zeven mannen die voor het vuurpeloton stierven waren niet veel beter af. Je zou verwachten dat de zwaarst getroffen families op het meeste mededogen konden rekenen. Dat was slechts gedurende een paar weken zo.

Vader en zoon Wagenmeester hadden de kogel gekregen, de op een na oudste zoon was maar net aan de dood ontsnapt en liep met een trauma rond dat hij zijn verdere leven niet meer zou kwijtraken. Na de verklaringen die hij in 1945 en 1946 voor de Politieke Opsporingsdienst aflegde, deed Wim Wagenmeester een slot op zijn mond. Vijfenzestig jaar na het drama volhardt hij in zijn stilzwijgen. De herinnering aan die dagen vreest hij meer dan een hartinfarct.

Bij zijn jongste broer en zijn zusters wint de wrok het van de openheid. Ze zijn verbolgen over de nasleep van oktober 1944 en diep gekwetst door het kwade daglicht waarin hun vader postuum werd gesteld.

De woning en de werkplaats van Wijnand Wagenmeester waren in vlammen opgegaan. Van de inboedel kon niets gered worden, op twee dekens na. Moeder Wagenmeester had geen dak meer boven haar hoofd en droeg de zorg voor vier dochters en twee zonen. De jongste, Mees, moest nog aan de lagere school beginnen.

De dag na de vergeldingsactie kon ze het huis van de familie Lensink betrekken. Mevrouw Lensink was aan het begin van de maand overleden, haar man besloot bij zijn ouders te gaan wonen en bood de Wagenmeesters zijn huis aan, gemeubileerd en wel, zodat ze een dak boven het hoofd hadden en voorlopig geen haast hoefden te maken met het zoeken naar een andere woning.

Een pracht van een geste. Ook andere dorpelingen schoten Basje Wagenmeester te hulp. Ze kreeg kleren, tafellinnen, beddengoed, etenswaren en zelfs een compleet ameublement.

Die welwillendheid ontbrak bij de burgerlijke autoriteiten. Toen de weduwe Wagenmeester voor definitieve huisvesting bij de gemeente Rotterdam aanklopte, ontving ze slechts een stapel formulieren. Ambtelijk lag het ingewikkeld, Het Sluisje viel alweer tien jaar onder de gemeente Rotterdam terwijl de bewoners zich sterk verbonden bleven voelen met het dorp waar ze hun inkopen deden, naar de kerk gingen, geneeskundige hulp zochten, het dorp waar hun kinderen op dezelfde lagere school zaten die zij hadden bezocht en waar hun voorouders begraven lagen. Als Basje Wagenmeester bij de gemeente Rhoon om hulp had kunnen vragen, zou de reactie toeschietelijker zijn geweest.

Qua huisvesting stond het half verwoeste Rotterdam natuurlijk voor gigantische problemen. Bij de gemeente keken ze bovendien wel uit om de verwoestende gevolgen van een Duitse represailleactie met doeltreffende hulp ongedaan te maken. De burgemeester van Rotterdam was een NSB'er en vrijwel het gehele ambtenarenapparaat heulde met de bezetter.

Basjes zwager Han regelde uiteindelijk in 1945 dat het gezin Wagenmeester een vrijstaande woning op de hoek van de Rijsdijk en de Groene Kruisweg kon betrekken, een dik jaar na de ravage die de bezetter op Het Sluisje had aangericht.

Het huis droeg de naam 'Ons Thuis'. Tijdens mijn middelbareschooljaren fietste ik er iedere dag langs. Altijd weer trok het mijn aandacht door de op de gevel geschilderde naam, door de erker, de binnen liggende portiek met een boogvormige entree, de witgepleisterde muren en het mansardedak. Het hoorde voor mij meer in een bos dan in een polder thuis, wat ongetwijfeld door de achtergelegen boomgaard kwam. Niemand keek meer naar die boomgaard om, de appels en peren hingen aan de takken te rotten en de verwilderde bongerd veranderde ten slotte in een dumpplaats voor autowrakken.

Het huis straalde niettemin knusheid uit en leek de boze wereld buiten te sluiten. Maar met het betrekken van de woning waren de problemen van het gezin Wagenmeester nog bij lange na niet opgelost.

In november 1944 deed de weduwe Wagenmeester het polderbestuur het voorstel om haar man op te volgen als beheerder van het gemaal Het Binnenland van Rhoon en haar zoon Wim als machinist aan te stellen. Een prompte afwijzing volgde. Voor de boeren, die de polders als een door het water belaagde veste bestuurden, was een vrouw aan de knoppen van het gemaal geen optie. Zoon Wim mocht dan technisch onderlegd zijn en naar de hts willen, voor een dergelijke baan kwam een zestienjarige niet in aanmerking.

Basje Wagenmeester zag haar voorstel als een noodoplossing. Bij de brand hadden de watermachine en het bedrijfspand zware schade opgelopen; zij zou, bijgestaan door haar zoon, het herstel van het gemaal in goede banen kunnen leiden, waarvoor ze dan het volledige salaris van haar man zou innen in plaats van het minieme weduwepensioen.

De vroede vaderen van het polderbestuur waren niet te vermurwen. Ze benoemden de bedrijfsleider van de vlasfabriek tot machinist en wezen hem de dienstwoning aan Het Sluisje toe, die kort na de oorlog werd herbouwd.

Voor de Wagenmeesters braken karige jaren aan. Veel moeilijker nog kregen ze het met de verwerking van de rouw.

Op 10 augustus 1945 – vrij snel dus: drie maanden na de bevrijding – werd tegenover de vlasfabriek het gedenkteken voor de zeven slachtoffers onthuld. Een eenvoudig wit houten kruis, nog geen meter hoog, met de tekst 'Voor hen die vielen'. Lang niet alle dorpelingen waren aanwezig, wel alle bewoners van Het Sluisje en de meeste buurtgenoten van de Rijsdijk.

Volgens de verslaggever van *De Rotterdammer* zag het zwart van de mensen. De plechtigheid begon om zes uur in de avond, onder een warme augustuszon. Een zacht briesje hield de temperatuur draaglijk, maar nauwelijks was de krans gelegd of de gemoederen raakten verhit. Aalbert de Kooning mompelde iets dat onder de aanwezigen voor ontzetting zorgde.

Het herdenkingsprogramma ving een uur later aan in de Nederlands Hervormde Kerk van Rhoon. Dr. M.H.A. van der Valk hield een lezing over 'Onze helden, onze illegalen, onze toekomst' en het kerkkoor zong enkele vaderlandse liederen. Opvallend was dat geen enkele spreker uit Rhoon het woord voerde.

Tegen burgemeester Groeneboom was een klacht ingediend door vijf leden van het voormalige verzet, die hem laksheid en een bange voorzichtigheid jegens de bezetter verweten. De burgemeester verweerde zich, de zuiveringscommissie sprak hem vrij en de vijf aanklagers tekenden geen hoger beroep aan. De kwestie speelde tot het voorjaar van 1946; tijdens die periode hield Groeneboom zich wijselijk op de vlakte en wachtte geduldig af tot hij van alle blaam was gezuiverd.

De classis Zuid Zuid-Holland van de Nederlandse Hervormde Kerk zag geen reden de door dominee De Vos van Marken geventileerde denkbeelden onder de loep te nemen. De predikant, die tot eind 1941 lid was geweest van het Zwart Front, kwam er zonder enige vermaning van classis of kerkenraad vanaf. Alleen het schoolbestuur van het Johannes Calvijn Lyceum in Rotterdam hield hem een jaar buiten de deur – De Vos van Marken gaf daar godsdienstles. In de zomer en de herfst van 1945 leek het de predikant toch beter geen gloedvolle betogen over wat dan ook af te steken. Hij hield zich voornamelijk bezig met het kweken van geneeskundige planten. Nadien vocht hij met de kerkvoogdij een vete uit over het beheer van de kerkelijke goederen en gronden. Door beide acties wist hij de aandacht af te leiden van zijn gedrag tijdens de oorlog.

Dat de gereformeerde dominee Kloosterziel het woord niet voerde, had te maken met de weer oplaaiende tegenstellingen in het calvinistische kamp. Van de hervormden mochten de gereformeerden niet te veel praats krijgen, hoe belangrijk hun rol in het verzet ook was geweest. Dominee Kloosterziel had bovendien de aanklacht tegen de burgemeester ondertekend, zij het na lange aarzeling en met spijt, omdat hij bijzonder op Jan Hendrik Groeneboom en zijn vrouw was gesteld. Hij vond het niet het moment om als man die de juiste houding had aangenomen tijdens de oorlog naar voren te treden.

De keuze was daarom op een spreker uit Rotterdam gevallen, een geleerde hervormde predikant wiens verzet in 1936 begonnen was met een fel protest tegen Nederlands deelname aan de Olympische Spelen in Berlijn. Op de rede van dr. Van der Valk viel in moreel opzicht niets aan te merken, alleen ging die goeddeels voorbij aan de tragedie op Het Sluisje.

Twee dagen na de plechtigheid stapte Aalbert de Kooning op de weduwe Wagenmeester af en herhaalde luid en duidelijk wat hij bij het gedenkteken had gemompeld: 'De Wagenmeesters hebben hier de meeste schuld aan.'

Vijf, zes omstanders hoorden het hem zeggen (volgens sommigen zei hij 'de Wagenmeestertjes'); niemand protesteerde of herinnerde Aalbert eraan dat hij weinig recht van spreken had. Aalbert was immers de boer die zijn zoon had vrijgekocht.

Basje Wagenmeester had rond de onthulling van het monument velerlei emotie verwacht, maar niet van dit kaliber. Ze hapte naar adem, dreigde even flauw te vallen, veegde een traan weg en haastte zich naar huis. Eenmaal bekomen van de schrik diende ze een aanklacht in bij de rechtbank.

De afdeling Rotterdam van de Politieke Opsporingsdienst nam de zaak in onderzoek en hoorde veertien getuigen, onder wie Wim Wagenmeester, Gertie Blekemolen-Wiessner, Dirkje de Ruyter, Dien de Regt en Linda de Bondt, het liefje van Jan Krijn Jabaaij. De NSB'er zelf was onvindbaar; naar pas later bleek was hij in een strafkolonie in Limburg te werk gesteld. Ook de minderjarige Sandrien de Regt werd gehoord. Het leek er even op dat alles wat aan 10 oktober vooraf was gegaan onderzocht zou worden met als leidende vraag: was er sprake van sabotage en zo ja, wie was er verantwoordelijk voor? Maar het bleef bij dat ene, haastige onderzoek.

Als laatste werd de beschuldigde Aalbert de Kooning aan de tand gevoeld. 'Ik geef toe,' verklaarde hij, 'dat ik meermalen in het publiek de opmerking heb gemaakt dat "de Wagenmeesters er de meeste schuld aan hebben dat die zeven mensen, waaronder zijzelf, zijn doodgeschoten". Op dat standpunt sta ik nog steeds.'

Om twee redenen.

'Als Wagenmeester direct alle hulp had verleend, zou het zo'n vaart niet zijn gelopen.' En: 'Mijn zoon Job heeft de Duitser, die Wagenmeester ondervroeg, duidelijk horen zeggen: "Jij hebt het gedaan en anders niemand."'

Aalbert achtte het inderdaad 'niet uitgesloten dat de draad met opzet is stukgemaakt'.

De Politieke Opsporingsdienst stelde geen nader onderzoek in.

Zaken die niet onderzocht worden, nemen grimmige proporties aan en kunnen decennialang in het geniep blijven nawerken, tot iedereen zijn eigen verdachte heeft of zijn eigen schuldige. Een dorpeling vergeleek de gang van zaken met een sloot die nooit wordt doorgespoeld, die gaat rotten en stinken en wordt een broedplaats van kwalijke algen.

De volledige tekst van de getuigenverklaringen hield de Politieke Opsporingsdienst een halve eeuw geheim. Wat echter wel naar buiten kwam was dat Aalbert geen woord van zijn beschuldiging had ingeslikt. Hoe zwaar zijn straf was – of hoe hoog zijn boete – blijft weer een kwestie van gissen: in de gerechtelijke archieven is de uitspraak zoekgeraakt. Ik vermoed dat de zaak vrij snel geseponeerd is.

Voor moeder Wagenmeester stond het in ieder geval vast dat ze nauwelijks op begrip kon rekenen. Ze reageerde met ijzige geslotenheid. Tegen niemand, ook niet tegen haar kinderen, sprak ze ooit nog over de oktoberdagen, de executies en de branden. Zelfs over haar man en haar terechtgestelde zoon repte ze met geen woord.

Hoe begrijpelijk ook, de houding die Basje Wagenmeester aannam werkte averechts. Vooral haar dochters leden onder de onbespreekbaarheid van de tragedie. Op hun beurt durfden ze niets meer over Het Sluisje te zeggen. Thuis werd het onderwerp taboe. In het dorp staken echter de wildste geruchten de kop op.

Het hielp niet dat Basje Wagenmeester op Het Sluisje bekendstond als 'een kwaaie'. Volgens de meesten van haar buurtgenoten had ze het hoog in de bol. Ze kwam uit de stad, wat sowieso geen aanbeveling was bij dorpelingen. Haar vader dreef een groothandel in fruit aan de Zuidhoek in Rotterdam, niet ver van de Waalhaven. Hij leverde fruit aan schepen.

Een vrouw met een sterk karakter heet in een dorp algauw een dragonder, zeker als ze in het openbaar van halsstarrigheid getuigt. Hoewel getrouwd met een gereformeerde, had de hervormde Basje het dertien jaar lang vertikt van kerk te wisselen. Ik beschreef het al eerder: pas na de geboorte van haar vijfde kind besloot ze in 1934 over te stappen. Voor wie dat een onbenullig feit vindt, citeer ik de notulen van de gereformeerde kerkenraad die een jubeltoon aansloegen.

'De vrouw van broeder Wagenmeester, Basje van der Sar, had de begeerte te kennen gegeven van de Nederlandse Hervormde Kerk naar onze kerk over te komen. Met grote dankbaarheid aan God werd dit verslag uitgebracht en door de kerkenraad ontvangen. Kennelijk was bij deze zuster het werk des Heiligen Geestes te zien. Met vrijmoedigheid besloot de kerkenraad dan ook deze zuster tot de gemeenschap van onze kerk toe te laten met hare vijf kinderen. De gemeente zal hiervan mededeling worden gedaan. Wat broeder Wagenmeester zelf betreft, deze bleef nog van verre staan, ofschoon wel onder de indruk van de weg die God met zijn gezin had gehouden.'

Wijnand Wagenmeester was een onregelmatige kerkganger. Hij sloeg soms weken over – vandaar het 'van verre staan'. Een zachtmoedige man, die, zeiden ze op Het Sluisje, onder de knoet van zijn vrouw zat. Basje nam de beslissingen, Wijnand volgde.

Enkele maanden voor de oorlog drong Basje er bij haar oudste dochter Aaf op aan de verkering met Wout Wachtman uit te maken. Wout was maar een gewone werkman in dienst van de Rotterdamsche Droogdok Maatschappij. Zijn vader was van nog lager allooi: een boerenknecht zonder vaste werkgever, een seizoenarbeider. Basje raadde haar achttienjarige dochter Walter Kazemier aan, een knappe jongen van goeden huize. Zijn vader was fruitteler en bezat een flinke boomgaard.

Ook bij haar andere dochters stuurde Basje op goede partijen aan. Carla zou met Anton Pijnacker trouwen, de oudste zoon van de directeur van de vlasfabriek, Bertie met een arts in opleiding. En Aaf inderdaad met Walter Kazemier. Missie geslaagd. Maar of dat nou op een verwaand karakter duidde, is vers twee. In die tijd zochten alle moeders naar een goede partij voor hun dochters.

Basje, hielden de geruchten aan, ging daarin heel ver. Op het weiland tegenover het huis van Wagenmeester op Het Sluisje waren aan het begin van de bezetting Duitsers gelegerd. Basje nodigde hen regelmatig uit; om aan wat extra eten te komen, volgens de één; om de hoogsten in rang kennis te laten maken met haar dochters, volgens de ander.

In Rhoon werd geen honger geleden, niet aan het begin van de oorlog, niet in 1942 en 1943, en evenmin tijdens de Hongerwinter. Dat wil niet zeggen dat het eenvoudig was om een gezin te voeden dat negen monden telde, zoals het gezin Wagenmeester. Alle dorpelingen moesten sjoemelen om aan eten te komen, moesten illegaal varkens slachten, duistere handeltjes drijven, bloemkolen van de stronk snijden als de tuinder het niet zag, stiekem olie en zaden persen. In de politierapporten van Rotterdam vond ik dat Wijnand Wagenmeester op 12 augustus 1944 door de economische recherche was gearresteerd en op bureau Sandelingplein in verzekerde bewaring was gesteld vanwege clandestien oliepersen. Wagenmeester had de Verordening 1943 van de Militaire Voedsel Organisatie betreffende vet en olie overtreden. Na het opmaken van het proces-verbaal was Wijnand vier uur later heengezonden. De bekeuring viel hoog uit.

Ook Wijnand moest sjacheren. Dat zijn vrouw wel eens Duitse militairen op de thee nodigde in de hoop dat ze wat etenswaren zouden meenemen, rekenden sommige buren haar wel erg hard aan. Misschien kreeg ze het ook te doen met die jongens. Velen begrepen maar half waar ze precies mee bezig waren en welke strategische wanen ze dienden.

Even verderop, aan de Reedijk, bivakkeerden vijf soldaten een week in de schuur van boer Joost van der Bregge. 'Wat willen jullie?' vroeg de boer in verduitst Nederlands aan de soldaten, van wie er drie uit Oostenrijk kwamen. 'We moeten Engeland veroveren.' De boer grinnikte. '*England*? Nou jongens, daar zit nog een hoop water tussen.'

Tussen sommige dorpelingen en sommige Duitse militairen ontstond een band die niet direct onder collaboratie viel of heulen met de vijand. Ik kreeg een brief van zeven kantjes onder ogen die Richard Schoch vier jaar na de oorlog naar Rhoon stuurde met als aanhef: *Mein lieber Freund Theo und Angehörige!* Soldaat Schoch was in de tuin van het Kasteel gelegerd en maakte deel uit van de luchtafweerbrigade van de Luftwaffe. Op een middag raakte hij op de Dorpsdijk aan de praat met bloemist Theo Muller. Directe aanleiding was het marslied 'Erika' dat voorbijmarcherende soldaten luid aanhieven – *Auf der Heide blüht ein kleines Blümelein*, het bloempje Erika dat de soldaten van heimwee naar de heimat vervulde. Mullers bloemenwinkel heette Erica. Algauw kwam Schoch iedere namiddag een praatje maken. Twee jaar later werd hij naar Abbeville in Frankrijk gestuurd, in maart 1944 naar het oostfront. In de winter van 1944-45 maakten de Sovjets hem krijgsgevangen en in oktober 1949 mocht hij eindelijk naar het Westfaalse Lünen terugkeren, tien jaar nadat hij er vertrokken was. Het eerste wat hij vanuit het huis van zijn zuster deed, was zijn beste vriend Theo in Rhoon schrijven.

Een andere Theo, Theo de Winter, die jaren later banjo zou spelen in de dixielandband van mijn broer, ging ieder jaar met vakantie naar Sauerland, waar hij logeerde bij de korporaal die drie jaar bij hem thuis ingekwartierd was geweest. Theo was vier jaar in 1942; de korporaal was drieëntwintig jaar ouder en zag hem als zijn eigen zoon.

Zelfs oprechte liefde kon ontstaan die niets van doen had met het behalen van voordeel, met wijn, sigaretten, chocola, zijden kousen zonder naad en zelfs niet met dromerig dansen op zoete muziek. De grote liefde van Margriet Verhulst heette Horst von der Sande; hij zat bij de schietinrichting van de Luftwaffe en speurde vanuit de Zegenpolder het luchtruim af. In mei 1945 moest Margriet zich schuilhouden omdat haar naam op de lijst met moffenmeiden stond. Het scheelde weinig of Huub Droogscheerder had haar ook kaalgeschoren, wat ze erger dan het vagevuur had gevonden omdat ze voor haar gevoel geen enkele gelijkenis vertoonde met sletten als Dirkje de Ruyter en Gertie Blekemolen. In het najaar van 1945 stapte Margriet op de trein naar Osnabrück, waar ze een maand later in het huwelijk trad met Horst. Ze zou haar verdere leven in de buurt van Osnabrück blijven wonen.

Weinig dorpelingen slaagden erin om ieder contact met de Duitsers te vermijden. Ze waren met té velen in het dorp, ze fietsten over de dijken, stonden bij de bakker geduldig hun beurt af te wachten, dronken bier in de gelagkamer of de tuin van Het Wapen van Rhoon, zaten in de wachtkamer van de dokter of klampten een voorbijganger aan in de hoop dat hij in ruil voor een sigaret een praatje zou maken. In de lente en de zomer van 1941, toen de oorlog gedurende een paar maanden zijn grimmigste trekken verloor, ontvingen sommige vooraanstaande families van het dorp inderdaad regelmatig Duitse officieren op de thee. Ze heulden met de vijand maar ervoeren dat niet zo.

Dat Basje Wagenmeester onder die officieren een goede partij voor haar dochters zocht, zoals drie dorpelingen zich menen te herinneren, gaat een stuk verder. Naar hun stellige overtuiging was Basje aan het begin van de oorlog niet erg anti-Duits, terwijl haar man de moffen kon schieten. Wijnand zou de theevisites niet hebben kunnen verhinderen; zijn vrouw was de baas in huis. Uit frustratie over de herhaalde bezoeken zou Wijnand op de avond van 10 oktober geen enkele hulp hebben willen bieden aan de onder stroom staande soldaat. Een vriendin van de oudste dochter Wagenmeester suggereert zelfs dat Wijnand de draad heeft laten zakken om de bezoekers van zijn vrouw en zijn dochters te wreken. Een tweede getuigenis gaat in dezelfde richting.

Het slachtoffer de dader: zo ver woekerde het insinuatiegezwel voort.

Pijnlijker nog was dat Bertus Vinck de beschuldiging overnam.

Bertus bouwde een solide reputatie op in de illegaliteit. Een man die je de moeilijkste missies kon toevertrouwen. Hij kwam van het Zeeuwse eiland Tholen en verliet zijn ouderlijk huis in 1942, om het streng gereformeerde milieu te ontvluchten en uit zucht naar avontuur. Hij was toen twintig jaar. Tijdens een zoektocht naar voedsel raakte hij de weg kwijt en kwam in de Rhoonse contreien terecht, eerst op De Tol, later een honderd meter verderop, nabij Het Sluisje. Hij leerde daar zijn latere echtgenote Thea kennen.

Na zijn aanmelding bij de Landelijke Knokploegen in 1943

rolde Vinck in het ruige verzetswerk. Bertus bekwaamde zich in het schieten met allerhande wapens en knapte de gevaarlijkste klussen op. Hij roofde eten van Duitse legereenheden en gaf de jutezakken met voedsel bij Hendrik Kwist af, de leider van de LO in Rhoon; hij drong de bunker aan de Reedijk binnen en stal medicijnen; hij stal geld ten bate van onderduikers dat hij weer naar Kwist doorsluisde; hij leerde beginnende verzetsstrijders met pistolen en geweren om te gaan in de achterzaal van café-restaurant Courzand op Heijplaat. Op 10 oktober 1944 was hij niet op zijn onderduikadres bij de familie Van Dordt aan de Rijsdijk, hij was in die periode vrijwel voortdurend op pad om opdrachten van de LKP uit te voeren. De volgende dag werd hij door zijn onderduikvader Kees van Dordt gewaarschuwd om uit de buurt te blijven vanwege ophanden zijnde wraakacties van de Duitsers.

Ook ver na de oorlog was Bertus Vinck niet het type man dat terugdeinsde voor een ferme uitspraak. Pratend over Het Sluisje was hij tegenover mensen van Rhoon nog enigszins op zijn hoede, maar in de biografie die zijn neef Ad van hem optekende, hield hij zich niet meer in.

Tijdens zijn verblijf op de Rijsdijk was Bertus 'regelmatig met het gereformeerde gezin Wagenmeester in contact gekomen'. Van de oudste zoon had hij een revolver met cilinder gekregen. Tijmen had die revolver zelf in elkaar geflanst. Toen bekend werd dat een vrouw uit Pernis verkering had met een Duitser, terwijl haar man naar Engeland was gevlucht, heeft 'zeer waarschijnlijk Wagenmeester een elektrische draad over de weg gespannen bij de Watermachine'. De bedoeling was dat de overspelige vrouw erop zou stappen met voor haar fatale gevolgen (fout). Echter niet zij, maar haar Duitse vriend (fout) stapte op de draad en was op slag dood. Voor deze daad werden de machinist en zijn zoon van ongeveer zeventien jaar (fout) opgepakt door de Duitsers en later gefusilleerd, evenals zeven werknemers die op weg waren naar hun werk bij de vlakbij gelegen vlasfabriek (fout). Ook de directeur van deze vlasfabriek en zijn zoon (fout) werden om het leven gebracht.

Veel klopt niet in Bertus' verslag. Maar één ding blijft als vaststaand feit hangen: dat vader Wagenmeester de draad over de weg heeft gespannen. Niet losgetrokken, nee, gespannen.

Voor Basje Wagenmeester kon deze aantijging geen reden meer zijn om opnieuw een rechtszaak aan te spannen. Ze overleed in 1964, een halve eeuw voor het verschijnen van het boek. Murw van alle verdachtmakingen zou ze het er waarschijnlijk ook bij hebben laten zitten, zoals haar kinderen deden. Basje leidde de laatste jaren van haar leven een teruggetrokken bestaan en ontving zelden bezoek. Ze werd slechts drieënzestig jaar. Het was haar nadrukkelijke wens om naast haar man en haar oudste zoon begraven te worden.

Merkte ik iets van al die onderhuidse spanningen toen ik in het dorp opgroeide? Van de zo goed als stille verwijten die de verhoudingen niettemin op scherp zetten? Van de fluisterend uitgesproken insinuaties die desondanks door menig kinderoor werden opgevangen? Merkte ik dat de dorpelingen door de oorlog en alles wat daarop volgde verdeeld waren geraakt en dat de gapingen veel dieper staken dan de in het oog springende religieuze, politieke en sociale verschillen?

Met de kennis die ik nu heb denk ik soms van wel, maar echt verontrustend kan het niet geweest zijn, anders had ik vragen gesteld aan mijn ouders, mijn broers of de vrienden van mijn broers.

Mees Wagenmeester zat iedere zaterdagavond bij ons aan tafel als de pot nasi schafte. Hij was dol op het door mijn moeder bereide Indische eten. Op zaterdagmiddag tilde hij met mijn broer de piano naar de garage, voor de repetitie van de door mijn broer opgerichte dixielandband. Ik hoorde hem boven de anderen uit lachen. Hij was een opgewekte jongen, klein van stuk, gespierd, met een stugge blonde kuif. Zichtbaar leed hij nergens onder, ook al hoorde ik soms zeggen dat hij 'een harde' was. Op andere momenten heette hij 'een dondersteen' of 'een lefgozer' en daar klonk niets zieligs in door. Hij durfde de Oude Maas over te zwemmen als er al een rijnaak in zicht was; hij crawlde dan de armen uit de kommen. Voetballen vond hij niks; hij nam les in boksen. Saai was hij nooit, stil evenmin. Mees week zelden van de zijde van mijn oudste broer Bert. Ze bromden samen naar school en maakten samen huiswerk. Ze zaten samen achter de meiden aan en rookten samen pakjes sigaretten leeg – Amerikaanse zonder filter. Mees ging een keer of drie met ons gezin op vakantie; hij staat op verschillende foto's in de albums die mijn jeugd illustreren, en op bijna al die kiekjes lacht hij. Alleen tijdens de jaarlijkse dodenherdenking op de avond van 4 mei merkte ik, wanneer ik dicht bij hem in de buurt stond, iets van nervositeit en gespannenheid. Maar dat weet ik aan het feit dat hij zijn vader en zijn oudste broer herdacht, die hij beiden nauwelijks had gekend.

Nadat hij een baan had gevonden in Rotterdam en getrouwd was, verliet Mees het dorp. Eens en voorgoed, zei hij tegen mijn broer. Daar sprak verbittering uit. Mijn broer ontmoette hem nog een keer of vijf, en zocht de oorzaak van de verwijdering in uiteenlopende interesses. De tijd dat ze samen aan het motortje van hun bromfiets prutsten was voorbij en daar kwam niets voor in de plaats dat hen beiden verbond. Mees ging duiken en bracht zijn vrije uren onder water door; mijn broer kreeg het benauwd met een slang in zijn mond. De nasleep van de oorlog speelde geen rol in hun breuk; daar hadden ze nooit over gesproken.

Mees volhardde in zijn zwijgen. Hij trok één lijn met zijn broer en zijn zussen en weigerde me te woord te staan over Het Sluisje. Toch had ik gehoopt dat hij een uitzondering zou maken voor iemand wie hij in zijn jonge jaren kanoën had geleerd en zeilen op het Braassemermeer, waar hij in de verregende zomer van 1960 de vakantie met ons gezin doorbracht en waar mijn moeder hem vroeg: 'Mees, kun je nou eens niet iets mínder eten? Of denk je dat er weer een hongerwinter aankomt?'

Ik heb lang naar Hetty Mollaar gezocht. Sinds ik haar naam op de rouwkaart van de familie Wagenmeester tegenkwam, hield ik haar voor een belangrijke getuige. Hetty was de verloofde van Tijmen Wagenmeester. Ik had de moed al bijna opgegeven haar ooit te vinden toen haar naoorlogse adres opdook in de privé-administratie van de Opel-garage, waar Tijmen in 1943 en 1944 werkte.

Tijdens onze ontmoeting bleek dat het maar gelukkig was dat ik Hetty niet eerder had opgespoord. Pas na de dood van haar man durfde ze weer aan haar jeugdliefde Tijmen terug te denken en vrijuit over hem te spreken. Als ik twee jaar eerder was gekomen, zou ze gezwegen hebben.

Tijmen herinnert ze zich als een intens lieve jongen. Een relschopper? Een raddraaier? Hoe komen ze erbij: een moederskind. Hij schaamde zich er niet voor om zijn moeder bij de was te helpen – hij droeg de emmers warm water aan. Een kwezel was hij allerminst; hij had al een paar vriendinnetjes gehad voor hij Hetty leerde kennen. Hij was wel erg kerks, in tegenstelling tot zijn vader; zelfs de middagdienst sloeg hij zelden over. Dat hij 'raar' met zijn hoofd schudde, is Hetty nooit opgevallen; hij deed dat waarschijnlijk alleen toen hij na zijn arrestatie in doodsnood verkeerde.

Hetty leerde Tijmen op een zomerse dag van 1943 kennen. Ze was gezelschapsdame van mevrouw Trees Wagenmeester, een tante van Tijm. Van maandag tot zaterdag ging ze dagelijks met het stoomtrammetje van Rotterdam-Charlois naar Rhoon. Op een zaterdagmorgen verscheen Tijm tussen de schuifdeuren bij tante Trees. Een week later stond hij er weer. Hetty was zestien, Tijm twintig.

De verkering begon met een formeel verzoek. 'Ik verlang er gewoon naar jou te zien,' zei Tijm. En: 'Ik wil graag omgang met je hebben.' Vanaf dat moment bracht Hetty het ene weekend bij de familie Wagenmeester door en Tijm het andere weekend bij de familie Mollaar. Een weekend bestond in 1944 uit de vrije zaterdagmiddag en de vrije zondag.

De vader van Hetty had een moderne schoenmakerij aan de Eben-Haëzerstraat in Charlois; een 'elektrische schoenmakerij' heette dat toen. De moeder van Tijm was 'erg standgevoelig'. Dat Hetty uit een middenstandsmilieu kwam, scheen haar voldoende te zijn, al was het op het randje. Mevrouw Wagenmeester draaide snel bij. 'Ik zie dat jullie gek op elkaar zijn,' zei ze tegen Hetty.

Mevrouw Wagenmeester was inderdaad de baas in huis, maar vader Wagenmeester leed daar allerminst onder; hij liet de beslissingen graag aan haar over. Hetty merkte niets van onenigheid of spanningen; het was een gezellig gezin. 'Maak dan muziek,' zeiden ze tegen Hetty, die met de klavarskribomethode piano en orgel had leren spelen. Ze schoof achter het hammondorgeltje en hoorde algauw een zoon of een dochter meezingen.

Duitsers heeft ze nooit bij de Wagenmeesters thuis gezien. Als dat is gebeurd, moet het vóór 1943 zijn geweest en buiten de weekenden. Vader Wagenmeester was anti-mof maar had volgens Hetty ook weer niet een gruwelijke hekel aan Duitsers, zoals later werd beweerd. Tijmen wilde in het verzet, Hetty was daar zelfs bang voor. Hij prutste aan wapens. Gaandeweg kreeg ze de indruk dat hij niet in het verzet dúrfde. Hij maakte een armband voor haar en een ring van ijzer.

Iemand heeft de elektrische draad losgetrokken – dat gelooft ook Hetty. De draad hing al lang los, 'het móést een keer gebeuren'. Maar haar Tijmen zal het niet gedaan hebben, noch zijn vader. Vader Wagenmeester was een minstens zo zachtmoedig mens als zijn oudste zoon.

Op de morgen van 12 oktober hoorde Hetty dat Tijmen en zijn vader waren doodgeschoten. Iemand uit Rhoon was het haar moeder komen vertellen. Ze stapte met haar moeder op het eerstvolgende trammetje naar de Rijsdijk. De lichamen van de zeven mannen lagen op de vloer in de vlasfabriek. Met de familie heeft ze Tijmen geïdentificeerd.

Na de begrafenis is ze thuis op een rechte stoel in de keuken gaan zitten. Ze heeft zeven dagen op die stoel gezeten, zonder te bewegen en zonder te praten. Op het moment dat ze de huisarts hoorde zeggen dat ze in een psychiatrische inrichting opgenomen moest worden, is ze opgestaan. Ze heeft vervolgens zeven weken gehuild. Toen ze geen tranen meer had, had ze het verdriet om Tijm verwerkt. Dacht ze, geloofde ze. De ring van Tijmen is ze blijven dragen. Ze wilde lang geen verkering en trouwde pas in het najaar van 1950.

Tot na de bevrijding ging ze nog enkele malen bij moeder Wagenmeester op bezoek. De naam Tijm viel nooit. Buiten Tijmen om hadden ze elkaar niets meer te zeggen.

Het eigenaardigste was voor Hetty de rel bij de onthulling van het monument. Wie Aalbert de Kooning was, wist ze niet; ze had de boer nooit eerder gezien. Van de hetze tegenover de Wagenmeesters begreep ze niets. De meeste schuld? Hoe kwam hij daarbij? Voor moeder Wagenmeester was het de zoveelste slag. Zoon Wim lag ziek thuis. Een heel jaar lang lag hij met tbc op een bed in de erker van de zitkamer.

De gerechtelijke instanties faalden tegenover de families die getroffen waren door de terreur. De burgerlijke autoriteiten boden geen hulp en lieten het erbij zitten. Bedenkelijker nog was de troost die de hervormde predikant dacht te bieden.

De ouders van Bo en Mart Robbemond mochten in één opzicht van geluk spreken: hun huis lag vierhonderd meter voorbij Het Sluisje en ging op 11 oktober niet in vlammen op. Dat had niet zozeer met de afstand te maken – het huis van Jacques Pijnacker lag veel verder weg en werd toch in de as gelegd – als wel met de tankval die v-vormig in de dijk was gegraven. Geen auto of vrachtwagen kon het huis van de Robbemonds bereiken en de dikbuikige luitenant Schmitz voelde er weinig voor het hele stuk te lopen: hij schreeuwde zijn orders liever vanuit de open DKW. Have en goed van het gezin bleven behouden, wat vooral moeder Robbemond als een zegen ervoer: ze kon tenminste thuis, in de haar vertrouwde omgeving, bevallen.

De jongemannen Robbemond waren tweeëntwintig en drieentwintig jaar oud in 1944. Hun achtenveertigjarige moeder raakte in de zomer zwanger. Vijf maanden na de executie van Bo en Mart werd het nakomertje geboren, een meisje dat naar haar vermoorde broer Mart werd vernoemd: Martine.

Dominee Ouwe Willem de Vos van Marken kwam aan huis om de doop van Martine te regelen. Hij zei: 'God heeft twee jongens van jullie genomen maar hij heeft dit kindje teruggegeven.' Toen werd vader Robbemond zo ontiegelijk kwaad dat hij de dominee aanraadde niet iets dergelijks tijdens de doopdienst te zeggen, anders zou hij hem publiekelijk voor een schoft uitmaken en met Martientje onder de arm de kerk uit lopen. De dominee begreep dat het hem menens was. Tijdens de dienst roerde hij alleen het zware verlies aan dat vader en moeder Robbemond hadden geleden, zonder de namen van Bo en Mart uit te spreken.

De weduwe De Kooning wilde niet dat dominee De Vos van Marken de rouwdienst van haar man zou leiden, ofschoon hij haar beide zonen aan het begin van de oorlog gedoopt had in de dorpskerk van Rhoon. Meermalen had ze de dominee en burgemeester Groeneboom koffie zien drinken met de Ortskommandant op het terras van Villa Johanna. Geen denken aan dat zo'n verraaier haar Job ter aarde zou bestellen met een waardig uitgesproken 'Ga heen in vrede'. Zij vroeg dominee Bijlsma uit Charlois voor te gaan, die als sterk anti-Duits bekendstond.

Bep de Kooning-van der Stoep kwam de jaren na de executie alleen door dankzij de hulp van haar vrijgezelle broer. Direct nadat haar woning in brand was gestoken, kwam hij haar en haar zoontjes Evert en Willem ophalen met paard-en-wagen en reed hen naar het huisje van hun opa aan de Harsdijk.

Haar broer vond een paar weken later een noodwoning voor haar en nog weer een paar weken later een polderhuisje bij een niet meer gebruikte watermolen aan het riviertje de Koedood.

Bep was zes maanden zwanger toen haar man werd terechtgesteld; haar dochter Corrie werd in januari 1945 geboren. Beps broer zorgde er ten slotte voor dat ze tijdelijk een woning aan de Slotsedijk kreeg toegewezen, ondanks tegenwerking van enkele buurtbewoners, die het aanzien van de Slotsedijk vonden verslechteren als daar een gezin neerstreek dat van de steun leefde. Voor het grootbrengen van haar drie kinderen kreeg de weduwe De Kooning inderdaad een uitkering.

In opperste wanhoop schreef Bep een brief aan de Rotterdamse burgemeester P.J. Oud, die na de bevrijding opnieuw was geïnstalleerd in de functie die hij in het tweede oorlogsjaar had neergelegd. Ook het noordelijke deel van de Slotsedijk was bij de gemeentelijke herindeling Rotterdams grondgebied geworden. De gemeente Rotterdam aarzelde lang, legde de protesten van de buurtbewoners ten slotte naast zich neer en wees de weduwe De Kooning de woning in 1947 definitief toe.

Haar broer was de hele gang van zaken zo spuugzat geworden dat hij naar Canada emigreerde.

Emigratie werd als een probaat middel gezien om een dikke streep onder de oorlog te zetten. Ook de jongste zoon van Jacques Pijnacker stapte op de boot en koos voor een bestaan in een land waar niets hem aan de Duitse bezetting zou herinneren. Hij voer naar Nieuw-Zeeland.

De weduwe Pijnacker ging niet gebukt onder geldzorgen en kon kort na de oorlog het huis aan de Molendijk betrekken dat naast de ambtswoning van de burgemeester lag. Wat echter ergernis wekte was dat ze van Stichting 1940-1945 een pensioen ontving voor weduwen van gesneuvelde verzetsstrijders, in tegenstelling tot de weduwe De Kooning en de ouders van de jongens Robbemond, die het financieel veel moeilijker hadden. Vanwaar die verschillen? Moest het leed van rijken sterker gecompenseerd worden dan dat van minderbedeelden? En hoezo verzet? Had Pijnacker een belangrijke rol gespeeld in de illegaliteit? Daar hadden de dorpelingen niets van gemerkt.

Lange tijd kende ik alleen deze kant van het verhaal. Tot ik in de archieven van het Nederlands Instituut voor Oorlogsdocumentatie op een document stuitte dat nieuwe en opmerkelijke informatie bevatte. Jacques Pijnacker was in de zomer van 1942 door de Sicherheitsdienst gearresteerd. Hij was eerst op het Rotterdamse Hoofdbureau van Politie aan het Haagse Veer verhoord en toen op het bureau van de SD aan de Heemraadssingel in Rotterdam. Op 11 augustus was hij naar het beruchte Oranjehotel in Scheveningen overgebracht.

Wat hem precies ten laste werd gelegd, is onduidelijk. Uit vrees voor een snelle komst van de geallieerden vernietigde de Sicherheitsdienst op Dolle Dinsdag vrijwel alle archieven en dossiers uit de eerste vier oorlogsjaren, ook dat van Pijnacker. Ik beschik slechts over de bewijzen van inschrijving en uitschrijving in het Oranjehotel; de gevangenisadministratie bleef wel bewaard. Jacques Pijnacker zat daar precies een week opgesloten in cel 743 met als gevangenennummer 7385. Op 18 augustus 1942 werd hij vrijgelaten.

Marianne Pijnacker was veertien jaar toen haar vader werd gearresteerd. Ze vermoedt dat de Sicherheitsdienst erachter was gekomen dat haar vader het verzet financieel steunde. Zeker weet ze het niet. Haar vader zei nooit iets over zijn rol in het verzet, ook niet tegen haar moeder. Wel kent ze de naam nog van de man die geprobeerd heeft haar vader vrij te pleiten op het bureau van de SD op de Heemraadssingel: Van Wenselare. Hij werkte als procuratiehouder op de vlasfabriek en woonde in Rijsoord. Vermoedelijk heeft Van Wenselare de Duitse inlichtingendienst gewezen op het economisch belang van de fabriek op Het Sluisje. Pijnacker werd niettemin overgebracht naar de gevangenis in Scheveningen. Hij kreeg daar een celgenoot die hem eerst uithoorde en hem vervolgens probeerde te overreden een bekentenis af te leggen. Dat heeft Pijnacker niet gedaan. Alleen over die celgenoot vertelde hij zijn vrouw en zijn kinderen na zijn vrijlating.

De doorstane angst stond op zijn gezicht te lezen. Bij thuiskomst voelde Jacques Pijnacker zich beroerd. Hij bleef dagen op bed liggen, met de gordijnen dicht omdat hij geen licht kon verdragen.

In 1943 werd de luxeauto van Pijnacker gevorderd door 'Duitse militairen'. Pijnacker wist dat de actie in scène was gezet. Vermomd in Duitse uniformen namen leden van de LO de auto in beslag. In Rhoon bezaten slechts drie particulieren een auto. De LO'ers stalden de Citroën in een schuur die midden in de boomgaard van Carel Pijnacker lag, een broer van Jacques. De auto werd gebruikt voor voedseltransporten en zelfs voor het wegbrengen van onderduikers.

Ook Wout Wachtman en Bas Jongbloed van de Rhoonse knokploeg maakten gebruik van de Citroën, die naar het kenteken de HN29211 werd genoemd. In Duits uniform voerden ze er hun missies mee uit. Wout Wachtman en Bas Jongbloed waren in het najaar van 1943 de Rhoonse afdeling van de Landelijke Knokploegen begonnen. In september 1944 werden ze 'uitgeleend' aan de afdeling Rotterdam-Zuid van de LKP, die sterk was uitgedund door arrestaties. Bas Jongbloed opereerde vanuit de boomgaard van Carel Pijnacker, waar hij als knecht werkte. Met toestemming van zijn baas was hij meer met het verzetswerk bezig dan met de fruitteelt.

Thuis bleef Jacques Pijnacker volhouden dat de moffen zijn auto hadden ingepikt. Leontien, de oudste dochter, herinnert zich dat haar vader in 1943 vaak weg was 's avonds voor vergaderingen in Rotterdam-Charlois. Voor de AR, zei hij. Namens die partij was Pijnacker wethouder van Rhoon geweest tot de gemeenteraden op last van de bezetter waren ontbonden. Hij stond in contact met de gereformeerde boekhandelaar H.W. Blok, die onder de schuilnaam Bol leiding gaf aan de LO in Rotterdam en het netwerk van de onderduikorganisatie tot IJsselmonde, Voorne-Putten, Goeree-Overflakkee en West-Brabant uitbreidde.

Welke hulp Pijnacker de LO precies bood, is onbekend. Misschien vervoerde hij in de door paarden getrokken wagens van de vlasfabriek Joodse onderduikers naar het noorden. In 1943 betrok hij veel vlas uit de Wieringermeer. Hij las *Trouw*, mogelijk gebruikte hij de vlastransporten ook voor de distributie van de illegale krant.

In 1943 liet hij aan Leontien doorschemeren dat hij door de Duitsers was opgepakt omdat hij in de vlasfabriek illegaal lijnzaad had geperst en de olie gratis aan het personeel had verstrekt en aan leden van de ondergrondse. Met lijnolie kon je voedsel bakken. Maar voor illegaal persen kwam je niet in het Oranjehotel terecht; Wijnand Wagenmeester zat voor dezelfde overtreding vier uur op het politiebureau vast en kreeg alleen een bekeuring. Tegen Pijnacker moet de Sicherheitsdienst zwaardere verdenkingen hebben gekoesterd. Hij luisterde naar Radio Oranje en gaf berichten aan het verzet door. In de schuur van zijn broer hield de knokploeg naast de HN29211 een zendinstallatie verborgen.

In de zomer van 1944 moet Pijnacker voor zijn leven zijn gaan vrezen. Hij sloot een hoge levensverzekering af, enkele weken voor zijn executie. Op 11 oktober raadde Hendrik Kwist, de leider van het Rhoonse verzet, hem aan onder te duiken. Hij sloeg het advies in de wind, stapte op de fiets en haastte zich naar de vlasfabriek. Een uur later was hij dood.

Vooral dankzij de levensverzekering kon de weduwe Pijnacker een nieuw huis laten bouwen aan de Molendijk, naast dat van de burgemeester. Met de uitkering van Stichting 1940-1945 zou ze niet eens de opvoeding van haar kinderen hebben kunnen bekostigen.

In de klerenkast van de slaapkamer in het nieuwgebouwde huis aan de Molendijk hing mevrouw Pijnacker het kostuum dat haar man op de dag van de executie had gedragen. Een zwart kostuum met zeven kogelgaten.

De vreemdste reactie op de dood van Jacques Pijnacker kwam van zijn vader Jaap, de patriarch van de familie. De oude Jaap was antirevolutionair en democraat tot in zijn tenen, maar wat de Duitsers hadden gepresteerd na de vernederende verdragen van Versailles wekte zijn ontzag. Uit de as van de Eerste Wereldoorlog en de wanorde van de Weimar-republiek was een grootmacht herrezen; dat moest je Hitler en de Duitsers nageven. Ze verdienden volgens hem respect.

Na de executie van Jacques rolde de familie over hem heen. Zie je nu wel, pa, hoe je je hebt vergist? Zie je nu wel, opa, tot welke afschuwelijke misdaden die Duitsers in staat zijn?

Pijnacker schudde bedroefd het hoofd. Hij was zwaar aangeslagen door de dood van zijn oudste zoon, maar hij zei toch: 'Zo slecht binnen ze niet allemaal.'

Alie Marcelis-van Steggelen weigerde de gewelddadige dood van haar man Dries te aanvaarden. De moffen die daar schuld aan hadden zouden het bezuren – daar zou ze persoonlijk voor zorgen.

Alie behoorde tot de tweehonderd evacués uit Zuidland. Ook het huis dat zij betrokken had, was in brand gestoken. Alie vond vrij snel onderdak bij een tuinder aan de Kleidijk. Met haar twee zoons bleef ze daar tot het einde van de oorlog wonen.

Van de dorpelingen kreeg ze lakens, dekens, handdoeken, kleding, serviesgoed en eten. Een snel georganiseerde inzamelingsactie leverde haar ook een paar meubels op. Maar Alie wilde in de eerste plaats gerechtigheid.

Op de avond van 10 oktober 1944 lagen Dries en Alie al te

slapen toen Duitse soldaten op de deur roffelden. Dries moest mee naar Hoogvliet, wat een eufemisme was voor arrestatie. Hij schoot zijn kleren en zijn klompen aan en griste zijn portefeuille van tafel. Dries moet gehoopt hebben dat hij zich kon vrijkopen: in de portefeuille zat negenhonderd gulden. Voor hij in de kelder in de school van Hoogvliet werd opgesloten, moest hij alles wat hij bij zich had afgeven, ook de portefeuille met inhoud.

Die spullen en die portefeuille wil ik terug hebben, dacht Alie. Kort na de begrafenis van Dries klopte ze bij de Ortskommandant in Hoogvliet aan om de eigendommen van Dries op te eisen. De dienstdoende militairen blaften haar af: 'Wijf, als je niet opdondert, krijg je de kogel.'

Alie werd bozer dan Hitler in zijn toespraken. Het ging haar niet om die negenhonderd gulden – ze was de dochter van Van Steggelen, de eigenaar van de Zuidlandse vlasfabriek, ze zat niet om een paar honderdjes verlegen. Het ging haar erom dat het geld gestolen was of, erger nog, op een laffe manier buitgemaakt, net zoals het horloge van haar geliefde Dries.

In november benaderde ze mijnheer Van Wenselare, de procuratiehouder van de vlasfabriek op Het Sluisje. Hij bood aan haar te vergezellen naar het hol van de leeuw: de Dienststelle van de Sicherheitsdienst aan de Heemraadssingel in Rotterdam.

Het duurde even voor ze op 29 november 1944 werden binnengelaten. Toen kregen ze drie hoofdagenten van de SD te spreken. Ze gedroegen zich correct en zeiden dat 'de gebeurtenissen op Het Sluisje nooit hadden mogen plaatsvinden'. Alie Marcelis en Jan van Wenselare keken ervan op. Een moment later hoorden ze een zwaar geronk van buiten komen. De ramen begonnen te trillen.

Vele jaren later las Alie in een uitvoerig krantenartikel wat er aan die novemberdag vooraf was gegaan. Het commando van de Binnenlandse Strijdkrachten had Londen gevraagd een luchtaanval uit te voeren op de Aussenstelle Rotterdam van de

Sicherheitsdienst. Het verzet leed zware verliezen in die maanden, door het gebouw van de SD te bombarderen konden de door de dienst verzamelde gegevens vernietigd worden. Drie dagen eerder was een luchtaanval op de Aussenstelle Amsterdam uitgevoerd en ofschoon die vierenvijftig burgers had gedood en slechts vier SD'ers, besloot de RAF een nieuwe aanval uit te voeren, ditmaal op Rotterdam.

Vanaf vliegveld Deurne bij Antwerpen stegen vier squadrons Typhoons op, in totaal drieëndertig toestellen. Drie squadrons schakelden het luchtafweergeschut in het Rotterdamse havengebied uit en bombardeerden de spoorwegemplacementen op Zuid en de haveninstallaties bij Schiedam. De acht toestellen van het vierde squadron scheerden rakelings over de daken en doken met een snelheid van zeshonderd kilometer per uur op het gebouw van de SD af. De voorste twee Typhoons markeerden het doel aan de Heemraadssingel met fosforraketten, de overige zes wierpen duizendponders af met een tijdontsteking van elf seconden, zodat de vliegtuigen het doel voorbij waren en zelf geen opdoffer kregen van de ontploffingen. Na de eerste aanval volgde een tweede door het squadron dat de haveninstallaties verwoest had. De Typhoons namen de Aussenstelle met hun boordwapens onder vuur en wierpen ook nog een lading bommen af.

De hele luchtaanval voltrok zich in tien minuten, tussen twintig over elf en halftwaalf. Geen van de duizendponders trof de Aussenstelle, alleen de lichtere bommen vielen dicht bij de gevel. Wel werd het gebouw door de luchtdruk op een daverende manier *durchgeblassen*.

Weinig muren bleven overeind staan. Ondanks de ravage ging geen velletje papier van de archieven verloren, wat de actie nutteloos maakte. In de omgeving van de Heemraadssingel vielen drieëntwintig doden, de meeste door het mitrailleurvuur uit de vliegtuigen. Tientallen mensen raakten ernstig gewond.

Bij het naderen van de vliegtuigen renden de SD'ers weg naar de kelder. Alie Marcelis en Jan van Wenselare konden hen niet snel genoeg volgen. Ze vluchtten een willekeurige kamer binnen en kropen ieder onder een bureau. Jan van Wenselare raakte bedolven onder het puin en kwam om het leven. Alie voelde een scherpe pijn in haar hoofd, betastte haar schedel en voelde een stuk metaal.

Met de bomscherf in haar hoofd rende ze naar beneden en de straat op. Het bloed stroomde over haar gezicht; ze wankelde. Een omstander ving haar op en bracht haar naar een arts, dicht bij de Mathenesserbrug. De dokter probeerde het stuk metaal te verwijderen.

'Het lukt me niet,' stamelde hij.

'U wilt niet,' riep Alie, die een flauwte nabij was.

'O mevrouw, ik heb niets meer te verliezen.'

Ze keek hem aan, nam hem nog eens op en zei: 'Zo gemeen bedoel ik het niet.'

Hij was een van de laatste Joden die zich nog schuilhielden in de stad.

Het transport naar het ziekenhuis kon hij niet regelen; dan zou hij zijn schuilplaats kenbaar maken. Hij vroeg haar naar buiten te gaan en even verderop op de straat te gaan liggen.

Dat deed ze.

Algauw werd ze op een brancard getild en met een bakfiets naar het Coolsingelziekenhuis gereden. Twee doktoren zaagden het stuk metaal uit haar hoofd, zonder noemenswaardige verdoving.

Tien weken moest Alie in het ziekenhuis blijven, tijdens de ergste maanden van de Hongerwinter. Ze kreeg bijna niets te eten.

Nog vele jaren zou ze last blijven houden van zware pijn in het hoofd.

Alie hertrouwde met een jongeman van Het Sluisje die op de vlasfabriek werkte.

Ze werd nog zesmaal moeder. Dat alles nam haar boosheid niet weg: tot lang na de oorlog zette ze haar kruistocht voort.

Alie was de enige van de nabestaanden die het proces tegen Oberleutnant Karl Schmitz bijwoonde en die vlak voor de rechtszitting een vlammende brief naar de president van de rechtbank stuurde. Alie twijfelde er namelijk niet aan dat de elektriciteitsdraad naar beneden was gehaald en eiste dat alles, maar dan ook alles tot op de bodem zou worden uitgezocht. In de brief aan mr. Van Vollenhoven somde ze negen punten op die om opheldering vroegen. Tijdens het proces kwam geen van die punten aan de orde.

Het verleden laten rusten? Voor Alie was dat hetzelfde als de Duitse bezetting bij nader inzien goedkeuren. Oorlogsmisdaden verjaren nooit. In onze gesprekken haalde ze fel uit, alsof ze nog even oud was als op het moment van de vergeldingsactie – 29 – in plaats van achter in de tachtig. Tot aan haar dood, op de paasmorgen van 2009, bleef ze naar de precieze achtergronden zoeken van de terreur die haar man het leven had gekost.

Alie stierf met spijt – rond de executie van Dries was lang niet alles verklaard. Dat ze in 1951 van de Nederlandse overheid vijfhonderd gulden vergoed had gekregen van de negenhonderd die de moffen Dries afhandig hadden gemaakt, beschouwde ze als een schandelijk schrale troost. Alleen een grondig onderzoek naar de moord op haar man had haar voldoening kunnen geven.

Bij de Britse luchtaanval op de Aussenstelle Rotterdam van de SD werd geen enkel dossier vernietigd. Wat wel verdween was het bewijsmateriaal dat de Sicherheitsdienst en de Sicherheitspolizei in de vroege morgen van 11 oktober op Het Sluisje hadden verzameld, inclusief de in beslag genomen elektrische hoogspanningskabel.

Het is ook mogelijk dat de SD vergat of doelbewust verzuimde het bewijsmateriaal mee te nemen toen de dienst, twee weken na het bombardement, een ander pand betrok aan de overkant van de Heemraadssingel, op nummer 219. Na de bevrijding werd in

ieder geval niets teruggevonden dat de these van de Sicherheitsdienst – sabotage – staafde.

Dat 'de gebeurtenissen op Het Sluisje nooit hadden mogen
plaatsvinden', zoals de drie agenten van de Sicherheitsdienst tegen Alie Marcelis zeiden, was ook de mening die de leider van
de Aussenstelle Rotterdam, de ss-Obersturmführer H.J. Wölk,
schriftelijk uitte. Voor de sd en de sipo stond vast dat op de
Rijsdijk een sabotagedaad was gepleegd. Die had echter vergolden moeten worden door tien ter dood veroordeelde verzetsstrijders te fusilleren, 'terroristen' in de terminologie van de Sicherheitsdienst, in plaats van zeven burgers.

De 'meeste schuld' aan de executies op Het Sluisje hadden dan
ook niet de Wagenmeesters, zoals Aalbert de Kooning beweerde
in zijn poging om een zondebok aan te wijzen en de aandacht af
te leiden van de weinig verheffende rol die hij op 11 oktober had
gespeeld, de enige verantwoordelijken waren Oberleutnant Karl
Schmitz en bootsman Walter Loos. Zij moesten berecht worden,
en zij alleen.

DERTIEN

De manschappen van de Kriegsmarine vluchtten op de fiets, voorafgegaan door de DKW van Oberleutnant Schmitz en een legertruck. Schmitz zat met zijn witte hondje op de achterbank. Zo stel ik me het althans voor. Een wit hondje vertedert en Schmitz voornaamste zorg was het vege lijf te redden. In de open auto probeerde hij een zo minzaam mogelijke indruk te wekken. Hij droeg geen wapen en evenmin een pet.

Schmitz rookte de ene na de andere sigaret. Af en toe moet hij gehoopt hebben snel thuis te zijn. De luitenant was ongetwijfeld realistisch genoeg om niet al te lang bij het eventuele weerzien met vrouw en kinderen stil te staan; de kans dat hij ze binnenkort in de armen zou sluiten was miniem. Ook al was de capitulatie nabij, met zeven doden op zijn geweten dreigde de oorlog nog lang voor hem te gaan duren. Maar even later zal de hoop zich weer hebben aangediend als een blije glimlach in de verte. En trok Schmitz de zoveelste sigaret uit het pakje. Hoop maakt nerveus.

Of schreeuwde hij zijn ongeduld weg en maakte hij het zijn chauffeur met het uur lastiger? 'Schneller doch, der Willi, schneller, schneller...' Maar ja, dan konden die fietsers hem niet bijhouden.

Soms zou ik meer willen weten dan in de uitgetypte getuigenverhoren staat. Hoe verloopt een vlucht precies? Hoe gaan ondergeschikten dan met hun commandant om? Of andersom? Liet Schmitz het hoofd hangen? Of juist niet? Aan welke laatste strohalm hield een uitgerangeerde nazi zich vast? Misschien verlustigde Schmitz zich in de geur van zuurkool die hij binnenkort weer thuis zou eten. Het zou me niet verwonderen, misdadigers geven zich graag aan sentimentele gedachten over.

Het verdringen zal bij Schmitz veel eerder begonnen zijn. Hij kon en mocht de plek verlaten waar hij zijn gruweldaden had verricht. Weg uit Rhoon, weg uit Hoogvliet. In januari 1945 was zijn eenheid overgeplaatst naar Hellevoetsluis en Rockanje. Andere besognes hielden de Oberleutnant toen bezig: de 20ste Schiffstammabteilung moest de kustlinie versterken.

Na de landing in Normandië hielden de Duitse strategen er rekening mee dat de geallieerden een tweede invasie zouden uitvoeren, op de Nederlandse kust. Ze zouden dan immers snel kunnen oprukken naar het noorden van Duitsland en naar het Ruhrgebied. Om dat te beletten concentreerde de Kriegsmarine zich op de voorste linie aan de Noordzeekust en vulde de verdedigingstroepen aan met manschappen die voordien de bevolking in de gaten hielden.

Het einde van de winter en het voorjaar van 1945 brachten Oberleutnant Schmitz, bootsman Loos en hun ondergeschikten in de duinen van Voorne door. Laat in april beseften ze dat de oorlog voor hen verloren was; begin mei maakten ze zich gereed voor de vlucht. Met de voorbereidingen waren ze al veel langer bezig geweest: maanden achtereen hadden ze fietsen van de burgerbevolking in beslag genomen en benzine gehamsterd voor de truck en de DKW. Op 3 mei vertrokken ze in alle vroegte en ze volgden een nauwkeurig uitgestippelde route.

Rechtstreeks naar Duitsland fietsen via Rotterdam en Utrecht leek hun onmogelijk: ze zouden dan in de geallieerde fuik terechtkomen. De enige route waarlangs ze konden ontsnappen liep via de Afsluitdijk naar het noorden van Duitsland. Dat dachten ze althans, op grond van de schaarse informatie die ze over de vorderingen van de geallieerden hadden verzameld.

Om sneller vooruit te komen lieten de fietsers zich door een vrachtwagen voorttrekken aan een touw. In de drietonner lag hun uitrusting, zodat ze die niet aan de schouders hoefden mee te torsen. Munitie en zware wapens hadden ze achtergelaten.

Vechten had geen zin meer; als ze aangehouden werden, zouden ze zich overgeven.

Ik zie het voor me: een nors brommende truck die laag in de derde versnelling een lint fietsers op sleeptouw heeft. De methode was vele malen beproefd op de Groene Kruisweg tussen Hoogvliet en Rhoon en later tussen Den Briel en Rockanje. Ook naar de executie op Het Sluisje was een vrachtwagen gereden, met een ris geüniformeerde fietsers erachteraan die vloekten omdat het touw hun linker- of hun rechterhand tot bloedens toe open schuurde. Soms raakten de voorwielen elkaar en tuimelden de manschappen als tinnen soldaatjes over elkaar heen.

Van de geoliede Duitse oorlogsmachine – pantservoertuigen, motoren met zijspan en voortdenderende tanks – was weinig meer over. De 20ste Schiffstammabteilung van de Landes-Kriegsmarine was in de zomer van 1940 stevig bewapend en onder degelijke helmen mijn dorp komen binnenmarcheren. In rotten van drie, laat een op de Rijsdijk genomen foto zien. Maar algauw patrouilleerden de mariniers op de fiets over de dijken, en deden dat alsof ze op eieren zaten in plaats van op een zadel.

De precieze route die Oberleutnant Schmitz en zijn mannen volgden heb ik niet kunnen achterhalen. Ik vermoed dat ze via Rotterdam naar het noorden zijn getrokken; ze konden de Nieuwe Waterweg niet over, die lag vol mijnen, waardoor geen boot of pontje de oversteek wilde wagen. Via Rotterdam was nog wel mogelijk; de Canadezen arriveerden daar pas op 8 mei, wat de mannen van de 20ste Schiffstammabteilung een speling van vijf dagen gaf. Vervolgens via Den Haag en Amsterdam of via Den Haag en Haarlem naar het noorden. In beide gevallen moesten ze het water weer over, het IJ of het Noordzeekanaal. Ze zijn daar in ieder geval in geslaagd, door nog één keer te dreigen, door te schreeuwen, te schelden, te blaffen, of door stom geluk. Naar Hoorn, naar de Afsluitdijk.

Oberleutnant Schmitz moet slecht geïnformeerd zijn geweest over de geallieerde vorderingen. Tegen de verwachting in waren de Canadezen stukken verder naar het noorden opgerukt dan naar het midden van het land. Groningen en Friesland bereikten ze drie weken eerder dan Utrecht. Al op 18 april veroverde de 3e Infanterie Divisie de Afsluitdijk op de Duitsers. Schmitz was in zijn opzet geslaagd als hij de order tot vertrek medio april had gegeven. Dat durfde hij echter niet: deserteurs kregen de kogel. Hij was toch al aan de vroege kant, de meeste Duitse troepen begonnen pas half mei aan de afmars.

Uit berichten van de Duitse legerleiding had Schmitz opgemaakt dat Hitler op 30 april zelfmoord had gepleegd en dat admiraal Dönitz van de Kriegsmarine – zijn hoogste baas – de onderhandelingen over de capitulatie was begonnen. Op 3 mei besloot hij er met zijn eenheid vandoor te gaan.

Honderdtachtig kilometer noordelijker liep hij bij Den Oever in de val. Vlak voor de sluizen in de Afsluitdijk en vlak voor het vallen van de avond arresteerde een Canadese eenheid Karl Schmitz en de leden van de 20ste Schiffstammabteilung.

De Duitsers werden tot op de bilnaad gefouilleerd. Algauw kwamen de negen biljetten van honderd gulden tevoorschijn die Dries Marcelis afhandig waren gemaakt, voor ze hem in de kruipkelder opsloten. Met dat geld hadden de mariniers het laatste deel van hun vlucht willen bekostigen.

De Duitse mariniers werden naar een krijgsgevangenkamp in Den Helder overgebracht.

Slechts één man wist zich door de controlepost te praten: Walter Loos. De bootsman beweerde dat hij Tsjech was en wist dat aan te tonen met een Tsjechisch paspoort. Hij mocht in z'n eentje doorfietsen naar Friesland en Groningen.

Waarheen Loos uiteindelijk is gegaan, kon de Politieke Opsporingsdienst na de oorlog niet meer achterhalen. Vermoedelijk dwars door Duitsland, ook door de gebieden die het Rode Leger op de nazi's had veroverd. Richting Leipzig, Dresden, om Tsjecho-Slowakije te bereiken, waar hij voldoende mensen kende die hem aan een andere identiteit konden helpen en aan vakkundig vervalste papieren.

Misschien is het anders gegaan, in ieder geval kon de internationale afdeling van de Politieke Opsporingsdienst, The Netherlands War Crimes Commission, hem niet meer opsporen. In de dossiers van de Bijzondere Strafkamer van de Rotterdamse rechtbank kwam achter bootsman Loos 'onvindbaar' en 'vermist' te staan.

Zo ontsnapte de kwade genius van de 20ste Schiffstammabteilung aan gerechtelijke vervolging, Loos, die de mannen aanwees die op Het Sluisje voor het vuurpeloton moesten sterven.

In de euforie van de bevrijding begingen de Canadese militairen een grove fout, die geen enkele justitiële instantie hun naderhand kwalijk zou nemen. Voor ze Loos doorlieten, hadden ze een onderzoek moeten instellen naar de identiteit en de antecedenten van de man. Je kunt stellen dat ze hun handen vol hadden aan de tienduizenden krijgsgevangenen. Hoewel ze zich bij het zien van het Tsjechische paspoort toch wel even hadden mogen afvragen waarom die brave soldaat Švejk een Duits uniform droeg. Tenzij de bootsman inderhaast burgerkleren had aangetrokken.

Loos zal het allemaal goed hebben voorbereid. Voor het geval hij er in z'n eentje tussenuit kon knijpen, had hij een zwarte broek, een jasje van een neutrale kleur en een boerse alpinopet in zijn uitrusting gestopt. Of soortgelijke kleren.

Lenie Osseweijer van Het Sluisje vertelde dat de Duitsers, voor ze de woningen in brand staken, kleren, geld en stamkaarten van de bewoners stalen. Ze gaf er als verklaring bij dat de Duitsers aan de verliezende hand waren en burgerkleren nodig hadden om zich te zijner tijd incognito uit de voeten te maken.

Ook de dochters van Jacques Pijnacker herinnerden zich dat de Duitsers een greep in de klerenkast van hun vader hadden gedaan. Het is dus heel goed mogelijk dat Walter Loos in het zwarte pak van een gereformeerde diaken naar Tsjecho-Slowa-kije is gevlucht.

De situatie was kort na de bevrijding zo chaotisch dat de Canadezen van de 3e Infanterie Divisie evenmin navraag deden naar de antecedenten van Karl Schmitz. Geen moment vermoedden ze dat ze met de kleine, dikke, opgeblazen, rood aangelopen luitenant, die zwakjes over hoofdpijn en misselijkheid klaagde, een geduchte oorlogsmisdadiger bij de kraag hadden gegrepen.

Schmitz bleef een maand krijgsgevangen in Den Helder, zonder dat het hem lastig werd gemaakt. Zijn weldoorvoede hondje werd hem afgenomen. De witte foxterriër komt tenminste in geen enkel rapport meer voor.

Op 5 juni 1945 werd Schmitz voor een nader onderzoek overgebracht naar het Huis van Bewaring aan de Weteringschans in Amsterdam. Hij moet bij de onbeduidende schrijftafelbooswichten zijn ingedeeld, want een halfjaar later was hij nog altijd niet verhoord. Zijn ondergeschikten waren toen al lang en breed *in die Heimat* terug.

Het duurde tot 21 november voor er iets met Schmitz gebeurde. Na een korte ondervraging in Amsterdam werd hij overgebracht naar het Engelse krijgsgevangenkamp Vilvoorde in België. Daar kreeg hij in 1946 te horen dat zijn vrouw Elise aan kanker was overleden. Schmitz kwam die slag maar moeilijk te boven en verschrompelde binnen enkele maanden tot een zielig grauw mannetje met tien ziektes en honderd kwalen.

Een betere camouflage bleek niet te bestaan. Niemand zag in hem de koelbloedige moordenaar van Het Sluisje. Ook de Engelsen niet, die hem dan eindelijk op 1 november 1946 aan de tand voelden, nadat ze een telefoontje met de United Nations War Crime Commission in Londen hadden gepleegd en telegrafisch navraag hadden gedaan bij het Bureau Opsporing Oorlogsmisdrijven in Amsterdam. De verschafte inlichtingen moeten vaag zijn geweest, want de Engelsen besloten de voormalige luitenant nog acht maanden vast te houden om hem te 'denazificeren' en stelden hem op 26 juni 1947 in vrijheid. Op dat moment had Schmitz er definitief tussenuit kunnen knijpen, maar misschien had hij de kracht niet meer om aan een nieuw leven te beginnen, zonder Elise.

Pas na zijn vrijlating ging er bij de Nederlandse justitiële autoriteiten een lichtje op. Was Schmitz niet de Schmitz die even ten zuiden van Rotterdam een onbezonnen represailleactie had uitgevoerd?

Het heette opeens dat die Schmitz 'm gesmeerd was en dat hij ergens in Duitsland 'zat ondergedoken'. Onzin, Schmitz was naar het plaatsje Breyell in Noordrijn-Westfalen vertrokken, vlak over de Nederlandse grens, aan de spoorlijn van Venlo naar Mönchengladbach, waar zijn zoon van zeventien als stukadoor was gaan werken en waar ook zijn dochter van vijftien was neergestreken. Schmitz zelf had daar binnen een paar weken aan de slag gekund, als arbeider in een dakpannenfabriek. Niet clandestien of ondergedoken, hij stond op de loonlijst en droeg maandelijks zijn sociale lasten en belastingen af. Op alle officiële papieren was zijn adres vermeld: Josefstraße 35.

Schmitz deed geen enkele poging om zijn identiteit te verhullen; hij dronk op woensdag- en op zaterdagavond een biertje in de plaatselijke herberg, waar iedereen hem kende als 'der alter Karl' of als 'Herr Schmitz'. Twee jaar later deelde de Nederlandse justitie niettemin triomfantelijk mee dat de verblijfplaats van de oorlogsmisdadiger Karl Schmitz 'aan het licht' was gekomen.

De Nederlandse regering vroeg om uitlevering. Tot daarover een besluit was genomen werd Schmitz in een krijgsgevangenkamp ondergebracht dat onder commando stond van de Engelsen en dicht bij Hamburg lag. Hij bleef daar vijf maanden.

Op 20 oktober 1949 leverde de Engelse MP hem aan de grens

bij Venlo af. Op dezelfde dag werd hij overgebracht naar het Hoofdbureau van Politie in Rotterdam.

Toen moest alles plotseling in een vloek en een zucht, alsof het er niet meer toe deed wat er onder Schmitz' bevel was voorgevallen en het alleen van belang was dat de man binnen de kortste keren zou hangen. Een paar haastige, slordige verhoren, een proces dat slechts een dag duurde en twee weken later, op 8 februari 1950, de uitspraak.

Aan de dorpelingen lag het niet; ze hadden jaren op het proces gewacht. De nabestaanden van de slachtoffers konden het, met uitzondering van Alie Marcelis-van Steggelen, niet opbrengen de commandant van het executiepeloton recht in de ogen te kijken, maar de bewoners van Het Sluisje en de Rijsdijk waren in groten getale naar het Gerechtsgebouw aan de Noordsingel in Rotterdam getrokken.

'Het afschuwwekkende drama van de fusillade is gistermiddag in de rechtszaal herleefd,' noteerde de verslaggever van dagblad *De Rotterdammer*. 'Tal van inwoners van Rhoon bezetten de publieke tribune. In stille woede en met groot verdriet hebben zij destijds gelaten moeten toezien hoe zeven mannen uit hun midden werden weggerukt en als honden werden neergeknald op een eenzaam plekje aan de Rijsdijk.'

De toon was gezet: stille woede, verdriet, verontwaardiging. 'Als honden neergeknald' waren de woorden die de officier van justitie gebruikte.

Maar tot heftige taferelen kwam het niet.

De rechtbank had slechts twee getuigen opgeroepen: Kriminalrat Wölk van de Sicherheitsdienst in Rotterdam en de vrijgekochte Job de Kooning.

De inmiddels dertigjarige Job verklaarde dat van de gearresteerde mannen 'praktisch niemand was verhoord' op de Ortskommandantur in Hoogvliet en dat hij eigenlijk nog niet goed begreep waarom hij vrijgelaten was en 'op een zo nonchalante wijze van een wisse dood' was gered.

Op die verklaring hadden talrijke vragen moeten volgen, maar de rechters hoorden Job de Kooning met de grootst mogelijke welwillendheid aan en beschouwden hem meer als slachtoffer dan als informant. De eerste misser van het proces: van alle bewoners van Het Sluisje was Job misschien wel het best op de hoogte van de ware achtergronden van de gebeurtenissen. Hij werd met een beleefd knikje van de president van de rechtbank naar zijn zitplaats terugverwezen.

Dat was het uitgelezen moment geweest om de groepsleider van de NSB in Rhoon aan de tand te voelen. Jan Krijn Jabaaij had immers bij Schmitz en Loos voor vrijlating van Job de Kooning gepleit, in ruil voor twee varkens. Een kruisverhoor van De Kooning, Jabaaij en Schmitz had op z'n minst duidelijk kunnen maken waarom Mart Robbemond de plaats van Job de Kooning had moeten innemen.

Maar Jabaaij was niet als getuige opgeroepen.

Kenden de drie rechters – Abbing, Nieuwenhuijsen, Van Vollenhoven – het dossier eigenlijk wel? Had de president van de rechtbank, mr. J. van Vollenhoven, de brief van Alie Marcelis-van Steggelen dan niet gelezen? De vragen die ze hem in fraaie krulletters had gesteld waren kristalhelder.

Was er sprake van sabotage? Zo ja, was de elektrische draad dan door een paar kwajongens losgetrokken, onder wie Job de Kooning? Waarom was dan uitgerekend Job de Kooning vrijgelaten?

Jabaaij had een deel van het antwoord kunnen geven. Hij had niet veel meer te verliezen, Jan Krijn was in vijf jaar tijd door iedereen afgestraft: door de bevrijder, door de Nederlandse justitie, maar allereerst door de bezetter tijdens de laatste oorlogsweken. Op de eerste april 1945 was hij ontslagen bij de Duitse bewakingsdienst wegens diefstal: *Einbruchdiebstahl und bewaffnete Beihilfe bei Diebstählen*, zoals de officiele aanklacht luidde. Hij had voedsel bij de Wehrmacht gesto-

323

len en onder de bevolking van Rotterdam-Zuid uitgedeeld.

Een nobele actie. Zou je niet verwachten van een NSB'er. Jabaaij moest ervoor boeten met een veroordeling tot acht jaar tuchthuis.

De bevrijding kwam voor Jan Krijn als geroepen. Hij ontvluchtte het werkkamp Laren en werd op 18 mei in Amsterdam gearresteerd. De militaire autoriteiten in Amsterdam informeerden een week later bij Captain Cary van het 705ste Detachement van het Canadese leger in Rotterdam wie Jabaaij precies was. Cary vroeg twee weken later om nadere inlichtingen bij Augustijn Noole, wachtmeester der Koninklijke Marechaussee te Rhoon. Noole schreef drie weken later, op 21 juni, terug dat 'Jabaaij' in de dossiers gezocht moest worden bij een door de Duitsers gepleegde moord op zeven personen aan de Rijsdijk te Rotterdam-Rhoon. Captain Cary seinde dat weer naar Amsterdam, maar Jabaaij bleek toen al vrijgelaten te zijn. Verwarring alom.

Jabaaij was naar de provincie Groningen vertrokken, vermoedelijk om zijn vrouw te zoeken. Die zat inderdaad met drie van haar vier kinderen in Muntendam gevangen in een kamp voor NSB'ers en collaborateurs. Het duurde tot 9 juli voor Jabaaij opgespoord was. Opnieuw volgde arrestatie.

Op 13 oktober 1945 circuleerde op Het Sluisje een verzoekschrift om Jan Krijn Jabaaij vrij te krijgen, op twee dagen na precies een jaar nadat de executies op de Rijsdijk hadden plaatsgevonden. Volgens de onhandig getypte tekst, die vermoedelijk door Jabaaij zelf was opgesteld en door Aalbert de Kooning op de dijk was verspreid, had J.K. Jabaaij geen handelingen gepleegd die in strijd waren met de veiligheid van de bewoners. Hij was hem zelfs gelukt om de heer J. de Kooning uit handen van de Duitsers te redden en hij had er ook voor gezorgd dat het huis van Kees en Gertie Blekemolen niet in brand was gestoken.

Achttien bewoners van Het Sluisje en de Rijsdijk ondertekenden het verzoekschrift, onder wie bekende namen: cafébaas

Mantz, Kees en Gertie Blekemolen, Aalbert en Job de Kooning, en zelfs Van Deutekom, de notabel van Het Sluisje.

Op de agenten van de Politieke Opsporingsdienst maakte het geen indruk. Jan Krijn Jabaaij werd overgebracht naar de hulpgevangenis Crispijnlaan in Rotterdam, waar hij op 12 december 1945 werd verhoord. Veel meer dan al bekend was, kwam niet aan het licht.

Op 18 december lieten de rechercheurs van de Politieke Opsporingsdienst Jabaaij opsluiten in het Huis van Bewaring van Rotterdam, verdacht van lidmaatschap van de NSB, van wachtdienst voor de Duitsers en van medeplichtigheid aan moord gepleegd door Duitse militairen op zeven Nederlanders. Medeplichtigheid aan moord, dat was niet mis. Op 23 januari 1946 volgde een nieuw verhoor om Jabaaijs medeplichtigheid aan de moord nader te definiëren. 'Tegen Jabaaij bestaan aanwijzingen,' luidde de conclusie, 'dat deze door de Duitsers werd geraadpleegd vanwege de schuld van de gearresteerde personen en de te nemen maatregelen tegen de schuldigen en de inwoners van Rhoon.'

Een paar punten bleven onduidelijk tijdens het verhoor. Niet erg, schreef de hoofdrechercheur in het proces-verbaal, die punten konden verduidelijkt worden als 'de oorlogsmisdadigers Loos en Schmitz zich in arrest bevinden'.

Kende mr. Van Vollenhoven dit dossier? Dat moet haast wel. Laten we het erop houden dat hij over de aanbeveling van de hoofdrechercheur heeft heen gelezen.

Jan Krijn Jabaaij werd opgesloten in het interneringskamp Treebeek bij Heerlen. Volgens de kampcommandant was zijn houding goed, net als zijn gedrag. Jabaaij had zich vrijwillig gemeld om in de nabijgelegen kolenmijn te werken. Alle wintermaanden van 1945-46 daalde Jabaaij in staatsmijn Emma af. Volgens zijn sociale begeleider versterkte het zware werk in de mijnschachten bij Jabaaij de wil om 'eerlijke arbeid te verrichten in een vrije maatschappij'.

Zo ver was het voor hem voorlopig nog niet: op 15 juni 1946 werd hij overgedragen aan de Politieke Opsporingsdienst in Dordrecht, op 16 oktober 1946 ging zijn zaak in behandeling. Het bureau van de officieren-fiscaal oordeelde dat voor de verdenking dat Jabaaij een strafwaardige rol had gespeeld bij de fusillering van zeven burgers in Rhoon 'niet het minste bewijs was'. En voegde daaraan toe: 'Geen termen voor vrijlating.' Curieus. Niet schuldig, maar te verdacht om vrijuit te gaan.

De officieren van justitie bij het Bijzondere Gerechtshof baseerden hun conclusies op de verhoren van twee rechercheurs met Linda de Bondt (NSB), Gertie Blekemolen-Wiessner (NSB), Jabaaij zelf (NSB), Arie van den Akker (die tien Duitse militairen in huis had) en Alie Marcelis-van Steggelen, die weliswaar de weduwe van een van de vermoorden was maar weinig wist over de rol die Jabaaij kort voor de executie van haar man had gespeeld. Een eenzijdige benadering. De Politieke Opsporingsdienst wekte vooral de indruk de zaak te traineren zonder zich over de schuldvraag uit te laten. Jabaaij moest maar gewoon een tijd achter het prikkeldraad blijven, dan kreeg hij vanzelf zijn verdiende straf. Wat hij precies op zijn kerfstok had deed er niet toe. Het was nattevingerwerk en het absolute tegendeel van een gedegen gerechtelijk onderzoek, met als enig relevant excuus dat de afdeling Rotterdam van de Politieke Opsporingsdienst twaalfduizend arrestaties verrichtte in de naoorlogse jaren. Al die zaken moesten serieus bekeken worden.

Op 9 april 1947 beklaagde mevrouw Jabaaij zich bij de rechtbank dat de behandeling nog altijd niet had plaatsgevonden. Haar was te verstaan gegeven dat het nog minstens drie maanden zou duren 'omdat het dossier was zoekgeraakt'. Ook dat nog.

In het voorjaar van 1945 had Jabaaij een einde gemaakt aan zijn verhouding met de platinablonde Linda de Bondt en was op zoek gegaan naar zijn vrouw, die immers op Dolle Dinsdag naar Duitsland was gevlucht. Nicolina Jabaaij was een even

overtuigd NSB-lid als haar man geweest en was in 1943 groepsleider geworden van de afdeling Rhoon van de Nationaal-Socialistische Vrouwen Organisatie. Op aanraden van Jan Krijn
had ze in september 1944 haar koffers gepakt en was met haar
vier dochters dezelfde weg gegaan als tienduizenden andere
NSB'ers en collaborateurs. In Münsterlagen was ze aardappel-
schilster geworden in de keuken van de Wehrmachtkazerne.
Haar kinderen waren in een kindertehuis in Wriedel terechtgekomen en kregen hun moeder alleen even te zien toen ze in een
naburig ziekenhuis was opgenomen na een miskraam.

Een dag na Nicolina's vertrek nam Jabaaijs maîtresse Linda
haar intrek in het huis aan de Rijsdijk. Linda was vier weken
eerder bevallen van een kind dat door een Duitse militair was
verwekt. Het leventje dat Jabaaij haar bood scheen Linda te be-
hagen. Tot het voorjaar van 1945 bleef ze bij hem in huis omdat
hij, bijvoorbeeld, een ruime voorraad poedermelk had, wijn, jenever, chocola en sigaretten. Hij wist zelfs een paar doorschij-
nende kousen voor haar te bemachtigen. Toen raakte Jabaaij
door het achteroverdrukken van voedsel in de problemen. Linda maakte dat ze wegkwam.

Jabaaij vond zijn vrouw een maand na de bevrijding in Groningen terug. Ze vergaf hem zijn verhouding met Linda en
spande zich in om hem uit handen van justitie te krijgen. 'De
aanwezigheid van mijn man is beslist noodzakelijk voor de opvoeding van mijn vier kinderen, meisjes van 13 tot 19 jaar,'
schreef ze 9 april 1947 aan de voorzitter van Kamer II van het
Bijzondere Gerechtshof.

Het hielp geen zier.

Op 19 mei klom Nicolina opnieuw in de pen. Ze zette toen
extra aan hoe de zaken ervoor stonden: 'Ik heb vier meisjes, van
wie er drie al twee jaar dakloos zijn en zich steeds behelpen van
de een naar de ander.'

Van de ene naar de andere plek, bedoelde ze. De drie jongste
dochters Jabaaij zwierven al twee jaar door Rotterdam, als

schooiers, landlopers, clochards. Ze sliepen in de openlucht of tijdens de koudste winternachten in een opvangtehuis van het Leger des Heils.

De openbare zitting van de Tweede Strafkamer van het Tribunaal voor het Arrondissement Rotterdam vond uiteindelijk op 21 november 1947 plaats. Mede gezien de gezinsomstandigheden meende de voorzitter van het Tribunaal dat een langere internering van beschuldigde 'niet in het algemeen belang geraden' was. Met die gezinsomstandigheden doelde de rechtbank niet alleen op de drie rondzwervende meisjes maar ook op de zwangerschap van mevrouw Jabaaij. Achter het prikkeldraad van Kamp Treebeek waren Jan Krijn en Nicolina erin geslaagd hun vijfde kind te maken, een meisje dat in het voorjaar van 1948 ter wereld kwam.

Jabaaij werd met onmiddellijke ingang vrijgelaten. Hij verloor het recht om enig openbaar ambt te bekleden. Op 29 juli 1949 verloor hij ook het Nederlanderschap omdat hij vrijwillig in Duitse Krijgs- of Staatsdienst was getreden door voor de Duitse bewakingsdienst te gaan werken. Maar of hij nu wel of niet de handlanger van Loos en Schmitz was geweest, bleef een onbeantwoorde vraag.

Jabaaij, de NSB'er, de WA-man, de colporteur van *Volk en Vaderland* die het aantal abonnees in Rhoon van zeven tot tweeëntwintig had weten op te krikken, de vriend van Loos en van alle ingekwartierde Duitsers aan de Rijsdijk, woonde nog een paar maanden in het dorp. Toen verhuisde hij met zijn vrouw en vijf dochters naar Rotterdam, waar hij zijn hele verdere arbeidzame leven werkte als chef van een wasserette. In Rhoon liet hij zich nooit meer zien.

Als iemand op z'n minst een streepje licht had kunnen werpen op wat er op 11 oktober op het kantoor van Schmitz in Hoogvliet was voorgevallen, dan was het Jabaaij geweest. Ik had hem graag willen spreken. Hij werd weliswaar stokoud, eenennegentig, maar overleed twaalf jaar voor ik aan mijn onderzoek begon.

Maar mr. Van Vollenhoven had hem uitvoerig en volledig hersteld van het uitputtende werk in de mijnen kunnen horen, onder ede. Ik kan geen enkele reden bedenken waarom hij dat niet heeft gedaan. Omdat de zaak hem niet bovenmatig interesseerde, althans niet zozeer als het roemruchte proces tegen de verrader Anton van der Waals dat hij leidde? Schmitz was natuurlijk geen Hess, Frank of Seyss-Inquart, en de Bijzondere Strafkamer van de rechtbank in Rotterdam had allerminst de impact van Neurenberg. Mr. Van Vollenhoven beschouwde het proces zichtbaar als een routineklus met als vervelende bijwerking dat het de oorlog weer in herinnering riep, een oorlog waarvan langzamerhand iedereen tabak had. Maar toen Schmitz werd opgesloten in de strafgevangenis van Breda, was hij een van de negenendertig oorlogsmisdadigers, en toen hij de gevangenis verliet, was hij een van de Twintig van Breda. Zo'n kleine vis was hij nu ook weer niet.

Schmitz had langer en grondiger verhoord moeten worden. Tijdens het proces had hij met veel meer getuigen moeten worden geconfronteerd – met Jabaaij in de eerste plaats. De bevolking van Rhoon wachtte op duidelijke antwoorden – daarom zat de publieke tribune propvol. Maar de Rhoonaren keerden naar huis terug met nog veel méér vragen.

De tweede getuige, H.J. Wölk, gaf een uiteenzetting over de voorschriften. Ik vermoed dat hij alleen opgeroepen werd omdat de drie rechters van de Bijzondere Strafkamer de leider van de Aussenstelle Rotterdam dicht bij de hand hadden. Hij was een paar maanden eerder in dezelfde rechtszaal aan de Noordsingel in Rotterdam tot twintig jaar gevangenisstraf veroordeeld en was nog niet overgebracht naar de strafgevangenis van Breda. Hij zat zogezegd om de hoek.

Zijn proces had weinig aandacht getrokken, beduidend minder althans dan het proces tegen de NSB-burgemeester van Rotterdam, terwijl de door Wölk begane misdaden in geen verhouding stonden tot die van de burgemeester. Van juli 1944 tot mei 1945 had Obersturmführer Herbert Wölk 130 Nederlanders laten fusilleren, in bijna alle gevallen ter vergelding van door het verzet uitgevoerde sabotagedaden of liquidaties. De gruwelijkste represailles in de regio – die van de Mathenesserlaan, Claes de Vrieslaan, Heemraadssingel, Coolsingel in Rotterdam, die van de schietbaan Kralingen, de schietbaan Rotterdam, van Oostvoorne, Brielle, IJsselmonde, Heinenoord, die op de spoorlijn 's-Gravenweg, de Pleinweg, de Hoflaan – waren in opdracht van Wölk uitgevoerd. Maar – en dat was het verschil met Schmitz – hij had zich altijd strikt aan de regels gehouden die door SS-Brigadeführer Schöngarth waren opgesteld.

Kernpunt in Schöngarth's *Niedermachungsbefehl* uit september 1944 was dat ter vergelding van sabotageacties alleen burgers geëxecuteerd mochten worden die al gevangen waren genomen op verdenking van illegale activiteiten of tegen wie ernstige vermoedens van terroristische handelingen bestonden. Want: 'Die Bevölkerung darf nicht den Eindruck der Willekür erhalten, sondern muss fühlen, dass die Sicherheitspolizei hart ist, aber auch diszipliniert und massvoll vorgeht.'

Wölk had tientallen bloedbaden op zijn geweten. In letterlijke zin: een van de aanbevelingen in het Niedermachungsbefehl was dat de doden uren op de plaats van de executie moesten blijven liggen in afschrikwekkende plassen bloed. Maar Wölk ontsnapte aan de doodstraf omdat hij zich aan de regels had gehouden en volgens het vonnis 'soms de Nederlandse bevolking voor nog groter onheil had trachten te behoeden'.

Van alle represailles in de regio werd Wölk er één *niet* in de schoenen geschoven: die van de Rijsdijk. De executies op de Rijsdijk waren verknald door een luitenant die de voorschriften aan zijn laars lapte.

Voor hem had Wölk dan ook geen goed woord over. Alles

scheidde Wölk van Schmitz: hij was opgegroeid op het landgoed van zijn grootouders, had het gymnasium doorlopen en
een paar jaar rechten gestudeerd aan de universiteit van Berlijn,
hij was met een officiersdochter getrouwd en had zijn studie af-
gerond aan de Polizeihochschule in Charlottenburg. Hij sprak
Duits zoals hoog adellijke diplomaten dat spreken – met een
zachte t – en liet af en toe merken de Franse taal machtig te zijn
door een *bon mot* te plaatsen. Maar in feite was hij een even
grote schurk als Schmitz. Vanaf 2004 begonnen berichten op
internet te circuleren dat Herbert J. Wölk aan het begin van de
oorlog danig had huisgehouden in Warschau, waar hij werk-
zaam was op de KdS, de Kommandeure der Sicherheitspolizei
und des SD. Bruut optreden tegen de burgerbevolking had hij in
Polen geleerd.

Wölk verklaarde tijdens het proces tegen Schmitz dat hij het
bevel had gekregen tien Rotterdamse Todeskandidaten in
Rhoon te fusilleren als represaille tegen de sabotage. Toen hij
daar met zijn gijzelaars aankwam, waren al zeven Rhoonse burgers van het leven beroofd. Wölk was toen maar weer met zijn
gijzelaars vertrokken.

Van wie hij het bevel had gekregen, zei Wölk niet. Het leek
hem ongetwijfeld beter de Höhere SS- und Polizeiführer niet bij
name te noemen; die had een rol gespeeld bij de zwaarste vergeldingsactie uit de Nederlandse geschiedenis, die 540 mannen en
jongens uit Putten het leven had gekost. Geen van de rechters
vroeg of het bevel inderdaad van Rauter was gekomen, de directe chef van Wölk, die een paar maanden eerder ter dood was
veroordeeld en nabij Scheveningen was gefusilleerd.

Rauter had het bevel schriftelijk gegeven, in verbeten bewoordingen. Waarom hij op papier zo fel uithaalde, bleef weer
een onbeantwoorde vraag. In het najaar van 1944 nam het aantal sabotageacties in het hele land toe tot drie, vier in de week.
Uitzonderlijk waren die acties allang niet meer. De Rijsdijk
wekte niettemin verontrusting bij de bezetter omdat er aan een

hoogspanningskabel was geknoeid. Zonder elektriciteit geen verbindingen – een nachtmerrie voor een modern leger. De SD en de SIPO waren dan ook snel ter plaatse geweest om een onderzoek in te stellen. En juist dat ontkende Wölk: de beide diensten, waarvan hij in Rotterdam de leider was geweest, hadden volgens hem geen onderzoek gedaan naar de oorzaak van de kabelbreuk op Het Sluisje, een pertinente leugen, die door niemand werd tegengesproken. Behalve door Schmitz. Toen hij werd gehoord, verklaarde hij met veel nadruk dat bij een onderzoek van de SD en de SIPO was vastgesteld dat de draad doorgeknipt was, zodat er sabotage in het spel was. Ter vergelding had hij opdracht gegeven mensen te fusilleren zonder dat ze veroordeeld waren.

Toen werd mr. Van Vollenhoven wakker. De president van de Bijzondere Strafkamer merkte op dat verdachte niet eens de moeite had genomen de onderweg opgepakte mannen te verhoren. 'Het is verschrikkelijk. Duitsland zou hier *Kultur* brengen en het resultaat was: armoede, kapotte steden en kinderen zonder ouders.'

Ik wil de president van de rechtbank postuum niet al te zeer de oren wassen, maar dit is stuitend. Van Vollenhoven had vragen moeten stellen, vragen en nog eens vragen, in plaats van zich in dit soort stompzinnigheden te verliezen. Wie repte er na Auschwitz, Treblinka, Sobibór en Dachau nog over Duitsland als *Kulturbringer*? Dat alles was in januari 1950 toch volslagen achterhaald.

Als Van Vollenhoven had doorgevraagd, zou naar voren zijn gekomen dat Schmitz een jongen van nog geen negen jaar had laten toekijken hoe hij en twee onderofficieren de zeven geëxecuteerden het genadeschot gaven. Dan zou de president van de rechtbank zijn mond over *Kultur* hebben gehouden en Schmitz van oorlogsmisdaden hebben beticht, wat de luitenant een dubbel zo zware straf zou hebben opgeleverd.

De enige vraag die Van Vollenhoven uiteindelijk aan Schmitz

stelde was: 'Gelooft u dat u het recht had deze mensen zonder enig vonnis dood te schieten?'

Schmitz antwoordde in een zacht, bedremmeld maar correct Nederlands: 'In de huidige omstandigheden niet.'

Hij deed vervolgens nog een zwakke poging zich op het *Befehl ist Befehl* te beroepen. De officier van justitie, mr. W.H. van Doorn, wees hem er toen koeltjes op dat het bevel van tien personen sprak, terwijl er maar zeven waren vermoord. En vroeg terecht sarcastisch: 'Hoe komt het dat u daarmee geen last heeft gekregen?'

Het antwoord deed de verslaggever van *De Rotterdammer* uit zijn vel springen.

'Toen klonken de woorden van deze Duitser door de rechtszaal, alsof hij sprak over een aantal kippen waarnaar de poelier een greep doet in het hok.'

Schmitz zei dat hij 'er niet bij na had gedacht'.

De verslaggever: 'Niet bij nagedacht! Hoe is het mogelijk? Of hij zeven of tien mensen vermoordde bleef voor deze Duitser gelijk. En het bevel, hoe was hij aan het bevel gekomen? Het moet een briefje geweest zijn, waarvan S. de ondertekening niet kon lezen. Hij wist dus niet eens of dit 'document' wel echt was. Het interesseerde hem wellicht ook niet. Vóór de fusillade is er geen vonnis voorgelezen. Het was er niet. Men had namelijk niet eens de moeite genomen een behoorlijk verhoor af te nemen. Vreselijk, afschuwelijk was dit alles!'

De advocaat van Schmitz voerde aan dat men in de verdachte *der kleine Angestellte* moest zien die het ongeluk had gehad officier te worden. Ook weer een onzinargument: voor Schmitz zelf was dat helemaal geen ongeluk. Zelfs vier jaar na de oorlog was hij er nog apetrots op.

De officier van justitie hoonde dat weg als klinkklare nonsens. Als Schmitz een *Angestellte* was, had hij zich als een ambtenaar aan de regels moeten houden. Hij eiste twintig jaar gevangenisstraf, exact het aantal dat Wölk had gekregen.

Schmitz werd op 8 februari 1950 veroordeeld tot veertien jaar. Met aftrek van het voorarrest zou hij tot oktober 1963 moeten zitten.

Voor de rechtbank was het niet van belang of matroos Lange al dan niet bij een sabotageactie om het leven was gekomen. Of er enige grond was voor een represailleactie, toetste de rechtbank niet. Wat Schmitz zwaar werd aangerekend was dat hij ter vergelding zeven mannen voor het vuurpeloton had gezet die niet bij rechterlijke uitspraak ter dood waren veroordeeld. De executies die hij had gelast en het in brand steken van de woningen van de slachtoffers waren geen door het Volkenrecht geoorloofde maatregelen. Zij waren strafbaar voor het Nederlandse recht en werden evenmin toegestaan door de desbetreffende paragrafen in het Duitse *Militär Strafgesetzbuch* van 1872, die de nazi's opnieuw hadden afgekondigd in het *Reichsgesetzblatt* van 1940.

De rechter rekende Schmitz vooral zwaar aan dat hij Jacques Pijnacker en Mart Robbemond 'niet had verhoord en dat hij geen onderzoek had gedaan naar hun betrokkenheid bij het gebeurde. Dat maakte zijn schuld tot een zeer ernstige.'

Voor de rechters had hij een 'ware terreuractie' uitgevoerd tegen de bewoners van het buurtschap Het Sluisje. Op een 'meedogenloze wijze' was hij tot vergelding overgegaan. Voor zijn 'afschuwelijke daden die vele gezinnen in rouw hadden gedompeld' droeg Schmitz 'de volle verantwoordelijkheid'.

Zo soft als het proces was, zo hard was het vonnis.

Ook al hield de rechtbank er rekening mee dat Schmitz krachtens zijn afkomst en positie in de burgermaatschappij wellicht niet bij machte was geweest de hem opgelegde verantwoordelijkheid als compagniecommandant ten volle te dragen. De rechtbank wilde zelfs laten meewegen dat Schmitz het zijn plicht achtte aldus te handelen, 'daarbij geleid door de verderfelijke Duitse leer omtrent de totale oorlog', wat weer rare taal is van de rechter. Maar zijn daden waren 'dermate ernstig dat hij zijn straf dubbel en dwars' verdiende.

Schmitz werd overgebracht naar de strafgevangenis Nieuw Vosseveld in Vught. Hij tekende geen hoger beroep aan. Wel diende hij een jaar later zijn eerste gratieverzoek in. Het werd afgewezen. In november 1952 werd hij overgebracht naar de strafgevangenis in Breda. In 1954 volgde een nieuw gratieverzoek, ditmaal ingediend door de bisschop van de Evangelische Kirche in Rijnland Pfalz. De verslechterende gezondheidstoestand van Schmitz vormde de directe aanleiding. Het verzoek werd opnieuw afgewezen, met als douceurtje 270 dagen strafkwijtschelding. Schmitz zou nu in januari 1963 vrijkomen.

In 1955 volgde een nieuw gratieverzoek, halverwege dat jaar werd Schmitz opgenomen in de ziekenafdeling van de Centrale Penitentiaire Inrichting in Den Haag.

Toen hij een paar weken later weer achter de Bredase tralies zat, vroeg de gevangenisdirecteur om vervroegde invrijheidstelling. Meneer Schmitz had zich volgens hem uitstekend gedragen. In de gevangenisgemeenschap was hij een nogal stille figuur, hij had kennelijk geen enkele behoefte – en miste vermoedelijk ook de kracht – om op de voorgrond te treden. Een persoonlijk contact stelde hij echter bijzonder op prijs en hij ontpopte zich dan als een gemoedelijke prater. Aan wie dat horen wilde, vertelde hij dat hij in oorlogstijd officier van de Kriegsmarine was geweest en toen gedaan had wat hij als goed soldaat te doen had. Lichamelijk was er van de martiale officier weinig over, hij was kort en gezet, liep enigszins gebogen en kon zich moeilijk voortbewegen; hij was sinds lange tijd onder doktershanden en voor een behandeling was hij tijdelijk naar Den Haag overgeplaatst. Ondanks zijn ziekte was hij vrijwel altijd goedgehumeurd, liet de moed niet gauw zakken en probeerde zelfs anderen te helpen bij het accepteren van hun situatie. Het personeel had in het geheel geen last van hem, zijn houding was steeds correct geweest. Hij was in de gevangenis tewerkgesteld op de kleermakerij, waar hij ondanks zijn stramme ledematen tot tevredenheid van zijn werkmeester werkte, 'niet zozeer vanwege zijn hoge prestaties, dan wel vanwege zijn goedwillendheid'. De gevangenisdirecteur had, kortom, geen kind aan hem.

De geneeskundig inspecteur bij het ministerie van Justitie vond Schmitz een er voor zijn leeftijd oud uitziende man. In de laatste maand van 1955 constateerde hij een achteruitgang van zijn gezondheidstoestand. Zowel het spreken als het lopen ging moeilijker.

Op grond van deze bevindingen gaf de Bijzondere Kamer van de Rotterdamse rechtbank Hare Majesteit eerbiedig in overweging de gevangenisstraf van Karl Schmitz terug te brengen tot elf jaar. Maar de minister van Justitie, de socialist Donker in het tweede kabinet-Drees, kon zich niet met het rechterlijke advies verenigen. Hij zag geen enkele reden voor gratie.

Antonie Donker was een alom gerespecteerde jurist. Over de oorlog kon niemand hem nog veel wijs maken, hij was voorzitter geweest van de Parlementaire Enquêtecommissie die het regeringsbeleid over de periode 1940-1945 had onderzocht. Niettemin werd hij als minister van Justitie bekritiseerd omdat koningin Juliana in 1952 geweigerd had het doodvonnis van oorlogsmisdadiger Willy Lages te ondertekenen. Dat lag meer aan Hare Majesteit dan aan de minister; 1952 was ook het jaar dat zij haar pacifistische toespraak hield voor het Amerikaanse Congres. Bij Donker lag het onderwerp gratie aan oorlogsmisdadigers sindsdien gevoelig. Hij woonde in Rotterdam en had jaren in de Rotterdamse gemeenteraad gezeten. Ik denk dat hij goed op de hoogte was van wat er zich in oktober 1944 op de grens van Rotterdam en Rhoon had afgespeeld. Minister Donker peinsde er in ieder geval niet over om Schmitz vervroegd vrij te laten en ondertekende op 16 januari 1956 een afwijzende beschikking op het verzoekschrift om gratie.

In diezelfde maand werd Schmitz na een lichte hersenbloeding in een Haags ziekenhuis opgenomen. Op grond van het medisch onderzoek, dat elf dagen duurde, stuurde de directeur-generaal van het gevangeniswezen een alarmerend rapport naar de minister van Justitie. Dat was toen niet meer Antonie Donker: de minister, een van de jongste leden van het kabinet, was op 4 februari onverwacht overleden.

Elf dagen later zou zijn opvolger worden benoemd, de vooraanstaande rechtsgeleerde Julius van Oven, die vierendertig jaar hoogleraar Romeins recht was geweest. In de tussentijd nam de minister van Binnenlandse Zaken de verantwoordelijkheid over justitie. Dat was niemand minder dan de katholieke leider, de voormalige minister-president en *elder statesman* dr. Louis J.M. Beel.

Volgens de directeur-generaal van het gevangeniswezen kon zich bij Schmitz elk ogenblik een nieuwe hersenbloeding voordoen, met dodelijke afloop. Het overlijden in gevangenschap zou 'bijzonder onaangename repercussies van Duitse zijde te weeg brengen'. De directeur stelde niet alleen gratieverlening voor maar, omdat daar enige tijd mee gemoeid was, ook schorsing der executie van de gevangenisstraf en transport naar Duitsland. Hij raadde aan om via het ministerie van Buitenlandse Zaken de Duitse ambassade op de hoogte te stellen.

Als Schmitz niet snel zou worden vrijgelaten, dreigde een diplomatieke rel en onenigheid met de Duitse buur, terwijl de door Konrad Adenauer geleide Bondsrepubliek volop bezig was om samen met Frankrijk, Italië en de Benelux de Europese Economische Gemeenschap van de grond te krijgen.

Minister Beel liet het staatsbelang prevaleren en zijn opvolger nam het advies over. Nog geen week nadat het rapport van de directeur-generaal van het gevangeniswezen verzonden was, werd Karl Schmitz op 23 februari 1956 bij Koninklijk Besluit gratie verleend en kwijtschelding van het nog niet vervulde gedeelte van zijn straf. Van de veertien jaren had hij er nog geen zeven uitgezeten.

Karl Schmitz werd naar Duitsland overgebracht. Zes dagen later kwam hij met een vrachtwagen, die door het Rode Kruis in

Bonn ter beschikking was gesteld, in Breyell aan.

Zijn kinderen bereidden hem op die zaterdagmiddag een bijzonder hartelijke ontvangst. 's Avonds haastte de verslaggever van het *Dagblad voor Noord-Limburg* zich naar Breyell en posteerde zich voor het ziekenhuis.

Op zondagmorgen kreeg Schmitz bezoek van talrijke vrienden en bekenden. Door een beroerte, wisten zij te melden, was hij bijna volledig verlamd. De loco-burgemeester van Breyell, Johann Dondit, heette de oorlogsveteraan namens het gemeentebestuur welkom. Bij hem sloten zich vertegenwoordigers van de plaatselijke EHBO-vereniging en de voorzitter van de Westfaalse afdeling van het Verband der Heimkehrer aan. Buiten, op het plein voor het ziekenhuis, bracht de plaatselijke harmonie een korte serenade.

Ik kan me de levenslange boosheid van de weduwe Marcelis voorstellen. Karl Schmitz leefde nog vijf jaar, tot 29 april 1961. Van de beroerte herstelde hij snel, hij kon weer aardig lopen en praten.

Hij was niet vrijgelaten omdat hij nog maar een paar weken te leven had maar omdat de Nederlandse regering geen diplomatiek schandaal met Duitsland wilde riskeren voor het geval een nieuwe beroerte hem zou treffen. Beter te voorzichtig dan te streng, moet het devies zijn geweest.

Hoe er in mijn dorp op de vroegtijdige vrijlating werd gereageerd, kon niemand me vertellen.

'Hij heeft niet lang gezeten, hè?' vroeg Berry Hersbach me, alsof ik zijn geheugen moest opfrissen.

Misschien was het grootmoedigheid van de voormalige verzetsstrijder, misschien ook een poging de nuchterheid te herwinnen en het pijnlijke hoofdstuk van de berechting af te sluiten.

Het nieuws van de vrijlating verscheen in de kortst mogelijke berichtjes onder aan de pagina in de *Nieuwe Rotterdamse Courant*, *De Rotterdammer* en *Het Vrije Volk*. De pers had evenmin trek in een schandaal – daarmee wachtten de dag- en weekbladen tot de vervroegde vrijlating van een andere oorlogsmisdadiger tien jaar later. Als gewezen hoofd van de SD in Amsterdam was Willy Lages van een ander kaliber dan Karl Schmitz, maar de kalender wees toen 1966, en dat heeft zeker ook een rol gespeeld. In 1956 kon een kleinere nazi-crimineel nog op enige clementie rekenen, de grote afrekening met het oorlogsdrama begon pas in de jaren zestig.

Mees Wagenmeester maakte voortaan zijn huiswerk bij ons thuis. Halverwege de jaren vijftig ging het niet goed met Mees op school. Mijn vader had hem voorgesteld dat hij iedere dag samen met mijn broer zijn huiswerk zou maken. Bij ons had hij het rustiger dan thuis.

Mijn vader zal gedacht hebben dat zijn huis te dicht bij Het Sluisje lag. Anders dan bij de rechters was het voor Mees wél van belang dat hij het verleden zou laten rusten.

VEERTIEN

De eerste keer dat ik op Het Sluisje kwam zag ik een verweerde fabriekspijp van donkerrode baksteen en een paar zwartgeblakerde muren die eenzaam overeind stonden in regen en wind. Ik weet niet meer wanneer dat was, ik herinner me alleen dat ik de pijp en de verkoolde resten van de vlasfabriek geheimzinniger vond dan een leegstaand gebouw met klapperende vensters en vleermuizen aan het plafond. Het woord 'desolaat' moest ik nog leren, anders had ik, toen ik mijn fiets neerzette en over het modderige pad naar beneden glibberde, onmiddellijk begrepen wat dat inhield.

Achter op het terrein stond een legergroene truck, na de bevrijding door de Canadezen achtergelaten, of voor een zacht prijsje op de kop getikt bij een schroothandelaar die grossierde in overtollig oorlogsmateriaal. Het kon een Jimmy van General Motors zijn geweest, waarvan er tijdens de Tweede Wereldoorlog een half miljoen in de Verenigde Staten waren gemaakt, of een Ford F60L, een drietonner die speciaal voor het Canadese leger was ontworpen. Open cabine. Van de twee voorruiten was de rechter gebroken. Stoelen, stuur, handrem en versnelling waren aan de elementen blootgesteld, net als de restanten van de vlasfabriek. Maar de motor bleek onverwoestbaar en deed het zoveel jaar na de oorlog nog even goed als op de dag voor D-day.

Mijn broer Bert maakte er een sport van om in die truck over het blubberige terrein te crossen, samen met zijn onafscheidelijke vriend Mees Wagenmeester. Van de oorlog wilden ze beiden niets meer weten, maar ze waren gek op motoren, zeker op zo'n zescilinder met kopkleppen, die het geluid van een bulldozer voortbracht. Het crossen was een verboden spel, ze hadden nog geen rijbewijs; niemand mocht ervan weten en ik ving er slechts een glimp van op.

Van de zwartgeblakerde muren dacht ik dat ze bij het drama uit de oorlog hoorden. De vlasfabriek moest door de Duitsers in brand zijn gestoken, net zoals dat met de huizen van de gijzelaars was gebeurd. De meesten van mijn klasgenoten op de lagere school geloofden dat, maar we haalden een paar gebeurtenissen door elkaar.

Inderdaad hadden de Duitsers op 11 oktober 1944 overwogen de fabriek in de as te leggen als onderdeel van de represaille. De bedrijfsleider en de procuratiehouder hadden hun echter duidelijk gemaakt dat het bedrijf bijna uitsluitend aan de Wehrmacht leverde. Aan het oostfront, hielden ze de moffen voor, konden uniformen van stevig warm linnen aardig van pas komen. Voor dat argument toonden Schmitz en Loos zich gevoelig. Ze lieten de vlasfabriek intact en stilden hun vernielzucht op het woonhuis van de directeur.

Jacques Pijnacker was op een week na vijfenveertig jaar toen hij voor het vuurpeloton stierf. Kort voor zijn dood had hij een levensverzekering afgesloten, maar aan zijn opvolging had hij nog niet willen denken. Zijn oudste zoon Anton was in september gaan studeren aan de Technische Hogeschool in Delft. Met zijn achttien jaren had Ton geen enkele interesse in de vlasfabriek: hij wilde civiel ingenieur worden en, belangrijker, van het studentenleven genieten. Dat bood in 1944 steeds minder vertier, maar was nog altijd een stuk opwindender dan de directeur uithangen in een muf kantoor dat aan de ene kant op de fabriekshal uitkeek en aan de andere kant op de Rijsdijk. Zijn vader had niet eens een secretaresse willen aanstellen, alleen een typiste voor halve dagen. Op aandringen van zijn moeder nam hij niettemin de leiding over, omdat zijn vader de fabriek in 1935 van zijn grootvader had overgenomen en het bedrijf de trots van de familie was.

Ton zal ook een morele verplichting tegenover procuratiehouder Van Wenselare hebben gevoeld, die de fabriek voor het dorp en de werknemers had weten te behouden. Zes weken later was Van Wenselare zo vriendelijk geweest de weduwe Marcelis naar de SD te vergezellen en had dat met zijn leven moeten bekopen.

Een geboren ondernemer bleek Ton niet te zijn. Na de oorlog kostte het hem de grootste moeite het bedrijf uit de rode cijfers te houden. Het synthetische nylongaren verdreef het linnen in hoog tempo van de markt.

De fabriek ging uiteindelijk toch in vlammen op. Eerst gedeeltelijk, in augustus 1945; toen in zijn geheel in 1952, op een moment dat economisch gezien niet ongelegen kwam. Dorpse roddeltongen beweerden dat de fabriek opzettelijk in brand was gestoken zodat de eigenaar nog een aardige cent aan schadevergoeding zou opstrijken van de verzekering. Zeker is dat Ton Pijnacker met dat geld en op het terrein van de vlasfabriek een nieuwe zaak kon opzetten, een kistenfabriek, die later naar Spijkenisse verhuisde. Die fabriek wist hij wel draaiende te houden, zij het zonder geestdrift.

Naarmate hij ouder werd, drukte de moord op zijn vader zwaarder op zijn gemoed. Ton Pijnacker werd een sombere, verbitterde man, van wie weinig initiatief meer uitging sinds hij door een hartinfarct was getroffen. Hij leed ook erg onder de geestelijke en fysieke teloorgang van zijn vrouw Carla, de tweede dochter van Wagenmeester. Door reuma kon ze zich nauwelijks meer voortbewegen en verging van de pijn. Met veel alcohol probeerde ze die enigszins te verzachten. Na het eerste hartinfarct van haar man stopte ze met drinken, maar beiden waren toen al geestelijk en fysiek een wrak.

Een jaar na het afbranden van de vlasfabriek trof een veel grotere ramp het dorp. In de nacht van 31 januari op 1 februari 1953 braken de dijken – zoals overal op de Zuid-Hollandse en Zeeuwse eilanden door de combinatie van springtij en een

noordwesterstorm met orkaankracht. In Rhoon kwamen uitgerekend de negenhonderd hectaren akkerland onder water te
staan die eerder door de Duitsers waren geïnundeerd. Het had
een dik jaar geduurd voor die polders droog waren bemalen en
opnieuw voor landbouw gebruikt konden worden. Op de vroege zondagmorgen van 1 februari liep het gehele Buitenland van
Rhoon weer onder water, en niet onder vijftig centimeter, zoals
in 1944 en 1945, maar onder anderhalf tot twee meter.

De zuidkant van het eiland IJsselmonde en de noordkant van
de Hoekse Waard veranderden tijdens de rampnacht in een kol-
kende binnenzee. Alleen al in Rhoon liepen veertig boerderijen
zware schade op en dobberden in meer dan honderd woningen
de meubels tegen het plafond.

Een vader en twee kinderen verdronken, in het buurdorp
Poortugaal lieten zes mensen het leven. Overal langs de Oude
Maas sloeg het water gaten van twintig, dertig, veertig meter in
de voor- en achterdijken. Het dichten van de dijken en het droog-
malen van het land vergde maanden, het herstel van de boerderij-
en en huizen jaren.

Na het vuur het water. De dorpelingen legden het uit als een
opeenvolging van Bijbelse plagen. Door de februariramp raakten de gebeurtenissen op Het Sluisje op de achtergrond. Toen ik
in Rhoon opgroeide, hoorde ik vaker over de barre uren die de
dorpelingen tijdens de watersnoodramp hadden doorstaan dan
over de executies. De gehele oorlog legde het tegen de watersnoodramp af, omdat de razernij door de natuur was ontketend
of, volgens sommigen, door een vertoornde God, in ieder geval
niet door mannen en vrouwen van vlees en bloed die foute keu-
zes hadden gemaakt of een heftige naijver hadden ontketend.

Ik kwam in mijn jeugd weinig op Het Sluisje; ik had er niets te
zoeken. De omgeving had de pracht verloren die ze eeuwenlang
had bezeten; er was geen polletje hei meer te zien, de knotwilgen
langs de sloten waren gekapt. Het brakke water in de boezem
rook als een afvalput, iets waarover de bewoners zich voor de

oorlog trouwens al beklaagden. De huizen en boerderijen raakten verveloos en verslonsd; het café, de kruidenierswinkel en de bakkerij op de hoek van de Groene Kruisweg waren gesloten.

Dat de zwartgeblakerde muren van de vlasfabriek overeind waren blijven staan, was het zichtbare teken dat geen enkel bedrijf of gemeentelijke instantie zich nog voor de buurtschap interesseerde. Het genot van schaatsen op de Koedood was ook voorbij; het riviertje, dat in zwierige bochten door het landschap meanderde, was afgedamd. Het water verdween sindsdien via een ondergrondse pijp in de Nieuwe Maas.

Niemand protesteerde toen Het Sluisje in 1971 van de kaart werd geveegd voor de aanleg van de A15. Alle woningen werden afgebroken, alle akkers en weilanden aan de autosnelweg opgeofferd. Het leek opzet: alsof niets meer aan het Sluisje mocht herinneren.

De gehele buurt verdween onder metersdik opgespoten zand en onder een brede laag asfalt. Eerst onder vier rijstroken asfalt. Toen, in 1975, onder zes. Uiteindelijk onder tien banen, waarover ieder etmaal meer dan honderdduizend voertuigen denderen.

Op de hoek van de Rijsdijk en de Groene Kruisweg, waar de familie Wagenmeester na de oorlog onderdak had gevonden in het witte huis met het mansardedak, verrees een Wegenwachtstation van de ANWB. De boerderij van Aalbert de Kooning ging tegen de vlakte, de machinekamer van het gemaal sneuvelde onder de slopershamer. Het huis waar Dirkje de Ruyter haar Duitsers had vermaakt werd afgebroken, net zoals het huis van Kees en Gertie Blekemolen en de dijkwoning van de familie De Regt, waar Dien, Sandrien en Tobi tot in de jaren vijftig op zolder hadden geslapen.

Zelfs het monument voor de gevallenen moest verdwijnen. De gemeente Rotterdam wilde het een plek geven aan het Parmentierplein tussen de bedrijven aan de Waalhaven; dat viel verkeerd in Rhoon. Op aandringen van enkele prominenten uit het verzet werd het in 1971 overgeplaatst naar de Algemene Begraafplaats achter de Nederlands Hervormde Kerk in Rhoon.

Aan de tekst 'Voor hen die vielen' werd een regel toegevoegd: 'Opdat wij hen niet vergeten!'

Dat het monument uiteindelijk in Rhoon terechtkwam en niet in Rotterdam, vonden de dorpelingen een rechtvaardige zaak. Dat het een mooie plaats kreeg bij de ingang van de begraafplaats vonden ze ook een juiste beslissing. Maar voor oud-verzetsman Wout Wachtman lag het daar weggedrukt. Weggedrukt, uit het zicht, terwijl het monument, hoe eenvoudig het ook was, een centrale plaats in het dorp behoorde in te nemen.

In 1975 tekende Wachtman voor het eerst protest aan in een emotioneel betoog dat in de *Nieuwsbrief De Band voor het Voormalig Verzet Zuid-Holland* moest verschijnen. Het artikel werd zonder opgaaf van reden door de redactie geweigerd. In 1977 verscheen een aangepaste versie van het verhaal in nummer 68 van de *Nieuwsbrief*, ondertekend door 'Victor', de verzetsnaam van pater dominicaan Nic. Apeldoorn, een van de voormalige kopstukken van de LO in Rotterdam. In een soort tweegesprek met Wachtman stelt hij dat het kruis te onopvallend, 'te vergeten', op de begraafplaats staat, en een betere plek verdient.

In de volgende *Nieuwsbrief* wijst Wout Wachtman het gazon tegenover het nieuwe raadhuis als de beste plaats aan voor het monument. Hij werkt het plan verder uit in een verzoekschrift aan het college van B en W. Dat wordt het begin van een eigenaardige donquichotterie.

Burgemeesters komen, burgemeesters gaan. Rhoon en Poortugaal worden samengevoegd tot de gemeente Albrandswaard; de gemeenteraad verandert van samenstelling en wordt van zwaar christelijk overwegend liberaal. Nieuwe en steeds jongere wethouders treden aan, en Wout Wachtman blijft brieven versturen of verzoekschriften opstellen om het monument een opvallender plaats te geven, zodat de komende generaties zich de gevallenen van Het Sluisje zullen blijven herinneren.

Tot aan zijn dood in 2008 deed Wout dat zo obstinaat dat ik me begon af te vragen waarom dat witte houten kruis hem op den duur hartklachten en ademnood bezorgde.

Na Job de Kooning, na Kees Blekemolen, na misschien toch vader Wagenmeester, wees ik tijdens mijn reconstructie de *lone wolf* Wout Wachtman aan als de jongeman die mogelijk de hoogspanningskabel bij de vlasfabriek naar beneden had getrokken, zonder daar echt in te geloven. Maar door zijn naoorlogs gedrag besloot ik zijn turbulente oorlogsjaren nog eens onder de loep te nemen en stuitte in een van de dossiers op een ogenschijnlijk onbeduidend feit dat ik sindsdien zeker honderd keer heb teruggezien, als de sleutelscène in een film.

Job de Kooning en Kees Blekemolen maakten zich na de oorlog onzichtbaar. Wout Wachtman deed het tegendeel: hij liet zich voortdurend zien en horen. Hij hoefde zich natuurlijk nergens voor te schamen; hij was een onbetwiste verzetsheld, onderscheiden met de Bronzen Leeuw en nog een zwik lintjes. Hij had meegewerkt aan de televisiedocumentaire over het tot zinken brengen van de Westerdam, die de NCRV in 1962 uitzond, toen Nederland nog maar één televisienet had en miljoenen mensen naar zo'n uitzending keken. Wout speelde een voorname rol in reportages en verhalen die in regionale en landelijke dagbladen over het gewapend verzet verschenen. Op die artikelen reageerde hij vaak weer met lange ingezonden brieven omdat een enkel detail vergeten was of een jonge held over het hoofd was gezien, wiens daden toch van doorslaggevend belang waren geweest. Wout Wachtman had een sterk rechtvaardigheidsgevoel en was overal present waar het oorlogsverleden van Rotterdam, Rhoon, Poortugaal, Hoogvliet, Heijplaat, Pernis of Schiedam ter sprake kwam. Hij was er ook diep van overtuigd dat het verzet te vaak de zwartepiet kreeg toegespeeld.

Wout begon als eerste aan een reconstructie van de gebeurtenissen op Het Sluisje door, heel modern, interviews te maken met ooggetuigen en direct betrokkenen. Hoewel hij die beschrijving niet afmaakte, kwam hij tot de conclusie dat er 'voorzeker' sabotage in het spel was geweest en dat de dader iemand uit de kringen van het verzet moet zijn geweest die niet in Rhoon was geboren maar vermoedelijk uit Rotterdam kwam en die slechts gedurende een korte periode vanuit Rhoon had geopereerd. Iemand die niet namens een organisatie of een knokploeg handelde maar als individu, die misschien wel lid was van zo'n knokploeg maar in dit geval in z'n eentje opereerde omdat hij zich gek ergerde aan het morele verval. Iemand die zowel de moffen wilde afstraffen als de Hollandse meiden die zich met de moffen vermaakten. Iemand die het recht in eigen hand nam om nobele, christelijke, vaderlandslievende redenen. Iemand die...

... verdacht veel op hemzelf leek, op Wout Wachtman, geboren in Puttershoek, opgegroeid in Heinenoord aan de overkant van de Oude Maas, op zijn zestiende naar Rhoon gekomen waar hij met zijn ouders een huisje aan de Nieuweweg betrok, en volwassen geworden tijdens de honderd en één acties die hij voor het verzet had ondernomen.

Als jongeman moet Wout Wachtman al over ongelooflijk veel durf hebben beschikt. Hij zwom niet alleen de Oude Maas over, hij zwom onder zeeschepen door.

Alleen al de gedachte doet me naar adem happen. Op mijn zestiende jaar zwom ik een keer de Oude Maas over en haalde de overkant nét. Niet door de afstand (nog geen vierhonderd meter) maar door de sterke stroom, veroorzaakt door de getijdenwerking. Zeker bij eb raasde het rivierwater zo snel in de richting van de zee dat het je meesleurde. Je kon de rivier dan ook alleen diagonaal overzwemmen en bereikte soms kilometers verderop de overkant. Als je dan ook nog eens onder een kustvaarder door dook, die toch minstens een meter of vier het water in stak, moest je minuten onder water blijven en de long-inhoud van een parelvisser hebben.

Wout deed het. In 1944 deed hij het weer, als lid van de Haven Sabotageploeg. Bij de werf Wilton Fijenoord zwom hij op 6 oktober onder de Hansa en onder de Schönfeld en bracht op de romp springladingen aan. Hij zwom in ijskoud water, met een dikke laag vet op handen, armen, benen, wangen en hals, wat de enige manier was om onderkoeling te voorkomen. Tijdens een lange diepe duik plakte hij kleefmijnen op de scheepshuid.

Wout was niet bij het verzet gegaan toen de Duitsers de oorlog zienderogen aan het verliezen waren. Op de gereformeerde jongelingsvereniging hield hij in de jaren dertig al lange tirades tegen het nazisme, vooral uit weerzin tegen het duivelse, goddeloze karakter van Hitlers beweging. In 1939 werd hij elektrisch · lasser bij de Rotterdamse Droogdok Maatschappij. Vanwege de ravage op de werf en de verwarring die na het bombardement in Rotterdam heerste, werd Wout net als alle werknemers in mei 1940 op non-actief gesteld. Op 8 augustus kon hij weer aan het werk. Twee dagen later nam hij ontslag omdat hij weigerde lichters tot landingsvaartuigen om te bouwen waarmee de Kriegsmarine in Engeland aan wal hoopte te gaan. Hij stond erop dat die ontslagreden zwart-op-wit werd vastgelegd in de personeelsadministratie van de RDM. In die periode droeg Wout de financiële zorg voor zijn moeder, zijn broer en zijn zuster – zijn vader was in 1939 overleden. Een echte gereformeerde stijfkop: principes wogen zwaarder dan een vast inkomen. Ofschoon zijn broer Leen, die even gereformeerd was als hij, en even principieel, de hele oorlog een heilig ontzag bleef koesteren voor de door God boven ons gestelde overheid. Leen Wachtman was in staat de door Wout in huis gehaalde onderduikers te verraden als de autoriteiten daarop aandrongen – tegen de overheid mocht je niet liegen. Tot aan de bevrijding vormde Leen een reëel gevaar voor Wout en zijn kameraden.

In 1941 vond Wout werk bij een andere scheepswerf, die hem

vanaf 1943 vrijstelde voor zijn verzetsactiviteiten. Hij kreeg van de Schiedamse werf Wilton-Fijenoord een vast inkomen terwijl hij dag en nacht in de weer was voor het verzet. Ik heb nooit geweten dat bedrijven zulke risico's durfden te nemen tegenover de bezetter. Dankzij de bedrijfspas kon hij zich ook vrij gemakkelijk toegang verschaffen tot de andere scheepswerven in de regio. Hij zei dan dat hij namens Wilton-Fijenoord een klus moest opknappen. De Duitse bewakers geloofden hem in alle gevallen zonder de geringste argwaan.

Wout ging al in het verzet toen de meeste vaderlanders nog in het woordenboek moesten opzoeken wat illegaliteit precies betekende. Op de tweede oorlogsdag, toen honderden Duitse parachutisten in de Rhoonse polders neerdaalden, trok hij het uniform van een uit de lucht geschoten ss'er aan, stapte in dat met bloed besmeurde uniform op Duitse militairen af en vorderde hun fiets. Die fietsen gaf hij vervolgens terug aan dorpelingen die 'm aan de Duitsers waren kwijtgeraakt. Ook later in de oorlog zou Wout met bravoure politieagent spelen, en voor dat doel hield hij altijd twee tot drie Duitse uniformen in de schuur verborgen.

Naar het schijnt trad hij in juni 1940 tot de allereerste verzetsgroep De Geuzen toe. Hij heeft dat nooit met enig document kunnen staven, naar eigen zeggen omdat het veel te link was om als lid van De Geuzen ingeschreven te staan. De vanuit Schiedam, Vlaardingen en Maassluis opererende groep werd in 1941 opgerold, en inderdaad: op grond van namen op een lijst.

In 1943 werd hij lid van de Rhoonse afdeling van de LO en kreeg de taak om samen met Bas Jongbloed een knokploeg op poten te zetten. Omdat Wout een harde was die niet terugdeinsde voor gewapende overvallen en liquidaties, werd hij aan de Knokploeg Rotterdam-Zuid uitgeleend, die in de zomer van 1944 zware verliezen had geleden door verraad en arrestaties. De knokploeg stond hem vervolgens af aan de eliteploeg van het Rotterdamse verzet: de Haven Sabotageploeg.

De Duitsers wilden de Nieuwe Waterweg volledig afsluiten door een groot aantal schepen tot zinken te brengen. Met een lengte van 158 meter was de Westerdam een knoert van een obstakel dat de toegang tot de Rotterdamse havens grotendeels onmogelijk zou maken voor geallieerde schepen. Want daar was het de Duitsers om te doen: de Rotterdamse havens onbruikbaar maken voor de aanvoer van geallieerde troepen en materieel.

De Westerdam, een vrachtschip met passagiersaccommodatie waarvan de kiel in 1939 was gelegd, was nog niet afgebouwd toen de oorlog uitbrak. Van de werf Wilton-Fijenoord hadden de Duitsers het voor driekwart voltooide schip naar de Wilhelminakade gesleept en een paar maanden later naar de Merwedehaven nabij de Rotterdamse Droogdok Maatschappij. In 1944 wilden ze het schip in de Nieuwe Waterweg tegenover Maassluis afzinken. Het dringende verzoek van de geallieerden om dat plan te verijdelen kwam van de allerhoogste militaire chef, generaal Dwight Eisenhower. Hij stuurde een paar telegrammen naar de leider van de sabotageploeg Piet Rouvoet.

De eerste poging mislukte in september 1944. Vier leden van de sabotageploeg, onder wie Wout Wachtman, zwommen vanaf het huisje van de Volksbond tegen Drankmisbruik de Merwedehaven in, klampten zich aan het schip vast en draaiden de buitenboordafsluiters open. De ruimen liepen vol, maar het schip zonk slechts gedeeltelijk weg. Het kon eenvoudigweg weer leeggepompt worden.

De geallieerden overwogen het schip toen vanuit de lucht te bombarderen, maar naast de RDM lag een elektriciteitscentrale die absoluut moest blijven functioneren. De kans op een vergissing was groot; het bombarderen leverde bovendien te veel gevaar op voor de omwonenden.

Aan de tweede poging deden vijf mannen van de Haven Sabotageploeg mee, onder wie Bas Jongbloed en Wout Wachtman. Omdat méér mensen alleen maar méér fouten zouden maken, opereerde de ploeg altijd in een zo klein mogelijke samenstelling.

Ook de tweede poging mislukte. Aan de derde poging, op 23 december 1944, deden maar vier mannen mee, onder wie opnieuw Bas en Wout. De ene kano sloeg om, de andere maakte algauw water en zonk – de mannen moesten terugzwemmen in het ijskoude water.

Tijdens de vierde poging wisten vier mannen in de roeiboot onder de zoeklichten door te varen. Vanaf de wal werd het schip dag en nacht bewaakt door de Kriegsmarine en Wasserschutzpolizei. De Duitsers hadden ook netten in het water gehangen, maar de sabotageploeg wist een gaatje te vinden.

'Magere Jan' bracht de vijf kleefmijnen op de scheepshuid van de Westerdam aan. De *limpets* had Wout Wachtman wekenlang thuis onder de vloer van de huiskamer bewaard. In het ontstekingsmechanisme zat een klokje dat tot op vijf uur na het aanbrengen van de mijnen kon worden afgesteld.

De kleefmijnen veroorzaakten een daverende explosie die de Westerdam vrijwel direct naar de bodem van de haven joeg. De volgende dag kwam een felicitatietelegram binnen bij het hoofdkwartier van de LKP Rotterdam. 'Sincerest congratulations on a very fine bit of work. We are proud of you. Prince Bernhard.'

De enige spijt van Wout Wachtman was dat hij in de nacht van 17 op 18 januari 1945 niet bij de uitvoerende ploeg was ingedeeld die de Westerdam definitief tot zinken bracht. Bij de Haven Sabotageploeg verliep iedere actie in drie etappes: informatie verwerven, voorbereidende maatregelen treffen, uitvoeren. Voor iedere etappe werd een groepje van vier ingeschakeld. Om het risico te spreiden veranderde bij elke actie de samenstelling van de groep.

Voor de actie van 17 op 18 januari legde Wout Wachtman met nog drie mannen de spullen klaar. Dat heeft hem zijn hele verdere leven dwarsgezeten, hoewel hij monter bleef volhouden dat de voorbereiding even gevaarlijk was als de uitvoering en dat zonder een goed voorwerk geen enkele actie kans van slagen had.

Voor iemand die schepen van tienduizend ton naar de bodem wist te jagen, zou het neerhalen van een elektrische kabel bij de vlasfabriek op Het Sluisje een peulenschil zijn. Volgens een deskundige van het Rotterdamse elektriciteitsbedrijf had je er maar drie dingen voor nodig: een houten riek of een houten trekhaak, rubberen laarzen of schoenen met dikke rubberen zolen, en droog weer. De vraag was alleen of je het moreel aandurfde.

Als lid van de Knokploeg Rotterdam-Zuid en de Haven Sabotageploeg kende Wout Wachtman het risico van represailles. Of negeerde hij dat?

Twee dagen na de vergeldingsactie op Het Sluisje liet het hoofdkwartier van de Landelijke Knokploeg Rotterdam een instructie uitgaan dat het neerschieten van provocateurs of personen die in relatie stonden met leden van de Duitse Wehrmacht, niet meer mocht geschieden 'zonder een voorafgaande schriftelijke c.q. getypte opdracht van het hoofdkwartier'. Gevallen die voor liquidatie in aanmerking kwamen, moesten voortaan door de inlichtingendienst van de LKP worden onderzocht. Een Commissie van Vijf – twee leden van de inlichtingendienst en drie van het hoofdkwartier – nam vervolgens de beslissing.

Die maatregel kwam niet uit de lucht vallen. Te veel en te vaak vonden lukrake afrekeningen plaats door wilde knokploegen of individueel opererende verzetsstrijders. De scheidslijnen tussen illegaliteit, persoonlijke afrekening, economisch delict en criminaliteit vervaagden.

In een verklaring, afgelegd tijdens de 360ste Vergadering der Commissie Militaire Onderscheidingen op 9 maart 1950, stelde Fred Schilder, die van 19 september 1944 tot 8 augustus 1945 de leiding had van de Knokploeg Rotterdam-Zuid, nadrukkelijk vast dat Wout Wachtman 'een flinke en zeer koelbloedige kerel' was. Nergens bang voor; zelfs onder de gevaarlijkste omstandigheden was hij uiterst kalm gebleven. Terwijl hij bij het sabotagewerk aan de drijvende bok Titan over het dek sloop, viel bij het bukken zijn pistool uit de schouderholster. Het raakte beschadigd. Een ander zou schrikken, maar hij repareerde het pistool en ging kalm verder. Hij hield zijn hersenen altijd goed bij elkaar. Als sabotagemateriaal op een scheepswerf was blijven liggen, haalde hij dat nog snel even op voor de kleefmijnen ontploften. Maar hij 'was nogal heetgebakerd'. Fred Schilder beëindigde zijn verklaring met: 'Ik heb in de oorlog altijd gezegd dat het eerder een kunst is niet te schieten dan wel te schieten. Wachtman schoot echter liever wel dan niet.'

De leider van de Haven Sabotageploeg, Piet Rouvoet, legde in 1950 een soortgelijke verklaring af voor de 360ste vergadering der Commissie Militaire Onderscheidingen. Wachtman was een moedige kerel. 'Maar hij dacht nooit door bij wat hij deed. Hij heeft dan ook wel eens ondoordachte dingen voor de LKP gedaan. Hij had leiding nodig.'

Uit de verschillende rapportages blijkt dat de leden van de knokploegen jong waren, niet veel opleiding hadden genoten en de reikwijdte van hun daden nauwelijks konden overzien. Van de Haven Sabotageploeg was Fred Schilder meubelmaker, Bas Jongbloed tuindersknecht, Clemens Nooteboom controleur van de Ziektewet en de leider, Piet Rouvoet, opzichter bij de dienst Gemeentewerken in Rotterdam. Het oudste lid van de groep was nog geen dertig en werd gekscherend 'de diplomaat' genoemd. Zo rond de dertig werd je voorzichtiger.

Wout Wachtman had de acht klassen van de uitgebreide lagere school gevolgd. Op zijn veertiende was hij bij een herenboer in Heinenoord gaan werken. Later had hij nog een bedrijfsopleiding tot lasser genoten. Alles wat hij leerde in zijn leven, leerde hij in de praktijk.

Die lessen waren overigens lang niet slecht. Eerlijkheid loonde, leerde hij. Blankenburgh, de herenboer in Heinenoord, wilde nagaan of zijn jongste knecht te vertrouwen was: hij legde een biljet van vijfentwintig gulden op de trap en zond de jongen voor een boodschap de boerderij in. Een knecht verdiende in de jaren dertig twaalf gulden in de maand, het was een fors bedrag dat op de middelste trede van de trap lag. Wout Wachtman liet het geeltje liggen.

In de boerderij woonden vier ongetrouwde broers en twee ongetrouwde zusters. Bij hun overlijden ontving Wout Wachtman tot driemaal toe een legaat. Die vijfentwintig gulden betaalde zich nadien dubbel en dwars uit.

De jongens van de knokploegen moesten beslissingen nemen waar ze nog lang niet het levensinzicht en de levenservaring voor hadden. Alle opgekropte angst en twijfel kwamen bij Bas Jongbloed na de oorlog naar buiten. Hij kon niet meer slapen, niet meer werken, raakte overspannen, chronisch ziek en overleed op tweeënveertigjarige leeftijd aan een hartkwaal.

Ook Wout Wachtman werd afgekeurd en vroegtijdig met pensioen gestuurd.

Rouvoet, de leider van de Haven Sabotageploeg, begon tijdens de oorlog al aan angstpsychosen te lijden. Iedere keer wanneer gevaar dreigde, begon hij luid te hikken.

Rouvoet had gelijk: Wachtman had leiding nodig, zoals de meeste leden van de knokploegen, die té jong té veel te verstouwen kregen. 'Bolle Piet', zoals zijn verzetsnaam luidde, voegde er wel onmiddellijk aan toe dat Wachtman degene was geweest die 'het meeste gedaan had bij onze sabotage'. Hij was de dapperste van de mannen, de snelste, de sterkste, de handigste.

Wout Wachtman wilde met iedere actie aantonen dat hij ten onrechte voor militaire dienst was afgekeurd omdat hij te klein van stuk was. Na de oorlog werd hij trouwens weer afgekeurd, voor de Militaire Politie, en opnieuw omdat hij qua lengte één tot twee centimeter tekortkwam.

Een kleine opdonder met een reusachtige geldingsdrang. Op 10 oktober 1944 was hij in Rhoon. Die avond brachten leden van de Haven Sabotageploeg op een werf in Rotterdam-IJsselmonde acht lichters tot zinken die bestemd waren voor Duitse troepentransporten. Wout Wachtman liet nadrukkelijk opteke-

354

nen dat hij niet aan die actie had deelgenomen omdat hij zijn rouwbeklag moest betuigen aan de opa van zijn verloofde.

Voor spertijd liep hij via de Reedijk en de Rijsdijk naar huis terug. Kwam hij toen vlak voor het huis van Dirkje de Ruyter het vrolijke gezelschap tegen? Walter Loos met de arm om Dien de Regt geslagen? Ernst Friedrich Lange met de arm om Sandrien de Regt? En een zingende Heinz Willems?

Als één soort mensen Wout het bloed onder de nagels vandaan trok, dan was het de vaderlander die met de bezetter aanpapte. Die gasten – man, vrouw, meisje, maakte niet uit – kon hij over de kling jagen.

Trok hij even verderop, bij de vlasfabriek, op die rustige kalme herfstavond, de elektrische hoogspanningskabel naar beneden, wetende dat het vijftal later op de avond precies hetzelfde traject in omgekeerde richting zou afleggen, maar dan in het stikdonker?

Vlak bij huis was Wout al eens eerder uit zijn slof geschoten. Ik kwam dat tegen in een proces-verbaal van de Politieke Opsporingsdienst, kort na de bevrijding opgemaakt. Aanvankelijk vond ik het weinig meer dan een dorps relletje, ofschoon het aantoonde dat de verhoudingen tussen de NSB'ers en het gros der dorpelingen veel grimmiger waren dan mannen als Jan Krijn Jabaaij het na de oorlog deden voorkomen. Bij nader inzien hechtte ik er meer waarde aan omdat het veel over Wout vertelde.

In de zomer van 1943 ondervond Wachtman regelmatig hinder van een zekere mejuffouw Van Avermaete uit Rhoon. Ze was lid van de NSB en van de Jeugdstorm. Op weg naar het dorp kwam hij haar op een namiddag tegen met een stuk karton in de hand waarop geschreven was: HOUZEE MET MUSSERT. Toen Wout haar passeerde, hield ze hem dat stuk karton voor het gezicht en zei: 'Kan het zo, mijnheer?'

Het klinkt als amateurtoneel, maar ik citeer hier letterlijk uit de opgetekende verklaring. Wout dook onder het karton door en vervolgde zijn weg. Een paar dagen later kwam hij juffrouw Van Avermaete weer tegen op de fiets en lachte ze hem op een ergerlijke wijze uit. Wout maakte zich toen zo geweldig kwaad dat hij de klomp van zijn rechtervoet trok en bam, recht tussen de spaken van haar fiets wierp. Het voorwiel blokkeerde en Eva van Avermaete sloeg over de kop. Ze kwam in het gras van de berm terecht. Niets gebroken, geen ernstige verwondingen, wel een paar schrammen, een snee en veel blauwe plekken. Wout liep met een stalen gezicht op haar af en trok zijn klomp tussen de spaken vandaan. Ze maakte hem voor 'etter', 'loeder' en nog zo wat van die lieftalligheden uit die niet volledig in de getuigen-verklaring zijn uitgeschreven. Wout vervolgde zijn weg en zij riep hem na: 'Ik krijg je nog wel.'

Dezelfde avond stroomde, ver na spertijd, toen Wout al op bed lag, het erf vol met WA-mannen die op de ramen en de deuren bonsden. Wout vroeg wat ze wilden. Ze schreeuwden dat hij de deur moest openmaken. Wout keek wel uit; hij voelde er weinig voor gelyncht te worden en kroop gewoon weer in bed. Nadat ze nog een poosje hadden staan schreeuwen en schelden verdwenen ze.

De volgende morgen kwam een politieman zeggen dat Wout 's avonds om zeven uur bij Van Heijzen moest verschijnen. Zo lagen de verhoudingen in de zomer van 1943: Van Heijzen, die zo fout was als een mens in de oorlog maar fout kon wezen, was bij machte een politieagent de opdracht te geven een jongeman op te brengen die bij het lezen van HOUZEE MET MUSSERT niet meteen de Hitlergroet had gebracht. Wout was niet thuis, hij hoorde het 's avonds van zijn moeder. Van Heijzen was aan de deur geweest. Hij had moeder Wachtman zo bijtend agressief toegeblaft dat ze overstuur was geraakt.

Merkwaardige situatie: Jan Gijsbert van Heijzen was een fruitteler uit Rhoon die in de oorlog kringleider was geworden van de NSB op de Zuid-Hollandse eilanden. In 1943, toen zo'n beetje alle goede burgervaders waren teruggetreden of aan de kant waren geschoven, was hij tot burgemeester van Den Briel en Oostvoorne benoemd. Van Heijzen vond het echter veiliger in Rhoon te blijven wonen. Zoals hij ook in 1944 en 1945, toen hij de NSB-burgemeester van Dordrecht was geworden, iedere namiddag naar zijn woning aan de Rhoonse Poelweg terugkeerde, die half verscholen in zijn boomgaard lag.

Van Heijzen bemoeide zich desondanks driftig met de NSB-perikelen in Rhoon. Toen Wout Wachtman zich 's avonds bij hem meldde, bracht hij direct het handgemeen met juffrouw Van Avermaete ter sprake. Eva van Avermaete – ik ken haar niet en ze moet Rhoon voor het einde van de oorlog verlaten hebben, want ik ben haar niet op de lijst met kaal te knippen moffenhoeren tegengekomen terwijl ze bijna dagelijks in het gezelschap van NSB-voormannen en Luftwaffe-officieren verkeerde, was na de val met de fiets naar een vergadering van de WA gegaan en had de WA-mannen op 'dat heetgebakerde mannetje Wachtman', afgestuurd. Terecht, schreeuwde Van Heijzen Wout toe: hem moest een lesje geleerd worden. 'Hij snauwde mij geweldig af,' verklaarde Wout na de oorlog, 'en deelde me mee dat hij me door de Duitsers zou laten weghalen indien er meer klachten over mij zouden komen.'

Als hij weer gesnapt zou worden in Rhoon, wachtte Wout het Oranjehotel, of Vught, of Dachau, het eindstation van verzetsstrijders die tegen de lamp waren gelopen. Bij een volgende actie moest hij oppassen, snel handelen, zorgen dat niemand hem opmerkte.

Het was al bijna donker toen hij op de avond van 10 oktober de vlasfabriek passeerde.

Vernam Wachtman een paar uur later dat de Duitsers lukraak mannen aan het arresteren waren op Het Sluisje en de Rijsdijk? Was dat de avond geweest dat hij een Duits uniform had aangetrokken om onopgemerkt tussen alle opgetrommelde

Duitse militairen over de Rijsdijk weg te komen? Had hij in die nacht bij Wils en Stien de Munt aangebeld en gevraagd of hij zich een paar dagen mocht verstoppen in de schuur, achter de kwekerij?

Op 12 oktober kwam hij weer boven water. Wout woonde in Rotterdam-Charlois de begrafenis bij van de opa van zijn verloofde Roos op de Hervormde Begraafplaats aan de Charloisse Lagedijk. Toen hij het kerkhof verliet, liep hij de familie Wagenmeester tegemoet, die bij de ingang stond te wachten tot het lichaam van hun vader en het lichaam van hun broer zouden worden vrijgegeven.

Die scène zag ik telkens voor me.

Wout Wachtman die rustig de begraafplaats af loopt en plotseling oog in oog staat met Basje Wagenmeester, met oudste dochter Aaf (met wie hij voor de oorlog nog gevreeën had, tot ergernis van mevrouw Wagenmeester), met Bertie, Carla, met Hetty Mollaar, de verloofde van Tijm, en misschien zelfs met de kleine Hillie. Allen overmand door het verdriet, kapot van het verlies, overstuur van de schrik en de ellende.

Getuige Wouts latere verklaringen heeft dat moment hem zijn leven lang achtervolgd.

Hij trouwde direct na de oorlog met Roos, een gereformeerd meisje uit Rotterdam-Charlois. Hij werd vader van twee zoons en zes dochters. Een gelukkig gezinsleven was hem niet beschoren, alle dochters leden aan een spierziekte die ze van hun vader hadden geërfd. Door die spierdystrofie waren ze alle zes min of meer invalide. Wout, die altijd gelovig was geweest, werd nog veel strenger in de leer en stapte van de gereformeerde kerk naar de christelijk gereformeerde kerk over.

Wat hem mentaal de das omdeed was dat hij om duistere redenen niet de Militaire Willemsorde ontving voor zijn betoonde moed, maar de op één na hoogste onderscheiding, de Bronzen Leeuw. Mede daardoor ontstond een vete met de voormalige leider van de Haven Sabotageploeg. Ook publiekelijk maakte hij 'Bolle Piet' voor een leugenaar en een geschiedvervalser uit. Rouvoet had de Militaire Willemsorde namelijk wel gekregen, hij was tot Ridder 4e Klas benoemd, terwijl hij tijdens alle acties van de Haven Sabotageploeg op de achtergrond was gebleven, ook bij de laatste, geslaagde poging om de Westerdam tot zinken te brengen. Hij was toen op de kade gebleven omdat hij snipverkouden was en weer eens last had gekregen van die zenuwtic van hem: de harde hik.

De gezworen kameraden van weleer werden de ergste vijanden. In de oorlog werkten ze zes maanden goed samen; in vredestijd maakten ze zestig jaar ruzie, een ruzie die ze openlijk uitvochten in kranten- en tijdschriftartikelen en ingezonden brieven.

Wout ging aan astmabenauwdheid lijden, eczeem, een te hard werkende schildklier, een maagzweer. Op zijn zevenenvijftigste jaar diende hij een verzoek tot arbeidsongeschiktheid in. Hij werd voor honderd procent invalide verklaard. Na een vernederende procedure kreeg hij een vermeerdering van zijn pensioen met een derde (1100 gulden in het jaar) vanwege zijn verzetsactiviteiten. Toen dat allemaal geregeld was schreef hij een brief aan prins Bernhard om zich te beklagen dat 'Bolle Piet' wel de Willemsorde had gekregen en hij niet.

Zijn naoorlogse leven gaf hem weinig reden tot vreugd. Wat Wachtman het heftigst bleef achtervolgen waren de beelden van 12 oktober 1944 op de begraafplaats aan de Charloisse Lagedijk, toen hij oog in oog met de familie Wagenmeester was komen te staan en in één oogopslag zag dat deze mensen voor hun hele verdere leven getekend waren.

Die beelden moeten telkens bij hem teruggekomen zijn als hij voor de zoveelste maal een actie ondernam om het monument voor de gevallenen een betere plaats te gunnen in Rhoon. Die beelden moeten ook door zijn hoofd hebben gespookt toen hij in 1974 een eigen verklaring opstelde voor de Pensioenraad. Hij gaf toen in een paar zinnen aan wat zijn gezondheid ondermijnd had: de dood van verzetsvrienden, van Joop Verolme van Nieuwe Tonge, van Kees Bitter, die door zijn makkers was geliquideerd omdat hij in ruil voor zijn leven informatie had doorgespeeld aan de SD, van Kleine Frans uit Den Haag, Joop den Toom van Heijplaat, met wie hij in contact had gestaan vanwege de Westerdam. Maar bovenal de zeven gefusilleerden bij de vlasfabriek te Rhoon, onder wie vader en zoon Wagenmeester. 'Zij waren zeer goede bekenden van mij.'

De liquidatie van Kees Bitter was een van de meest traumatische ervaringen voor de leden van de Knokploeg Rotterdam-Zuid.

Met de Wagenmeesters had Wout Wachtman geen contact meer nadat Aaf in 1939 op aandringen van haar moeder de verkering had uitgemaakt. Wout groette Wijnand en Tijmen Wagenmeester als hij ze tegenkwam op de dijk, daar bleef het bij.

Toch wees hij dertig jaar na de oorlog in zijn schriftelijk verzoek aan de Pensioenraad de executies op Het Sluisje en de dood van vader en zoon Wagenmeester aan als de belangrijkste oorzaak van zijn overspannenheid en ziekteverschijnselen.

Wout Wachtman leefde nog toen ik met mijn onderzoek naar de vergelding op Het Sluisje begon. Het was echter niet meer mogelijk met hem van gedachten te wisselen. Door een herseninfarct kon hij niet meer praten. Wel gaf hij met een kort knikje aan zijn vrouw en zoon te kennen dat ik zijn archief mocht doornemen.

In dat archief stuitte ik op massa's brieven, rapporten, krantenknipsels en op half uitgewerkte interviews met bewoners van Het Sluisje die me desondanks tal van aanknopingspunten boden, omdat ze in de jaren tachtig waren gemaakt met bewoners die allang dood waren toen ik aan mijn onderzoek begon. Maar waar ik toch het meest van opkeek waren een paar foto's. Oude, al behoorlijk vergeelde footootjes, gemaakt in Hoogvliet. Foto's van een tweepotige houten elektriciteitsmast en een bovenleiding. Precies het type mast en het type bovenleiding als op Het Sluisje.

Studiemateriaal?

Was het niet Wout Wachtman die over verzetsdaden zei dat ze om gedegen voorbereiding vroegen en dat het voorwerk even essentieel was als de uitvoering?

Kijkend naar die foto's formuleerde ik een hypothese. Toen Wout Wachtman de vlasfabriek passeerde, was de draad al naar beneden gehaald. Door iemand anders, door iemand vóór hem. Wout heeft altijd willen weten wie die iemand was. Vandaar dat hij in de jaren zeventig en tachtig een eigen onderzoek instelde.

Wout had op de avond van 10 oktober niet ingegrepen, hij had geen alarm geslagen. Hij had die draad laten liggen omdat hij wist wie door de 500 volt getroffen zouden worden.

Toen ik in 2012 tot die veronderstellende slotsom kwam, was het te laat om hem in geschreven vorm aan Wout Wachtman voor te leggen. Wout was in 2008 overleden, negentig jaar oud.

Bij Wout Wachtman heb ik werkelijk het gevoel dat hij een paar levensgrote geheimen meenam in zijn graf. Geheimen die hem een maagzweer hadden bezorgd, zenuweczeem en ademnood.

Hij was bij tientallen acties van de LKP betrokken. Voor de inlichtingendienst van de Landelijke Knokploegen schaduwde hij politieagenten om na te gaan of ze een actieve rol bij razzia's speelden en samenwerkten met de Sicherheitspolizei bij het opsporen van verzetsstrijders. Hij maakte jacht op verraders en handlangers van de SD, arresteerde ze, doodde ze als het moest.

Een maand na de bevrijding verscheen een politiebericht in dagblad *Trouw*. Op 11 juni 1945 was uit het water van het Boerengat in Rotterdam het lijk gevist van 'een onbekende vrouw, geheel naakt, ongeveer 20 à 25 jaar oud, 1,67 m. lang, flink postuur, donkerblond haar, kleine oren, ver doorlopende wenkbrauwen, gaaf gebit, ondergebit onregelmatig, snijtanden ondergebit gedeeltelijk door elkaar geplant, lange smalle handen, tamelijk grote voeten'. Wie inlichtingen kon geven werd verzocht contact op te nemen met het Hoofdbureau van Politie, afdeling Recherche, 2e verdieping.

Wout knipte het bericht uit en schreef in de kantlijn 'Kitty?'.

Ik ben in de dossiers over het verzet in Rhoon en Rotterdam-Zuid één Kitty tegengekomen, de Kitty die op de avond van 10 oktober met haar vriendin Linda de Bondt sekt dronk bij de blokleider van de NSB Jan Krijn Jabaaij aan de Rijsdijk. Kitty werkte voor de Duitsers, Kitty vree met de Duitsers. Was zij het? Geliquideerd en verzwaard met stenen afgezonken in het Boerengat?

Wout Wachtman was een rechtschapen man. Een stugge eilander, recht door zee. Een held, een echte oorlogsheld. Maar ik moest met betrekking tot Wout ook vaak aan de titel van een Franse film over het verzet denken: *l'Armée des Ombres*. Hij behoorde tot het leger schaduwen. Zelfs zijn kameraden vonden hem van tijd tot tijd gevaarlijk omdat hij niet alles doordacht.

Roos Wachtman liet op de grafsteen van Wout de Bronzen Leeuw aanbrengen. Plus de tekst van hun huwelijksdienst, die twee maanden na de bevrijding had plaatsgevonden. Prediker 3, vers 11. 'Alles heeft Hij voortreffelijk gemaakt op zijn tijd; ook heeft Hij de eeuw in hun hart gelegd, zonder dat de mens van het werk dat God doet, van het begin tot het einde, iets kan ontdekken.'

Voor mij blijft die tekst een cryptogram.

VIJFTIEN

Sandrien zocht haar heil bij de overwinnaars. Geen betere plek om uit het zicht te verdwijnen. Met haar man en haar drie kinderen emigreerde ze in 1970 naar Canada. Ze behoorde tot de laatste emigratiegolf uit Nederland. Haar zoon was twaalf jaar toen het gezin vertrok, haar oudste dochter zes en de jongste drie. Sandrien zelf was op twee maanden na veertig jaar, en nog altijd een opvallende verschijning. Haar leeftijd was haar nauwelijks aan te zien. Met haar pretoogjes, die zelfs in de schemering konden oplichten, nam ze iedereen met speels gemak voor zich in, net zoals in haar tienerjaren. Een onverbeterlijke lachebek, in de woorden van haar jongste broer Tobi, die met moeite afscheid van haar nam en zijn kakelbonte zakdoek volsnoot bij het vertrek. Ze was en bleef zijn lievelingszus, wat er ook over haar beweerd mocht worden.

Alsof de tijd stil was blijven staan, vertrok Sandrien vanuit Rotterdam met de boot naar de overkant van de oceaan. Zoals alleen al naar Canada 150000 landgenoten dat voor haar hadden gedaan in de jaren veertig, vijftig en zestig. Vanuit Rhoon emigreerden zeker zestig jonggetrouwden, de meeste naar Canada en de Verenigde Staten, maar ook naar Australië, Nieuw-Zeeland en Zuid-Afrika. Zonen en dochters van boeren, tuinders, fruittelers die overzee een eigen bedrijf wilden opzetten. Of middenstanders, ambachtslieden en geschoolde arbeiders die veel minder aan de wederopbouw hadden verdiend dan gehoopt.

Voor de zondagochtendkerkdienst laste mijn vader een speciaal gebed in dat begon met: 'Onze gedachten gaan uit naar alle dierbaren en verwanten die in den vreemde vertoeven.' Er ging dan altijd een zacht gesnuif door de kerk.

Met de oorlog had de grote uittocht slechts gedeeltelijk te maken. De emigranten zochten naar het land van melk en honing. Een land met ruimte en een toekomst die het rooskleurige had van een reclamefilm.

Bij Sandrien zal het oorlogsverleden alleen op de achtergrond hebben meegespeeld, anders zou ze haar emigratieaanvraag veel eerder hebben ingediend. Of voelde ze toch iets van dreiging? Met de komst van de televisie was de oorlog aan het terugkomen. Eerst aarzelend, met documentaires als over het tot zinken brengen van de Westerdam; toen dwingender, met een serie als *De bezetting*, waarvan ze maar twee afleveringen had durven te bekijken.

Sinds de bevrijding was haar leven rustig verlopen. Sandrien maakte de huishoudschool af en bleef nog een jaartje extra op school omdat ze niet goed wist wat ze later wilde doen. Ze hielp haar zus Aleida, die haar handen vol had aan de opvoeding van twee kinderen die vrijwel even oud waren – Aleida was de zus die in de Hongerwinter het vondelingetje Stokkie had geadopteerd. Als vanouds hielp ze ook haar zus Dien, die de verzorging van haar ouders en haar gehandicapte broer op zich had genomen.

Dien had een blauwe maandag een vriend gehad, maar het was niets geworden. Ook kreeg ze een aanzoek van een weduwnaar die hoofd van een ambachtsschool was. Ze vond hem een sul. Later begon ze te snauwen als een man avances maakte. In de avonduren hield ze scholen schoon in Rotterdam-Zuid, een werk dat niet alleen goed verdiende maar als voordeel had dat ze door niemand werd lastiggevallen. Dien bleef een vat vol tegenstrijdigheden: brutaal, doortastend, uitdagend, 'zo geil als boter' zeiden de mannen op de dijk, maar ook pathologisch schuw alsof het geringste oogcontact tot een relatie zou leiden.

Toen het huisje aan de Rijsdijk afgebroken werd, verhuisde Dien met haar ouders en haar gehandicapte broer naar een aangepaste woning in een Rotterdamse nieuwbouwwijk. Vader en moeder De Regt overleefden Geerten vele jaren, ze werden beiden zo oud als Methusalem, maar Dien had zich voorgenomen om haar ouders 'naar hun eindje te brengen', zoals de dorpse uitdrukking luidde, en daar hield ze zich aan. Toen haar ouders eindelijk overleden waren, kon ze zelf langzamerhand een plaats aanvragen in een bejaardentehuis, maar ze bleef zelfstandig wonen – ze wilde niemand tot last zijn. Dien hechtte niet aan eigenbelang.

Na haar twintigste ging Sandrien een tijd met een jongen uit Rotterdam-Zuid om. Misschien vernam hij bij geruchte dat ze een verhouding met een Duitse soldaat had gehad, want hij maakte het zonder opgaaf van reden uit toen ze al bijna verloofd waren. Het kan ook zijn dat Sandrien hem op de zenuwen werkte met haar gelach.

Halverwege de jaren vijftig kreeg Sandrien verkering met Tieleman de Maree. Hij werkte als vrachtwagenchauffeur bij de Esso-raffinaderij in het Rotterdamse havengebied, voor hem de guurste plek op aarde. Tieleman kwam uit Amsterdam, waar iedereen hem Tieltje noemde. Voor Sandriens vader en moeder en voor haar broers en zussen was dat moeilijk wennen: een -tje was in Rhoon een meisje of een vrouw als Dirkje de Ruyter. Ze noemden hem Tiel.

Sandrien en Tiel trouwden in Amsterdam. Je kon op honderd meter afstand horen dat Tieltje uit de Jordaan kwam. Hij was rood noch rooms, sterker nog: hij was net zo gereformeerd als zijn schoonvader en schoonmoeder uit Rhoon. Het huwelijk van Sandrien en Tiel werd in de gereformeerde kerk ingezegend.

De Maree was een avontuurlijke kerel. Hij had een goede baan, een goed inkomen, hij betrok met Sandrien een aardig huisje aan de rand van Rotterdam-Zuid, maar dat was hem allemaal te braaf en te benauwd. Het leven had meer te bieden. Hij wilde naar een groot land met ruige natuur, een land waarin je je verliezen kon. Sandrien hield hem niet tegen; ze was sinds haar jongste meisjesjaren allergisch geweest voor een saai bestaan.

Of vermoedde ze in het Zuid-Hollandse polderland toch nog altijd een schaduw? Een donkere wolk, die plotseling haar kant op kon drijven en boven haar hoofd tot ontlading kon komen. Angst is een te sterk woord, het moet een onbestendig voorgevoel zijn geweest dat soms even oplaaide en dan weer aan een winterslaapje begon, zonder ooit helemaal te verdwijnen.

Tieltje wilde beslist naar een land waar ze Engels spraken. Hij had die taal geleerd door vaak en hard met Elvis mee te zingen als hij achter het stuur van de tankwagen zat. Met zijn achterovergekamde haren die stijf stonden van de Brylcreem was hij een Hollandse versie van Elvis geworden; van de al aardig verlopen Elvis dan, want Tiel was vijf jaar ouder dan Sandrien, begon te grijzen aan de slapen en had duidelijk aanleg voor zwaarlijvigheid.

In Canada gaven ze de voorkeur aan Nederlanders omdat het nette christenmensen waren. De Canadese immigratiedienst stelde het gezin De Maree Calgary voor. Tieltje zag op de kaart dat die stad op tachtig kilometer van de Rocky Mountains lag. 'Je krijgt sneeuw en bergen,' riep hij tegen Sandrien, die stilletjes gedacht zal hebben dat het een stuk beter was dan blubber en dijken.

Eenvoudig waren de eerste jaren niet. In de bodem van de provincie Alberta was olie gevonden, Calgary was een *booming town*. Toen Sandrien en Tiel er in 1970 aankwamen woonden er vierhonderdduizend mensen, aan het einde van de eeuw een miljoen. Alleen kon Tiel niet direct een baan vinden, terwijl Sandrien opnieuw in verwachting raakte.

Tieltje zag maar één oplossing: weer iedere zondag naar de kerk, zoals in Holland, terwijl hij juist gekozen had voor een luchtiger bestaan met alleen af en toe een barbecue om de buren te vriend te houden. Hij koos voor de gereformeerde kerk, de Dutch Reformed Church, in de hoop dat een mannenbroeder van Nederlandse oorsprong hem de helpende hand zou bieden.

Het bleek te werken. De dominee vatte sympathie op voor Tieltje en bracht hem in contact met Bill Kalkman, directeur van een transportbedrijf. Hij bood hem een baan aan als bode en koerier.

In een bestelwagen jakkerde Tiel Alberta door. Op een enkel schrammetje na reed hij schadevrij. Een jaar of wat later werd de auto groter en bracht hij tot ver in de vs spoedbestellingen rond. Dat was in de tijd dat Sandrien van haar vijfde kind beviel.

Ik heb Sandrien beschreven als een goedlachse allemansvriend en als een kouwe kikker die na de dood van de door haar beminde Ernst Lange geen traan liet. Ook de executies op Het Sluisje leken haar weinig te doen. 'Diep ademhalen en dan weer aan morgen denken,' scheen haar devies te zijn. De gedachte aan gisteren gaf maar pijn.

Toch heeft Sandrien een moment van wroeging gekend. Kort voor haar vertrek naar Canada liet ze zich een keer gaan. Aan haar nichtje Carolijn, een dochter van haar zus Aleida, vertelde ze dat de ouders van Ernst Lange een maand of tien na de oorlog contact met haar hadden gezocht. Ze hadden haar een brief geschreven. Hoe ze aan haar naam en adres waren gekomen, vertelde Sandrien niet. Misschien hadden de ouders die gegevens in de nagelaten persoonlijke eigendommen van Ernst gevonden, in zijn portefeuille of in zijn notitieboekje. Of misschien had hij in een brief naar huis geschreven dat hij regelmatig op stap ging met Sandrien de Regt, die aan de Rijsdijk woonde, niet ver van zijn inkwartieringsadres.

De ouders van Ernst wilden weten wie het meisje was op wie hun zoon verliefd was geworden. Ze wilden ongetwijfeld ook alles van zijn laatste levensdagen weten en onder welke omstandigheden hij gestorven was. Ze zullen zich misschien ook hebben afgevraagd of Ernst zijn Hollandse vriendinnetje zwanger had achtergelaten. Dat zal niet in de eerste brief hebben gestaan, maar in een later stadium zullen ze dat naar voren hebben willen brengen.

Sandrien hield de boot af.

Vlak voor ze naar Canada vertrok, liet ze Carolijn weten dat ze daar spijt van had gekregen. Ze wist ondertussen wat het betekende moeder te zijn; ze had de ouders van Ernst op z'n minst een kort antwoord kunnen geven op de vragen die ze stelden en misschien had ze zelfs wel moeten aansturen op een ontmoeting in Rhoon.

'Het was slecht en egoïstisch van mij dat ik dat niet heb gedaan,' zei ze tegen Carolijn.

Ik schreef weer naar Jörnstorf.

Sinds de Volksbund Deutsche Kriegsgräberfürsorge me de exacte geboorteplaats van matroos Ernst Friedrich Lange had gegeven – Jörnstorf in Mecklenburg-Vorpommern, op een paar kilometer van de Oostzee – had ik om de zoveel maanden een mail gestuurd naar de burgemeester, de secretaris of het bevolkingsregister van de gemeente Biendorf-Neubukow-Salzhaff, waartoe Jörnstorf behoort. Daar had ik nooit een reactie op gekregen.

De toevoeging in mijn mail dat de ouders van Ernst Friedrich Lange toenadering hadden gezocht tot het meisje in Rhoon hielp wellicht: binnen een maand kwam het antwoord binnen van de archivaris van het district Rostock, naar wie de burgemeester mijn vragen had doorgezonden.

Archivaris Rita Roβmann mailde me niet alleen alle informatie over de familie Lange waarover ze beschikte, maar ook drie foto's. Opeens zat ik op het scherm van mijn laptop naar de jongeman te kijken over wie ik al jaren gegevens aan het verzamelen was en die ik inmiddels uitvoerig beschreven had in de eerste hoofdstukken van dit boek.

Wonderlijk genoeg zag hij er precies zo uit als ik me hem

voorgesteld had: stug donker haar met de scheiding links, wijd uitstaande oren, stevige neus, brede mond, volle lippen, verlegen glimlach, een oprecht verlegen glimlach van een zeventienjarige die niet goed raad wist met zijn houding en zijn armen slap liet hangen. Ernst Lange was ongetwijfeld te snel gegroeid, was voor die tijd, toen mensen veel kleiner waren, een gigant die in weinig pakken en broeken paste. Hij leek zich nog steeds te verbazen over zijn eigen lengte en maakte een ietwat onbeholpen indruk.

Op de foto staat hij naast zijn jongere en veel kleinere broer Günter. Beiden dragen een zwart pak met vest. Ernst heeft zijn stropdas breed geknoopt, Günter heeft een zwart vlinderstrikje voorgedaan. Ze dragen weer wel dezelfde corsage: zo te zien een roos van crêpepapier.

De foto is genomen op de zondag dat Günter zijn *Konfirmation* deed, de belijdenis en bevestiging van het geloof die lutheranen tussen hun dertiende en vijftiende jaar afleggen. Günter scheelde twee jaar met Ernst. Na de plechtigheid in de kerk zijn beide broers op de landweg voor het ouderlijke huis in Jörnstorf vereeuwigd, vlak voor ze aan tafel gingen waarschijnlijk. De bevestiging was een groot eet- en familiefeest, net als de heilige communie bij de katholieken.

Dat ouderlijke huis, schreef de archivaris me, is nog intact.

De ouders van Ernst en Günter kwamen uit Neubukow. Na hun huwelijk in 1924 vestigden ze zich een paar kilometer verderop in het gehucht Jörnstorf.

Otto Lange verdiende een goed salaris als metselaar. Op de tweede foto die de archivaris me stuurde staat hij met troffel en mortelbak tussen vier kameraden op een bouwterrein en lijkt hij wel een radencommunist die de moord op Karl Liebknecht en Rosa Luxemburg nog niet helemaal verteerd heeft.

Op de derde foto zit de kleine Ernst op de schoot van Marie Lange, 'huisvrouw', volgens de archivaris. Ze zit op een rieten stoel in de tuin, de haren zo strak naar achteren getrokken dat ze haar oren vrijlaten. Een moderne vrouw met onversneden ironie in de ogen. Bij die foto hoor ik een lied van Kurt Weil.

Lang zou ze het niet maken. Marie Lange overleed in 1942, toen haar oudste zoon zestien jaar was en haar jongste veertien.

De brief die Sandrien ontving kon dus niet door de ouders van Ernst verstuurd zijn, alleen door de vader, of, wat me aannemelijker lijkt, door broer Günter. Of door broer Günter en zijn vrouw Rosemarie. In het laatste geval heeft Sandrien de brief niet tien maanden maar een paar jaar na de oorlog ontvangen. Günter en Rosemarie trouwden in 1948.

Günter leeft niet meer, Rosemarie nog wel, maar ze kan zich geen brief aan het Hollandse vriendinnetje van haar zwager herinneren. Ze kan zich überhaupt niets meer voor de geest halen dat met Ernst te maken heeft, wat ook wel begrijpelijk is: ze kwam pas in de familie toen Ernst al drie jaar dood was.

Ernst doorliep de lagere school in Jörnstorf. Na de achtste klas ging hij op het landgoed Westenbrügge werken. Oudere tuinlieden leidden hem op tot hovenier. Een fors landgoed, duizend hectare, rond een wit landhuis met hoge vensters op elk van de drie verdiepingen.

Westenbrügge telde illustere eigenaren – Bülow, Moltke, Bibow. Aan het begin van de negentiende eeuw kwam het in handen van de familie Von Müller uit Lüneburg. Generaties lang bestierden de Müllers het landgoed en zagen erop toe dat de linden van de twee elkaar kruisende lindelanen goed gesnoeid werden. Het *Lindenkreuz* was de trots van het landgoed.

De familie Von Müller maakte Ernst nog in volle glorie mee. Het schijnt dat hij zijn goede manieren van de negentigjarige grootmoeder heeft geleerd, die in de oorlogsjaren de scepter over de kinderrijke familie en het landgoed zwaaide. Zij was er een voor wie je knippen en buigen moest en die je altijd met twee woorden moest aanspreken. Als je dat consequent deed, wilde ze een jongmens best een kans geven.

In het najaar van 1944 week de familie voor officieren van het Rode Leger die het landhuis als regionaal hoofdkwartier in gebruik namen. Ernst was toen al in dienst getreden van de Kriegsmarine – vrijwillig of verplicht, dat kon niemand voor me ophelderen. Na een korte opleiding in de havenstad Rostock was hij naar Rhoon gestuurd op de Zuid-Hollandse eilanden, een dorp rond een kerk en een wit kasteel, waar hij op de kop af zes weken zou verblijven.

Toen het bericht van zijn dood zijn geboortedorp bereikte, zeiden ze in Jörnstorf dat hij zijn moeder snel achterna was gegaan.

Günter heeft het graf van zijn broer nooit kunnen bezoeken. Mecklenburg-Vorpommern was na de oorlog een deel van de DDR geworden en Nederland lag vanuit Jörnstorf bezien achter het IJzeren Gordijn.

Sandrien reisde iedere zomer door Canada. Tieltje had een slee van een wagen gekocht, een Amerikaanse stationcar, en een caravan die de afmetingen van een woonwagen benaderde. Met de kinderen trokken ze er wekenlang op uit.

Tieltje hoefde Nederland niet meer te zien. Sandrien kwam er nog wel eens, eerst om de twee, drie jaar, toen om de vier, vijf. Het contact met de familie verwaterde desondanks. Omdat ze een paar keer verhuisde in Calgary, kon niemand van haar broers en zussen me haar adres geven. Ook haar nichtje Carolijn kende het niet.

Dat zal een excuus zijn geweest. Ik denk dat de familie de weg naar contact niet voor me wilde openen. Meer dan een halve eeuw was het oorlogsverleden van Dien en Sandrien de Regt verborgen gehouden. Na de oorlog hadden zowel vader en moeder als de broers en zussen gedaan alsof er niets bijzonders met of binnen de familie was voorgevallen. Met geen woord was er meer over gesproken. Dat stilzwijgen kon maar beter voortduren.

In april 2009 wist ik dan eindelijk het adres van Sandrien te traceren. Toen ik haar een brief schreef, was het te laat: Sandrien was een paar weken eerder overleden aan de Mexicaanse griep. Haar man was al jaren aan het dementeren.

Na de dood van Sandrien wilde haar jongste broer Tobi wel praten. Hij vertelde dat de laatste periode van Sandriens leven uit nijd had bestaan. Toen de kinderen het huis uit waren, kreeg Tiel steeds zwaardere aanvallen van jaloezie. Hij vond het vreselijk dat Sandrien zelfs in de Dutch Reformed Church van Calgary de aandacht van de mannen trok. Tiel verbood haar voortaan nog naar de kerk te gaan. Dat ze inmiddels ver in de zestig was, maakte hem niet uit: Sandrien zat op een onbetamelijke manier naar aandacht te vissen en gaf af en toe een knipoog die iedere man als een regelrechte uitnodiging opvatte. Tiel verbood haar het huis in Calgary te verlaten. Hij sloot haar misschien niet op, maar het scheelde niet veel.

Ik stel me voor dat Sandrien tijdens de laatste jaren van haar leven vaak vanuit haar slaapkamer naar de witte toppen van de Rocky Mountains lag te kijken. Dat ze Calgary hoe dan ook de beste plek vond om de polders, de dijken, de oorlog en Het Sluisje te vergeten. En dat ze grinniken moest om die malle man van haar die dacht dat ze zelfs in de kerk zat te flirten. Ze wilde gewoon van het leven genieten. Had niemand dat dan ooit begrepen?

VERANTWOORDING

Bij het schrijven van *De vergelding* heb ik me gebaseerd op de door Bert G. Euser verzamelde historische documenten, getuigenverhoren van de Politieke Opsporingsdienst Afdeling Rotterdam, archiefstukken van de Bijzondere Rechtspleging, getuigenverhoren van The Netherlands War Crimes Commission, processenverbaal van de Politie Rotterdam, de Rijkspolitie Groep 's-Gravenzande en de Koninklijke Marechaussee Post Rhoon, rapporten van de reclassering, rapporten van de Rhoonse illegaliteit, en dagvaarding, processen-verbaal en vonnis van de Bijzondere Strafkamer van de Arrondissementsrechtbank Rotterdam in de zaak tegen Oberleutnant Karl Schmitz.

In de periode 2005-2012 voerde Bert G. Euser gesprekken met 185 ooggetuigen, direct betrokkenen, kinderen of familieleden van direct betrokkenen en nabestaanden van de slachtoffers. Alleen al het opsporen van het adres en de huidige woonplaats van de informanten was recherchewerk; de meesten van hen hadden Rhoon, Rotterdam of Nederland lang geleden verlaten.

Voor zijn onbaatzuchtige inspanningen en zijn niet-aflatende ijver de onderste steen boven te krijgen, ben ik Bert Euser zeer erkentelijk. Mijn dank gaat tevens uit naar Henriëtte Euser voor het uitwerken van de vraaggesprekken en het ordenen van de duizenden pagina's processtukken en historisch materiaal.

Enkele belangrijke en sfeerbepalende interviews maakte ik samen met Bert – mijn vroegere dorpsgenoot, schoolgenoot en buurjongen. Gedurende zeven jaar namen we maandelijks de nieuwste resultaten van het onderzoek door en in de laatste fase zelfs wekelijks of dagelijks. Uit die hechte samenwerking is dit boek ontstaan.

In het najaar van 2004, kort na het verschijnen van mijn auto-biografische roman *Mijn kleine waanzin*, ontving ik van enkele voormalige verzetslieden vertrouwelijke rapporten die een scherper en breder licht werpen op de oorlogsjaren in Rhoon. Ik ontdekte een andere oorlog dan die waarover mij verteld was: dat was de directe aanleiding van mijn speurtocht. Algauw bleek dat ook Bert Euser bezig was met een historisch onder-zoek. Ofschoon zijn aandacht vooral uitging naar de politieke en bestuurlijke ontwikkelingen in de twintigste eeuw, besloten we onze krachten te bundelen, temeer omdat ons van aanvang af duidelijk was dat alle wegen uit de geheimste geschiedenis van Rhoon naar Het Sluisje leidden.

Voor het meelezen van het manuscript, de kritische en toege-wijde begeleiding en de lancering van het boek ben ik zeer veel dank verschuldigd aan Marie-Claude Hamonic, Emile Brug-man, Anita Roeland, Marre van Dantzig, Erna Staal, Mizzi van der Pluijm, Marjet Knake, Rianne Blaakmeer, Ellen van Dalsem en Joyce in 't Zandt.

Ik maakte dankbaar gebruik van het standaardwerk van J.L. van der Pauw, *Rotterdam in de Tweede Wereldoorlog* (Amsterdam, 2006). Details die bepalend waren voor de sfeer van de oorlogs-jaren en de mentaliteit en de gevoelens van de bevolking vond ik in *De oorlog* van Ad van Liempt (Amsterdam, 2009). Over het Zwart Front, de NSB en de collaboratie trof ik de markantste ken-schetsen in *Grijs verleden* van Chris van der Heijden (Amster-dam, 2001) aan. Voor de geschiedenis van het verzet, de LO en de LKP waren de twee delen van *Het grote gebod* (Kampen, 1979) een belangrijke bron van informatie. Over het verzet in Rotterdam-Zuid ontleende ik enkele essentiële en beeldbepa-lende gegevens aan *Knokploeg Rotterdam-Zuid 1944-45* van Albert Oosthoek (Rotterdam, 1990).

Kundige technische details over de oorlog in de lucht gaf Erik

Sweers in *Fokker G-1: een korte geschiedenis* op de website *Historiën*. Over de Prinses Irene Brigade schreven Chrisje Brants en Willem Hoogendoorn een goed gedocumenteerde analyse in de bijlage van *Vrij Nederland*: 'De kleine oorlog van de Irene Brigade' (6-10-1984). De meer officiële geschiedenis staat in V.E. Nierstrasz, *Geschiedenis van de Koninklijke Nederlandse Brigade 'Prinses Irene'* (Den Haag, 1959). Aan de website prinsesirenebrigade.nl ontleende ik een paar saillante details over het dagelijkse leven van de leden van de brigade. De website geeft een groot aantal foto's en dagboekfragmenten weer, en de toespraak die generaal Montgomery voor de mannen van de Prinses Irene Brigade hield.

De informatie over bioscoop Harmonie in Rotterdam-Zuid komt van de website voor kleine, beeldende geschiedenis *Rotterdam toen en nu*. Over Aktion Rosenstock, voorbereiding, uitvoering en gevolgen van de grootste Duitse razzia, schreef B.A. Sijes in *Nederland in oorlogstijd – Orgaan van het Rijksinstituut voor Oorlogsdocumentatie*, jr. 4, nr. 3, november 1949, en in *De razzia van Rotterdam: 10-11 november 1944* (Amsterdam, 1984).

Belangrijke informatie over de 20ste Schiffstammabteilung en meer in het algemeen over de Kriegsmarine in Nederland dank ik aan Maurice Laarman, eindredacteur van het maandblad *Wereld in Oorlog*. De in Rotterdam-Kralingen woonachtige Laarman onderzocht de rol van de Duitse Landes-Kriegsmarine tijdens de Tweede Wereldoorlog in Rotterdam en omgeving. Ook het Nederlands Instituut voor Militaire Historie in Den Haag verstrekte een aantal gegevens over de Duitse militairen in Rotterdam, Hoogvliet, Pernis en Rhoon. Zeer behulpzaam was voorts Frank Salomon van de Volksbund Deutsche Kriegsgräberfürsorge in Kassel bij de naspeuringen naar de geboorteplaats van matroos Ernst Friedrich Lange. Toen die eenmaal gevonden was, kon ik op de voorbeeldige medewerking rekenen van Burkhard Albrecht en Rita Roßmann van het districtsarchief in Rostock.

Frank van Riet, die een grondig en jarenlang promotieonderzoek deed naar de politie in bezettingstijd, verstrekte belangrijke gegevens over de Rotterdamse politie. Albert Oosthoek, die voor zijn promotieonderzoek de verzetsgroepen in Rotterdam en Oud-Beijerland onder de loep nam, gaf een aantal waardevolle adviezen. Dirk Moerkerken, oud-voorzitter van de Raad van Verzet van Rotterdam-Zuid, gaf nadere inlichtingen over de organisatie van het verzet in Rotterdam en op het eiland IJsselmonde.

Voor de geschiedenis van Rhoon ging ik te rade bij T.A. van der Vlies, *De eerste eeuwen van Rhoon* (Rotterdam, 1949), Ellie Rietveld, *Op Rhoon, een sociale geschiedenis vanaf 1900* (Rotterdam, 1994) en Annemarie van Es, *Al eeuwen staat er een kerk, de geschiedenis van Rhoon bezien vanuit het kerkportaal* (Rotterdam, 1994).

Over de Commissie tot Uitzending van Landbouwers naar Oost-Europa, de Nederlandsche Oostcompagnie en de Nederlandse boeren in Wit-Rusland en de Oekraïne trof ik op internet de interessante doctoraalscriptie van Karlijn de Wolff aan: *Een ideologische onderneming of een zakelijke overeenkomst?* (2011).

Jan van der Schee van de Oudheidskamer Pernis verschafte informatie over de oorlogsjaren in Pernis, Wim den Boer en Cor Oosthoek van de Stichting Historisch Charlois over de oorlogsjaren in Rotterdam-Zuid, Rob Belder over het Vliegveld Waalhaven, Arie Fakkert over het Kasteel van Rhoon, Maarten van Gijzen van de Historische Vereniging Zuytlant over de oorlogsjaren in Zuidland, en Hans Onderwater over de oorlogsjaren in Barendrecht. De oud-onderwijzer Onderwater schreef over de Tweede Wereldoorlog in Barendrecht *Schetsen uit de nacht* (Baarn, 1983). Over het verzet in de Hoekse Waard en de represaille in Heinenoord schreef de historicus Albert Oosthoek *Uit trouw geboren* (Oud-Beijerland, 1995). Ad Hoeijenbos schetste het avontuurlijke leven van verzetsstrijder Marinus Uyl in het in eigen beheer uitgegeven boek *Marinus Uyl, Met de kop in de wind* (2011).

Dankzij Sieka Romeijn-Hedmann van *De Schakel* en Rein Wolters van *De Oude Rotterdammer* konden Bert Euser en ik tot driemaal toe een oproep aan mogelijke informanten in beide bladen plaatsen.

Vele nuttige adviezen verstrekten: Hubert Berkhout van het Nederlands Instituut voor Oorlogsdocumentatie in Amsterdam, Sierk Plantinga van het Nationaal Archief in Den Haag, Els Schröder van het Gemeentearchief Rotterdam, Maarten van Rijn van het ministerie van Justitie, Rokus van den Bout van het Archief Defensie, Frans van Domburg van de Stichting 1940-1945, Bert Buddingh' van de Nationale Federatieve Raad van het Voormalig Verzet en de Nederlandse Vereniging van Ex-Politieke Gevangenen, R.W. Hemmer van het Genootschap Engelandvaarders, Annemarie van Es van de Nederlands Hervormde Gemeente Rhoon, Arie Beukelman van de Oudheidkamer Rhoon en Poortugaal, André den Arend van het Archief van de Gereformeerde Kerk Rhoon, Dirk de Knegt van het Archief van de Nederlands Hervormde Gemeente Rhoon, John Verschoor van het Archief RK Parochie Rhoon, Gerard Groothengel van de gemeente Albrandswaard, Hans van der Boom van de Oudheidkamer Hoogvliet, Arie Overwater in Barendrecht, Albrecht Burkhard in Neubukow (D), Frank van Riet in Rotterdam, Peter van der Sluijs van de Kamer van Koophandel in Rotterdam, Bart Dane van het GEB Rotterdam, Wim Weijers van Eneco Rotterdam en de vlasdeskundige Cornelis Visser. Ik bedank ook nadrukkelijk Dorothé van Overbeek voor haar aanmoediging en wijze raad.

Sommige feiten en impressies mocht ik uit op schrift gestelde maar nooit gepubliceerde herinneringen halen. Leny Bouman maakte researcher Bert Euser wegwijs in het archief van J.J. Bouman, Dick Huisman deed dat in het archief van Henk Huisman. Gerrit de Raadt gaf zijn handgeschreven herinneringen de titel *Uw wil geschiede* mee.

Mijn dank gaat voorts uit naar mijn oudste broer Bert P. Brokken, bij wie ik herhaaldelijk kon controleren of mijn herinneringen klopten. Met de precisie hem eigen, fotografeerde hij sommige plekken en woningen die ik in dit boek beschrijf. Ook van mijn vroegere schoolgenoot Wim Kranenburg kreeg ik waardevol fotomateriaal en een uitvoerige beschrijving van de wandelingen die de Rotterdamse architect, tekenaar en schilder J. Verheul in het gebied tussen Charlois en Rhoon maakte, voor het landschap blijvend veranderde door de aanleg van de Waalhaven. Verheul bundelde zijn impressies in de geïllustreerde historische gids *Pernis, Hoogvliet, Poortugaal en Rhoon, alsmede verdwenen en bestaande merkwaardigheden in het westelijk gedeelte van het eiland IJsselmonde*, waarvan de eerste uitgave in 1934 verscheen.

Wim Spoormaker liet me talrijke foto's, films, tekeningen en kaarten van Het Sluisje zien. Kor van Pelt kopieerde de veertig foto's die de Duitse soldaat Rudolf Paul Koch tijdens de oorlog in Rhoon maakte en die in het Gemeentearchief in Rotterdam bewaard zijn gebleven. Ik heb ze talloze malen bekeken om me te verplaatsen in de tijd, de omstandigheden en het dorp zoals het er toen uitzag.

De belangrijkste dossiers waarvan ik gebruik heb gemaakt zijn:
- P(olitieke) R(echerche) A(fdeling) Rotterdam 4730 (96848)
- PRA Rotterdam 12522a (96428)
- PRA Dossier Amsterdam 1134 (12333)
- C(entraal) A(rchief) B(ijzondere) R(echtspleging) 110158 (PF DH 7462/47)
- CABR 77030 (BS Rotterdam 26)
- CABR 96548 (PF DH 14139/46)
- CABR 109628 (PF DH 17208/46)
- CABR 109889 (PF DH 25549/46)
- CABR 109921 (PF DH 22474/46)
- CABR 53914 (Trib Rotterdam)

- CABR 109701 (PF DH 96848/47)
- CABR 77011 I-III (BRC 1/50)
- The Netherlands War Crimes Commission Dossier 924
- N(ationaal) A(rchief) inventarisnummer 2.13.137
- N(ederlands) I(nstituut) voor O(orlogs) D(ocumentatie) archief 250b, inv. nr. 153
- Bureau Opsporing Oorlogsmisdrijven Rotterdam, Proces Verbaal ten laste van Oberleutnant Karl Schmitz, Dossier 2784

Maar aan *De vergelding* liggen in de allereerste plaats gesprekken ten grondslag met (in alfabetische volgorde):

Arie den Arend, Cees Barendrecht Jzn, Bertie Barendregt-Dorst, Henk Barendregt Jzn, Jaap J. Barendregt Wzn, Floor Barendregt Wzn, Lien Barendregt, Siem Barendregt, Miep Bastemeijer-Vrijhof, Corrie Beckers-Dits, Bart Beeren, Dick Benne, Jo Benne-Veldhuizen, Arie van den Berg, Barend van Beusekom, Camiel (Miel) van Beusekom, Henk van Beusekom, Karel van Beusekom, Sjaan Bevaart-de Raadt, Martin Binder, Thedie Binder, Bep Binder-Ziekenheiner, Ans Birkhoff-den Otter, Klasiena de Blooijs, Maarten Bode, Arie Boender, Jan Boender, Leen Bos, Peter Bouman, Arie de Bruin, Nel de Bruin, Jopie de Bruyn-Molenaar, Annie Cense-Hordijk, Ad W. Cok, Bart Dane, Harry Degen, Bets van Dijk-Broere, Martina Dingemans-Geeve, Nico Dits, Engel Dorst, Gerreke Dorst-van der Zalm, Nel Drenth-Cense, Wil van Driel-Dekker, Jaap Dubel, Klaas van der Ent, Dien van der Ent-Jungerius, Leinie Geeve-van der Leer, Leen van Gijzen, Rika Gouweloos-Kraak, Henk van de Graaf, Marianna van de Graaf, Pieter Groeneboom, Klaas Groenendijk, Magda Groeneweg-Koster, Ferry Groshart, Pieter Hagendijk, Dirk Hekelaar Azn, Arie van den Heuvel, Gerrie Heystek-van der Zalm, Jan den Hollander, Marie Huijgen, Hendrik Huisman, Toos Huisman-van Marion, Arina Huizer-Verhagen, Jaap Huizer, Annie de Jong-Barendregt Pdr, Anna de

Jonge-van Opstal, Adri Jongejan-van Gijzen, Heiltje Jongenot-ter-van der Vorm, Jan Jungerius Azn, Jan Jungerius Gzn, Mathijs (Thijs) Josee, Bep Kamstra-de Graaf, Ellen van Kapel, Rookje Trijntje Kaptein-Roobol, Arie Keyzer, Jan Klingens, Annie Klomps-van Marion, Adrie Knoll-van der Linden, Annie de Koning-Dits, Huig de Koning, Cees Kool, Teunis Johannes Koppenaal, Wim Kranenburg, Rien Kroon, Fas Kruidenier, Trijnie Kruidenier, Wil Kruidenier, Jan Kruithof, Gerrit-Jan Lagerwerf, Hans de Lange, Sjaan de Lange-Louter, Wim Langerak, Tonia van Langeveld-Geeve, Arie van der Linden, Jaap van der Linden, Annie Loos-Barendregt Cdr, Bep Louter-de Ronde, Chiel Louter, Felix van Luyk, Ma van Luyk-Boender, Pietje Mastenbroek-van der Burgh, Corrie Meijboom-Kruithof, Adriaantje (Adrie) van Meggelen, Bram van Meggelen, Hanneke Meijboom, Cor Meijndert, Wijnand Messemaker, Pleunie Messemaker-Langstraat, Jannie Messemaker-van der Vorm, Dirk Moerkerken, Jan Molenaar Jzn, Lien Molenaar-van Marion, Willem Molenaar, Ton Oosterhuis, Marie van Opstal-Brons, Mieke van Opstal, Jo Overbeek, John Paulissen, Kor van Pelt, Corrie van der Pol-Rosmalen, Teun van der Pol Wzn, Aat Polak, Geert Polak-van Luyk, Gert de Raadt, Oolbert Jacob de Raadt Pzn, Teuntje de Raadt-van der Burgh, Gerrit de Reus, Aagje de Reus-Huisman, Henk Riethoff, Betty Rietveld, Dirk de Ronde, Neeltje Roobol, Corrie van Rosmalen-Molenaar, Henk Schaberg, Gijs Schouten, Job Snijder, Adriana Spieringhs-van Halderen, Fiena Spieringhs-van de Brande, Wim Spoormaker, Arie Stout, Cees Struijk, Lenie Trouw-Kouwenhoven, Marinus Uyl, Nel Valster-van Spingelen, Reinier van der Veen, Elsa van der Veen-Cense, Lenie Veldhuijzen-Barendregt Cdr, Arie Verhagen, Francina Verhagen-Kranenburg, Riet Verhoef, Arie Verschoor, Gerda Verschoor-Schaap, Arij Visser, Hendrik Visser, Adrie Vlasblom, Wil Vlasblom-Gielen, Gerard Voogt, Jo van der Vos, Trees Vrijken-Dits, Aart de Waard, Adriaan de Waard, Simon de Waard, Theo de Waard,

Wilhelmien de Waard, Daan van der Wagt, Jaap Weeda, John Weeda, Ina van der Werf-Weeda, Jan Wesdorp, Nel Westerman-van Wijnen, Fenna Willems-van der Weide, Kees Zevenbergen.

Een aantal geïnterviewden verkoos niet met naam genoemd te worden.

Uit piëteit met de nabestaanden en op nadrukkelijk verzoek van enkele informanten heb ik de namen van de dorpelingen in het boek veranderd, alsook de namen van de leden van de Haven Sabotageploeg. Dat doet echter niets af aan het waarheidsgehalte van *De vergelding*. Ik heb me bij de beschrijving van de personen en de gebeurtenissen strikt aan de feiten gehouden. Voor de keuze, de interpretatie, de verwoording en verbeelding van die feiten draag ik alleen de verantwoordelijkheid. Waar ik veronderstel of twijfel heb ik dat aangegeven in de tekst.